Het keukenhuis

Kathleen Grissom

Het keukenhuis

Vertaald door Astrid Huisman

Artemis & co

ISBN 978 90 472 0298 1
© 2010 Kathleen Grissom
© 2012 Nederlandse vertaling Artemis & co, Amsterdam en Astrid Huisman
Oorspronkelijke titel *The Kitchen House*
Oorspronkelijke uitgever Touchstone
Omslagontwerp Marry van Baar
Omslagillustratie Caroline Schiff/Getty Images
Foto auteur Charles Grissom

Verspreiding voor België:
Veen Bosch & Keuning uitgevers n.v., Antwerpen

Voor mijn geliefde ouders,
Ted en Catherine Doepker,
en voor mijn dierbare mentor,
Eleanor Drewry Dolan

PROLOOG

1810

Lavinia

ER HING EEN INDRINGENDE GEUR VAN ROOK EN IK WERD voortgedreven door een nieuwe golf van angst. Eenmaal op het vertrouwde pad sprintte ik vooruit, zonder te letten op mijn dochter, die me probeerde bij te houden. Mijn benen, die deze snelheid niet gewend waren, voelde ik niet meer, en het leek of mijn longen in brand stonden. Ik verdrong de gedachte dat ik te laat was en concentreerde me uit alle macht op de weg naar huis.

Ik maakte een domme inschattingsfout; ik wilde een kortere weg naar de beek nemen, dus verliet ik het pad en stortte me tussen de bomen, maar daar bleef ik tot mijn schrik vastzitten.

Ik rukte aan mijn lange blauwe rok om me uit de klauwen van de bramenstruik te bevrijden. Terwijl ik me losscheurde, haalde Elly me weer in. Ze klampte zich snikkend vast aan mijn arm en probeerde me tegen te houden. Hoewel een zevenjarige geen partij is voor een volwassen vrouw, bood ze fel verzet met een kracht die door haar angst gevoed werd. Buiten zinnen duwde ik haar op de grond. Ze keek me aan met een blik vol ongeloof.

'Blijf hier,' smeekte ik, en ik rende weer over het pad tot ik bij de beek kwam. Ik wilde oversteken door op de stenen in het ondiepe water te stappen, maar ik vergat dom genoeg mijn schoenen uit te doen. Halverwege gleed ik uit over de gladde stenen en viel met een plons achterover. Het water was ijskoud, en heel even zat ik daar als verlamd naar het kolkende water te staren, tot ik opkeek en ons koelhuis aan de andere kant van de beek herkende. Het grijze gebouw herinnerde me eraan hoe dicht ik bij huis was. Ik kwam overeind, mijn rok was doornat en zwaar, en ik ploegde naar de overkant door me vast te klampen aan de stenen die uit het water staken.

Onder aan de heuvel boog ik voorover om op adem te komen. Op een of andere manier had Elly me weer weten in te halen en ditmaal hing ze als een jong katje aan mijn natte rok. Ik was als de dood dat ze iets vreselijks zou zien, maar het was nu te laat, dus greep ik haar hand, en samen bedwongen we de steile top. Daar bleef ik stokstijf staan. Elly zag het ook en huilde zachtjes; haar hand gleed uit de mijne terwijl ze zich op de grond liet zakken. Heel langzaam, als in een droom, liep ik verder.

Onze enorme eik stond vlak bij de top van de heuvel, en zijn weelderige, groene bladeren wierpen een schaduw over de dikke tak die het gewicht droeg van het bungelende lichaam. Toen ik de groene hoofddoek en de handgemaakte schoenen met de punten naar beneden in het oog kreeg, weigerde ik nog langer op te kijken.

1

1791

Lavinia

IN DE LENTE VAN 1791 BESEFTE IK NOG NIET DAT IK DOOR HET traumatische verlies mijn geheugen had verloren. Ik wist alleen dat ik, toen ik ingeklemd tussen de kratten en zakken wakker werd, verlamd van angst ontdekte dat ik niet wist waar ik was, en me ook niet meer kon herinneren hoe ik heette. De maandenlange zware reis had zijn tol geëist, en toen de man me uit de kar tilde, klampte ik me uitgeput aan zijn brede schouders vast. Hij wilde daar niets van weten en trok moeiteloos mijn armen los om me neer te kunnen zetten. Ik begon te huilen en strekte mijn armen naar hem uit, maar hij duwde me in de richting van de oude neger die kwam aangesneld.

'Jacob, neem haar mee,' zei de man. 'Geef haar aan Belle. Ze mag haar hebben voor in de keuken.'

'Ja, kap'tein.' De oude man hield zijn ogen op de grond gericht.

'James! James, je bent weer thuis!'

Een vrouwenstem! Hoopvol keek ik op naar het enorme huis. De overnaadse planken waren wit geschilderd en er was een diepe veranda die de voorkant volledig omlijstte. Aan beide zijden van de brede trap stonden hoge zuilen waar groene klimop en blauweregen omheen kringelden en de lucht was doordrenkt met hun geur op deze vroege aprilochtend.

'James, waarom heb je niets laten weten?' riep de vrouw uit in de ochtendnevel.

Met zijn handen op de heupen boog de man naar achteren om

haar beter te kunnen zien. 'Ik waarschuw je, vrouw. Ik ben voor jou thuisgekomen. Wee je gebeente als ik naar boven moet komen.'

De vrouw stond bij een raam dat tot aan de vloer open leek, en lachte, een gedaante van wit schuim bedekt met een toef golvend kastanjebruin haar.

'Daar komt niets van in, James. Je blijft uit mijn buurt totdat je je gewassen hebt.'

'Pas maar op, mevrouw Pyke,' riep hij en hij sprong over de drempel. Binnen verstoorde hij de rust nog wat meer. 'Waar is iedereen?' hoorde ik hem roepen. 'Ik ben thuis!'

Ik wilde hem achterna rennen, maar de donkere, oude man greep mijn arm en hield me vast. Ik stribbelde tegen, maar hij tilde me op en ik gilde van angst. Snel droeg hij me naar de achtertuin. We stonden hoog op een heuvel, in de verte omringd door lagere heuvels. Er schalde een hoorn, waar ik nog banger van werd, en ik haalde uit naar mijn ontvoerder. Hij schudde me flink door elkaar. 'Hou daarmee op!' Verward keek ik hem aan; hij had een vreemde zwarte huid die contrasteerde met zijn witte haar en sprak een raar taaltje waar ik amper iets van begreep. 'Waarvoor verzet jij tege mij?' vroeg hij. Doodmoe door alles wat er gebeurd was, liet ik mijn hoofd op de smalle schouder van de man rusten. Hij liep door naar het keukenhuis.

'Belle?' riep de oude man. 'Belle?'

'Oom Jacob? Kom binnen,' riep een vrouwelijke stem, en de houten deur kraakte toen hij hem met zijn voet openduwde.

Oom Jacob zette me voorzichtig neer. Een jonge vrouw kwam langzaam de trap af en naar ons toe, terwijl ze haastig een groene katoenen band om de dikke vlecht van glanzend zwart haar wikkelde. Vol ongeloof nam ze me met haar grote groene ogen op. Het stelde me gerust dat ze er niet zo vreemd uitzag als de man die me bij haar had gebracht, want ook al was haar lichtbruine huid anders dan de mijne, haar gelaatstrekken leken meer op die van mij.

Oom Jacob zei: 'De kap'tein stuur dit kind naar jou. Hij zeg ze moet naar dat keukenhuis.'

'Hoe haalt hij het in zijn hoofd? Ziet hij dan niet dat ze blank is?' De vrouw ging voor me op haar hurken zitten en bekeek me van alle kanten. 'Was je ziek soms?' Ze trok haar neus op. 'Die kleren moet ik verbranden. Je bent vel over been. Wil je wat eten?' Ze haalde mijn duim uit mijn mond en vroeg of ik kon praten. Mijn stem liet het afweten en ik keek om me heen, me afvragend waar ik was.

Belle liep naar de enorme haard over de volle breedte van de kamer. Daar goot ze dampende melk in een houten kroes. Toen ze de kroes tegen mijn mond hield, verslikte ik me in de melk en mijn lichaam begon oncontroleerbaar te beven. Ik gaf over en viel flauw.

Ik werd wakker op een strozak in een kamer boven en durfde me niet te bewegen toen ik besefte dat ik me nog steeds niets kon herinneren. Mijn hoofd deed pijn, maar toen ik erover wreef, trok ik van schrik mijn handen terug. Mijn lange haar was kort geknipt.

Ze hadden me schoongeboend en mijn roze huid voelde zacht aan onder het ruwe bruine hemd dat mij bedekte. Mijn maag draaide zich om door de geur van onbekend eten die langs de open trap opsteeg uit de keuken. Mijn duim bracht me tot bedaren en ik keek de kamer rond terwijl ik mezelf geruststelde. Er hingen kleren aan haken in de muur en er stond een houten hemelbed met een eenvoudige kleine kist ernaast. Door een open raam zonder gordijnen stroomde zonlicht naar binnen en buiten klonk plotseling het geluid van een kinderlach. Een vaag gevoel van herkenning deed me even alles vergeten en ik rende naar het raam. Het felle licht deed pijn aan mijn ogen en ik moest ze met beide handen afschermen. Eerst zag ik niets dan glooiend groen, maar beneden, onder het raam, zag ik een paadje. Het liep langs een grote omheinde tuin naar een houten hut, waar op de treden van de veranda twee kleine zwarte meisjes zaten. Ze keken naar iets wat bij het grote huis gebeurde. Ik leunde verder uit het raam en zag een enorme eik. Een klein meisje op een schommel aan een dikke, lage tak riep iets tegen de jongen achter haar.

Telkens wanneer hij de schommel een zet gaf, slaakte het meisje, blond haar, blauwe ogen, een gil. De lange jongen lachte. Daar had je die lach weer! Hij kwam me zo bekend voor. Vervuld van hoop rende ik de houten trap af, de open deur van de keuken uit en de heuvel op naar hen toe. De jongen hield de schommel tegen en allebei staarden ze me aan. Beiden hadden felblauwe ogen en blaakten van gezondheid.

'Wie ben jij? Waar kom je vandaan?' vroeg de jongen, en zijn goudblonde haar schitterde in het felle licht.

Ik kon alleen maar terugstaren, sprakeloos van teleurstelling. Ik kende hem niet.

'Ik ben Marshall,' probeerde hij nog eens, 'en dit is mijn zusje Sally.'

'Ik ben al vier,' zei Sally, 'hoe oud ben jij?' Haar blauwe schoentjes wipten op en neer in de lucht en ze gluurde naar me vanonder de rand van een witte flaphoed.

Mijn stem liet het opnieuw afweten en er ging een golf van dankbaarheid door me heen toen Marshall de aandacht van me afleidde door aan de schommel te trekken. 'Hoe oud ben ik?' vroeg hij aan zijn zus.

'Twee,' zei Sally, en ze probeerde hem met haar voet te porren.

'Niet.' Marshall lachte. 'Ik ben elf.'

'Nietes, je bent twee,' plaagde Sally, die het vertrouwde spelletje glunderend meespeelde.

Plotseling werd ik door Belles armen de lucht in getild. 'Kom weer naar binnen,' zei ze streng, 'jij blijft bij mij.'

In het keukenhuis zette Belle me op een strozak in de hoek tegenover een donkerbruine vrouw die een baby de borst gaf. Bij het zien van hun intimiteit voelde ik een verlangen in me opkomen. De moeder keek me aan, en hoewel ze een jong gezicht had, liepen er diepe lijnen rond haar ogen.

'Wat jouw naam?' vroeg ze. Toen ik geen antwoord gaf, zei ze: 'Dit mijn baby Henry en ik zijn mama, Dory.'

De baby trok zich ineens terug van haar borst en liet een hoge, schrille kreet horen. Ik duwde mijn duim in mijn mond en maakte me klein.

Ik wist niet wat er van me verwacht werd, dus bleef ik op een strozak in de keuken zitten. Die eerste paar dagen hield ik Belle nauwlettend in de gaten. Ik had geen trek en wanneer ze me dwong te eten, keerde mijn maag zich heftig om. Iedere keer dat ik overgaf, betekende dat de zoveelste schoonmaakbeurt. Naarmate Belles irritatie om mij toenam, werd ik steeds banger om haar boos te maken. 's Nachts sliep ik op een strozak in een hoek van Belles kamer boven. De tweede nacht kon ik de slaap niet vatten en ging ik aan de rand van Belles bed staan, gerustgesteld door het geluid van haar zachte ademhaling.

Ik moet haar hebben laten schrikken, want toen ze wakker werd, schreeuwde ze tegen me dat ik terug naar mijn eigen bed moest. Ik droop af, banger dan ooit.

Het donker joeg me angst aan, en met elke nacht die voorbijging, zonk ik verder weg in de leegte. Ik deed zoveel moeite me iets van mezelf te herinneren dat mijn hoofd ervan bonkte. Gelukkig werd mijn verdriet even voor zonsopgang iets verlicht, als de hanen en de hoorn iedereen opriepen om op te staan. Dan kwam er een andere vrouw, mama Mae, de keuken in om Belle te helpen. De twee vrouwen werkten goed samen, maar hoewel Belle de baas was in de keuken, had ik al snel door dat mama Mae de baas was over Belle. Mama Mae was een stevige vrouw, maar ze had niets zachts. Het was een nuchtere vrouw die zich als een wervelwind verplaatste en haar vlugheid verried dat ze geen last had van luiheid. Ze klemde een maïskolfpijp tussen haar tanden, die bruin waren van de tabak. Hij was zelden aan, maar ze kauwde op de steel en na verloop van tijd besloot ik dat hij voor haar hetzelfde doel diende als mijn duim voor mij. Ik was misschien veel banger voor haar geweest als ze me niet al snel met haar glimlach had gezegend. Dan rimpelden haar donkerbruine, vlakke gezicht en haar zwarte ogen, en kregen ze iets vriendelijks.

In de dagen daarna probeerde ik niet langer te eten, en sliep ik bijna voortdurend. Op de ochtend dat mama Mae me onderzocht, keek Belle van de andere kant van de kamer toe. 'Ze is gewoon koppig. Als ik haar aan het eten krijg, braakt ze het meteen uit, dus nu geef ik haar alleen nog maar water. Dan krijgt ze vanzelf wel honger,' zei Belle.

Mama hield mijn gezicht in haar sterke hand. 'Belle!' zei ze streng. 'Dit kind verzet niet tege jou. Zij te ziek. Zorg dat ze eet, anders je raak haar kwijt.'

'Ik weet niet waarom de kap'tein haar aan mij geeft. Ik heb genoeg werk.'

'Belle, sta jij weleens stil, ik denk precies zo over jou, toen ik hoor ze gaan jou naar dit keukenhuis verplaats?'

'Nou, ik maakte tenminste geen troep door alles over je heen te braken.'

'Nee, maar jij was ongeveer even oud, misschien zes of zeven toen. En jij was hier geboren en getogen, en toch ging je tekeer,' zei mama Mae bits.

Belle zei niets meer, maar na dit gesprek deed ze minder nors tegen me.

Later die dag slachtte mama Mae een kip. Ze maakte bouillon voor me, en het was de eerste keer dat mijn maag iets anders dan water verdroeg. Na een paar dagen op deze geneeskrachtige vloeistof te hebben geleefd, ging ik vast voedsel eten en hield ik het binnen. Toen ik weer een beetje aanspreekbaar was, begon Belle me vragen te stellen. Ik moest al mijn moed bij elkaar rapen, maar eindelijk lukte het me te vertellen dat ik mijn geheugen kwijt was. Of het nu lag aan mijn vreemde accent of aan Belles verbazing over wat ik vertelde, geen idee, maar Belle gaapte me vol ongeloof aan. Tot mijn grote opluchting stelde ze geen vragen meer. En juist toen het stof weer wat was neergedaald, werden Belle en ik in het grote huis ontboden.

Belle was nerveus. Ze frunnikte wat met een kam tot ze uiteindelijk uit frustratie een sjaal om mijn kortgeknipte, rommelige haar wikkelde. Ze deed me een schoon bruin hemd aan dat over mijn knieën viel en daaroverheen een wit schort dat ze haastig van een keukendoek had genaaid.

'Niet op je duim zuigen.' Belle trok mijn gezwollen vinger uit mijn mond. Ze boog zich voorover en dwong me haar in de ogen te kijken. 'Als zij jou iets vraag, zeg je "ja, m'vrouw". Das alles wat je zegt: "ja, m'vrouw". Begrepen?'

Ik begreep weinig van wat er van me verwacht werd, maar ik knikte omdat ik Belle zo graag gerust wilde stellen.

Ik liep vlak achter Belle aan over het stenen pad dat naar de achterveranda leidde. Oom Jacob knikte plechtig en hield de deur open. 'Veeg die voeten,' zei hij.

Ik bleef staan om het vuil en zand van mijn blote voeten te vegen, en de opgewreven vloer voelde heerlijk glad aan toen ik de drempel over stapte. In de verte stond de voordeur open, en er stroomde een zachte bries door de lange gang, langs me heen, de openstaande achterdeur uit. Die eerste ochtend zag ik de hoge mahoniehouten ladenkast niet die op wacht stond in de hal, noch viel me de hoge blauw-witte tulpenvaas op, het meest recente pronkstuk van overzee. Wat ik me echter wel goed kan herinneren is de angst die ik voelde toen ik naar de eetkamer werd geleid.

'Kijk eens aan! Ze zijn er!' dreunde de stem van de kapitein.

Toen ze mij zag, gilde Sally: 'Kijk, Marshall! Het is dat meisje van de keuken. Mama, mag ik met haar spelen?'

'Blijf uit haar buurt,' zei de vrouw, 'ze ziet er ziek uit. James! Waarom...'

'Rustig maar, Martha. Ik had geen keus. Haar ouders zijn gestorven en ze waren me de overtocht schuldig. Of ze kwam met mij mee, of ik had haar moeten verkopen als contractarbeider. Ze was ziek. Ik had toch niets voor haar gekregen.'

'Was ze alleen?'

'Nee, ze had een broer, maar die was gemakkelijk elders te plaatsen.'

'Waarom hebt u haar in het keukenhuis gezet?' vroeg Marshall.

'Wat moest ik anders?' antwoordde zijn vader. 'Ze moet ergens leren zich nuttig te maken.'

'Maar waarom bij haar?' Marshall knikte naar Belle.

'Zo is het wel genoeg, zoon,' zei de kapitein en hij gebaarde dat ik moest komen. 'Kom eens hier.' Ook al was hij nu gladgeschoren en ging hij gekleed als een heer, ik herkende in hem de man die me uit de kar had getild. Hij was niet lang, maar zijn forse bouw en luide stem maakten hem een indrukwekkende verschijning. Zijn grijze haar was in de nek samengebonden en zijn felblauwe ogen tuurden naar ons over het montuur van een bril.

De kapitein keek langs mij heen. 'Hoe gaat het met je, Belle?' vroeg hij.

'Goed, kap'tein,' antwoordde zij zachtjes.

'Je ziet er goed uit,' zei hij, en hij glimlachte naar haar met zijn ogen.

'Natuurlijk gaat het goed met haar, James, waarom zou het niet goed met haar gaan? Kijk dan naar haar. Zo'n mooie meid. Het ontbreekt haar aan niets, op haar leeftijd al hoofd van de keuken en ze heeft praktisch haar eigen huis. Je hebt de vrijers voor het uitkiezen, nietwaar, Belle?' De vrouw praatte vlug en op hoge toon, en met haar elleboog op de tafel trok ze steeds aan een streng die aan haar rode haar ontsnapt was. 'Of niet soms, Belle? Het is een komen en gaan, toch?' vroeg ze nadrukkelijk.

'Ja, m'vrouw.' Belle klonk gespannen.

'Kom maar hier.' De kapitein onderbrak het gesprek en opnieuw gebaarde hij dat ik naar voren moest komen. Toen ik dichter bij hem stond, richtte ik mijn aandacht op de diepe groeven die in zijn verweerde gezicht verschenen wanneer hij glimlachte. 'Help je in de keuken?' vroeg hij.

'Ja, m'vrouw,' zei ik schor, erop gebrand de instructie van Belle op te volgen.

In de kamer barstte luid gelach los, maar ik zag dat de jongen, Marshall, niet lachte.

'Ze zei "ja, m'vrouw" tegen u, papa,' giechelde Sally.

De kapitein grinnikte. 'Zie ik eruit als een "m'vrouw"?'

Ik wist niet wat ik moest antwoorden, want ik kende deze vreemde aanspreekvorm niet, dus knikte ik aarzelend. Opnieuw werd er gelachen.

Plotseling draaide de kapitein zich om en riep met donderende stem: 'Fanny! Beattie! Wat langzamer graag, anders blazen jullie ons nog de kamer uit.'

Toen pas zag ik de twee donkere meisjes, die ik op mijn eerste dag op het trapje voor de hut had zien zitten. Uit gesprekken in de keuken had ik opgemaakt dat ze de zesjarige tweelingdochters van mama Mae waren. Nu stonden ze allebei aan een kant van de tafel en trokken aan een koord. Het koord was verbonden met een grote ventilator aan het plafond, en als je eraan trok, flapperde hij boven de eetkamertafel als de vleugel van een reuzenvlinder en wekte zo een briesje op. Opgewonden door al het gelach waren ze de kamer te enthousiast aan het ventileren, maar na het gebulder van de kapitein keerde de ernst in hun donkere ogen terug en trokken ze minder hard.

De kapitein draaide zich weer om. 'Belle,' zei hij, 'goed gedaan. Je hebt haar in leven gehouden.' Hij bekeek wat papieren die voor hem lagen en nadat hij zijn blik vluchtig over een pagina had laten glijden, sprak hij me rechtstreeks aan. 'Eens kijken. Binnenkort word je zeven. Klopt dat?'

Ik had geen idee.

In de stilte die ontstond, piepte Sally: 'Ik ben al vier.'

'Zo is het genoeg, Sally,' zei Martha. Ze zuchtte en de kapitein knipoogde naar zijn vrouw. Toen hij zijn bril afzette om mij beter te kunnen bekijken, maakte zijn onderzoekende blik me nerveus. 'Weet je niet hoe oud je bent? Je vader was onderwijzer, heeft hij je niet leren tellen?'

Mijn vader, dacht ik. Had ik een vader?

'Wanneer je aangesterkt bent, wil ik dat je in de keuken gaat werken,' zei hij. 'Kun je dat, denk je?' Mijn borst deed zeer en ik kon amper ademhalen, maar ik knikte.

'Goed zo,' zei hij, 'dan houden we je hier totdat je groot bent.' Na een korte stilte vroeg hij: 'Heb je nog vragen?'

Mijn wil tot weten won het van mijn angst. Ik boog me iets naar hem toe. 'Mijn naam?' bracht ik fluisterend uit.

'Wat? Hoe bedoel je, jouw naam?' vroeg hij.

Belle zei: 'Ze weet haar naam niet.'

De kapitein keek Belle aan alsof hij op een verklaring wachtte. Toen die uitbleef, keek hij opnieuw naar de papieren die voor hem lagen. Hij kuchte voor hij antwoordde. 'Hier staat dat je Lavinia heet. Lavinia McCarten.'

Ik klampte me aan de informatie vast als aan een reddingsboot. Ik kan me niet herinneren dat ik de kamer heb verlaten, maar ik kwam weer bij op een strozak in de keuken en hoorde oom Jacob en Belle over de kapitein praten. Volgens Belle vertrok hij de volgende ochtend weer en zou hij die avond bij haar langskomen.

'Ga je die brief vraag?' vroeg oom Jacob.

Belle gaf geen antwoord.

'Zeg tege hem jij heb die nu nodig. Mevrouw Martha heb jou in de gaten. De kap'tein weet zij neem die zwarte druppels, maar hij weet niet ze drink die met perzikenlikeur. Jij ben elke dag mooier en als mevrouw Martha na al dat gedrink die spiegel pak, ze weet ze lijk ouder dan dertig. Zij heb op jou gemunt en dat ga met die tijd nog erger wezen.'

Belles gebruikelijke vastberaden stem klonk nu terneergeslagen. 'Maar oom, ik wil niet weg. Dit is mijn thuis. Jullie zijn allemaal mijn familie.'

'Belle, je weet je moet gaan,' zei hij.

Hun gesprek eindigde toen oom Jacob mijn open ogen zag.

'Kijk es aan. Die kleine Abinia ben wakker,' zei hij.

Belle kwam naar me toe. 'Lavinia,' zei ze, en ze streek mijn haar van mijn voorhoofd, 'die naam past bij je.'

Ik keek haar aan, maar wendde algauw mijn blik af. Ik voelde me verlorener dan ooit, want ik had geen enkele band met die naam.

Die avond werd ik met mama Mae naar huis gestuurd. Ik wilde niet weg uit het keukenhuis, maar Belle stond erop. Mama zei dat haar tweeling, Fanny en Beattie, de meisjes die de ventilator hadden bediend, bij me zouden zijn. Op weg ernaartoe hield mama Mae mijn hand vast en liet me zien dat het keukenhuis helemaal niet ver was van haar eigen kleine hut.

Fanny en Beattie stonden ons al op te wachten. Ik aarzelde en wilde dicht bij mama Mae blijven, maar de meisjes wilden graag een nieuw speelkameraadje. Ze namen me mee naar een hoek van de kleine hut, waar een boomstam in de muur was uitgehold die fungeerde als plank; de plek waar ze hun schatten bewaarden.

De langste van de twee, Fanny, nam de leiding; ze had de snelle ogen en directheid van haar moeder en de armen en benen van een veulen. Beattie was klein en gedrongen, met nu al een knap gezichtje en een brede glimlach die nog eens werd benadrukt door twee diepe lachkuiltjes.

'Kijk,' zei Fanny gebiedend toen ze speelgoed van de plank pakte. Ze gaf een poppentafeltje met twee stoeltjes door, gemaakt van kleine takjes en bijeengehouden door stukjes pees. Beattie liet me haar pop zien, en daarna mocht ik hem vasthouden. Ik greep er zo begerig naar dat Beattie even aarzelde totdat haar vrijgevigheid de overhand kreeg en ze de pop losliet. 'Mama haar maak,' zei ze trots en ze keek om naar mama Mae.

Ik greep Beatties kostbare bezit en voelde een steek van verlangen. De pop was van ruwe bruine stof gemaakt; haar ogen waren erop gestikt met zwart garen en ze had uitstaande vlechtjes van zwarte wol. Ik voelde aan het hemd van de pop, dat dezelfde vorm had als dat van de tweeling en mij. Ze droeg een rood schort waarin ik het materiaal van mama Mae's hoofddoek herkende.

Toen de avond viel, kwamen Dory en baby Henry bij ons. Ze waren al vaker bij het keukenhuis langsgekomen, waardoor ik wist dat Dory de oudste dochter was van mama Mae. Ik mocht Dory wel, want ze liet me met rust, maar ik had moeite met haar baby; zijn gekrijs ging door merg en been.

Hoewel ik wat afleiding had door met de meisjes te spelen, bleef ik Mama's geruststellende gestalte in de gaten houden. Plotseling ging de deur open en verscheen er een donkere beer van een kerel tegen de achtergrond van een nog zwartere avondlucht. Ik vloog naar Mama toe. Fanny en Beattie krabbelden overeind en renden naar de man, die ze met één beweging optilde. 'Papa!' riepen ze. Toen hij ze had losgelaten gingen ze verder spelen en na enige aanmoediging van Mama deed ik mee. 'Avond, Dory.' De man had zo'n lage stem dat hij van onder de grond leek te komen. Hij bleef even bij de mama van baby Henry staan, legde zijn enorme hand op haar hoofd, en vroeg: 'Hoe ben die kleine?'

'Niet zo best, Papa,' antwoordde Dory zonder op te kijken van de bank waar ze haar kindje voedde. Het kind protesteerde toen ze zijn gezwollen handjes voorzichtig aan haar vader liet zien. 'Als ze handen zo dik ben, dan hij huil steeds,' zei ze.

Haar vader bukte en voorzichtig, met een knokkel, streelde hij de wang van de baby. Toen hij zich weer oprichtte, zuchtte hij en met slechts een paar reuzenpassen was hij bij mama Mae. De meisjes giechelden en hielden hun handen voor de ogen toen hun vader Mama naar zich toe trok en haar nek speels besnuffelde. 'George!'

lachte Mama en ze joeg hem weg. Toen hij een stap terug deed, viel zijn blik op mij en hij knikte naar me. Ik draaide me snel om.

Belle verwachtte bezoek, zei mama Mae tegen de man als uitleg voor mijn aanwezigheid en het paar wisselde een blik van verstandhouding voordat Mama zich weer naar de haard wendde. Ze schepte stoofpot op uit een zwarte pan die boven het vuur hing en Papa zette de gevulde houten kommen op de smalle tafel. Vervolgens veegde ze de kolen van het deksel van een andere zwarte ijzeren pan die in de hete as was ingegraven en haalde er een dampend rond maïsbrood uit dat langs de randen bruin en knapperig was.

De drie volwassenen schoven krukjes naar de tafel en Fanny en Beattie lieten me tussen hen in staan terwijl ze aan het eten begonnen. Maar ik voelde me niet op mijn gemak en wilde terug naar de vertrouwde omgeving van het keukenhuis. Zonder enige trek staarde ik naar mijn kom, en toen Mama zei dat ik moest eten, begon ik te huilen.

'Kom es hier, Abinia,' zei ze, waarop ik naar haar toe ging en ze me op schoot tilde. 'Kind, je moet eet. Je ben vel over been. Hier, ik doop dit in die jus voor jou en je eet zodat je later zo sterk als Mama ben.'

De tweeling lachte. 'Je doe tege haar als tege een baby, Mama,' zei Fanny.

'Nou,' zei Mama, 'misschien ben ze mijn nieuwe baby en moet ik haar dit eten geef. Doe je mondje open, mijn baby.' Ik verlangde zo naar haar zorg dat ik het maïsbrood dat ze in de dikke varkensjus doopte opat. Ze bleef me voeren terwijl ze over het vertrek van de kapitein praatte en vertelde dat mevrouw Martha weer op was van de zenuwen.

Dory moest vanavond weer naar het grote huis, zei ze, en ze had geen idee wat mevrouw Martha zou doen als de kapitein de volgende ochtend weer wegging. Mama Mae wou dat zij bij mevrouw Martha kon gaan zitten zodat Dory bij haar kleintje kon blijven.

Dory antwoordde met een diepe zucht: 'Je weet ze wil mij.' Mama knikte instemmend.

We waren bijna klaar met eten toen we buiten gedempte stemmen hoorden. Papa George maakte aanstalten om op te staan en mijn maag trok samen toen Mama me vlug op de grond zette en opstond. 'Nee, George!' zei ze. 'Ik en Dory gaan. Niemand heb daar wat aan als jij ook nog mee bemoei.'

Ik hoorde hoe er iemand aan kwam rennen en toen de deur openvloog, kwam Belle buiten adem binnen. Haar groene hoofddoek ontbrak en de vlecht die ze 's avonds altijd droeg was los. Mama Mae trok Belle naar binnen, waarop zij en Dory naar buiten renden. Belle leunde hijgend met haar handen tegen de muur, kwam toen overeind en liep naar de tafel waar ze tegenover Papa ging zitten.

Belle zei: 'Ze komt hem achterna dit keer. Zij doet dat nooit eerder. En Marshall, hij komt met haar mee. Dan ziet ze de nieuwe kam en het boek die hij mij gaf, en ze pakt ze en gooit ze naar mij. Dan gaat Marshall me duwen en slaan. De kap'tein grijpt hem en stuurt hem naar buiten, maar dan gaat mevrouw Martha huilen en hem slaan. Hij zegt: "Martha, Martha, hou je in," maar ze is zo buiten zinnen, hij zegt dat ik Mama moet halen.' Belle steunde haar ellebogen op tafel en liet haar hoofd in haar handen rusten.

Papa schudde zijn hoofd. 'Heb je die vrijbrief vraag?' vroeg hij. Belle praatte tussen haar vingers door. 'Hij zegt dat ik die volgende zomer krijg.'

De lucht knetterde van Papa's woede en toen hij opstond zette hij zich met zoveel kracht tegen de tafel af dat twee van de houten kommen op de grond vlogen. 'Volgend jaar! Volgend jaar! Altijd doe volgende keer! Er gaat hier wat gebeur als hij jou die brief niet geef!'

Toen de deur achter hem dichtging, was ik stomverbaasd dat mijn eten er zonder waarschuwing uit kwam. Toch luchtte het me enigszins op, want mijn onverwachte reflex leek Belle af te leiden en haar te kalmeren terwijl ze me schoonmaakte.

De tweelingzusjes keken toe vanaf hun strozak met naast hen de slapende Henry. Toen Belle klaar met me was, zette ze me bij hen neer en ruimde vervolgens de kamer op. Toen alles op orde was, kwam Belle naar ons toe en nam de slapende baby in haar armen, terwijl ze me met een knikje te kennen gaf dat ik bij haar moest komen zitten. We schrokken ons allemaal een hoedje toen we luid gebonk van buiten hoorden, maar toen het aanhield, besefte Fanny waar het vandaan kwam. 'Papa sta weer dat hout te hak,' fluisterde ze.

Toen we terugliepen naar Belles huis lag alleen de achterkant van de hut waar Papa aan het werk was in de schaduw van het witte maanlicht.

'Papa?' riep Belle zachtjes. 'Papa?'

Het gedreun hield op.

'Papa, maak je geen zorgen. Ik krijg die brief,' zei ze in de stilte.

2

Belle

MAMA ZEGT: 'ALWEER BEN DE KAP'TEIN NET LANG GENOEG thuis voor die boel op ze kop te plaats.'

En ze heeft gelijk, zoals altijd. Waarom moet hij aan mij dit zieke kind geven? Overdag kan ze haar eten niet binnenhouden en 's nachts maakt ze me bang, als ze daar in het donker zit te staren.

Tuurlijk, de kap'tein staat daarvoor bekend, die komt en gaat, en hij vertelt niks aan niemand. Zo ben hij nou eenmaal, zegt Mama. Ze heeft gelijk, want ik weet wat zij weet. Toen ik klein was, toen ik in het grote huis woonde, wachtte ik bij de voordeur op zijn rijtuig en dan komt hij ineens achterom, op een paard. De volgende keer wacht ik op het paard, en komt hij aangereden op een zwaarbeladen wagen.

Ik wist nooit wanneer hij kwam en ik wist nooit hoe hij kwam. Maar hij komt zeker te weten altijd, hoe dan ook terug.

In die tijd was mijn blanke grootmoeder, mevrouw Pyke, de baas hier. De papa van de kap'tein ging vroeg dood. Hij viel van een paard, zei grootmoeder. De kap'tein was nog maar een kind, negen jaar oud, en hij kreeg daar een flinke klap van, dus het jaar daarop stuurde mevrouw Pyke hem naar school, naar Londen, in de hoop dat hij advocaat werd, maar toen hij op zijn negentiende thuiskwam, wilde hij alleen maar terug het water op.

'Waarom blijft hij niet?' vroeg ik haar telkens als hij wegging. Hij heeft zijn werk op de boot en zo houdt hij de boel hier draaiend, zei ze dan. Alles gaat goed hier, zei ze altijd tegen hem wanneer hij thuiskwam. Ze zei nooit dat hij hier moest blijven voor te helpen.

Mevrouw Pyke voedde me op in het grote huis en leerde me alles, net als een blank meisje. Ze leerde me zelfs lezen en schrijven. Ze zegt dat ik niet hoef te doen alsof ik niet beter weet, alleen maar omdat ik half neger ben. Wij zitten aan tafel, zij en ik, en mama Mae brengt het eten. Mevrouw Pyke leert me een servet te gebruiken en rechtop te zitten. Ze neemt me mee uit rijden voor het werk op het veld te laten zien. Dan ga ik haar, op een dag net als altijd, wakker maken. Daar ligt ze, heengegaan zonder gedag te zeggen. Ik schreeuwde en huilde tot ik niet meer kon nie. Zeven jaar lang was die vrouw mijn alles.

Na haar dood besluit de kap'tein, al oud en nooit getrouwd, een jonge vrouw mee naar huis te nemen, zij twintig, hij veertig. Ze sturen me weg uit het grote huis want de kap'tein wil niet dat mevrouw Martha van mij weet.

Beneden in het keukenhuis kan het mama Mae niks schelen dat de kap'tein mijn papa is. Ze zegt dat ik er niks nie aan heb en het alleen maar moeilijker wordt als ik het iedereen onder de neus wrijf. 'Leer koken,' zegt ze, 'dan stuur ze jou niet weg.' De tijd verstrijkt en ik doe wat Mama zegt, maar dat betekent niet dat ik vind dat de kap'tein me goed behandelt.

Deze keer gaat het volgens Dory en Mama lang duren voordat mevrouw Martha kalmeert. Maar ze vindt het altijd vreselijk als de kap'tein weggaat. Natuurlijk raakt ze bijna elke keer dat hij thuiskomt zwanger. Punt is, die baby's leven niet zo lang. Ze heeft er al twee begraven. Telkens als er weer eentje komt en gaat, neemt ze meer van die druppels. Wanneer de kap'tein weg is, blijft mevrouw Martha de hele dag binnen, en zwerft ze van kamer naar kamer. En dan, zodra zijn papa weg is, begint Marshall ook weer mijn leven zuur te maken en stenen te gooien als ik in de tuin werk. Hij is een sluwe vos. Hij doet alleen vervelend als niemand het ziet. Ik weet zeker dat hij denkt dat ik de oorzaak ben van zijn moeders probleem. Soms vraag ik me af wat er zou gebeuren als ik met hem ga praten en zeg: 'Hé, jongen, weet je eigenlijk wel dat je stenen naar je grote zus gooit?' Maar ja, dat zal de kap'tein zijn zaak zijn.

Het klopt van geen kanten dat ik moet koken voor mevrouw Martha en mijn broer en zus in het grote huis, en soms, vooral wanneer de kap'tein thuis is, bedenk ik bij mezelf hoe fout het is. En pas dan maar op! Die pannen gaan alle kanten op vliegen.

Ik ben nu achttien en oud genoeg voor te weten wat ik wil. Dit keukenhuis is mijn thuis, en wat er ook gebeurt, ik ga hier voor niemand niet weg. Kan me niks schelen wat ze zeggen. Ik wil helemaal geen vrijbrief. Die gebruikt de kap'tein alleen als smoes voor me hier weg te krijgen.

3

Lavinia

TOEN BELLE BEATTIES GESTOLEN POP ONDER MIJN STROZAK vond, was ze woest en stond ze erop dat ik hem onmiddellijk naar de keuken bracht.

'Waarom neem jij dit?' vroeg mama Mae toen ik hem aan haar gaf.

Ik maakte me klein, mijn duim in mijn mond.

'Ik zei toch, ze is een geniepig–' begon Belle.

'Belle!' Mama zette haar op haar plaats. 'Dit ben het beste ding wat Beattie heb,' zei ze streng tegen me.

Ik kon er niet tegen dat ze boos op me was, dus rende ik naar buiten naar de achterkant van het keukenhuis en verstopte me de rest van de ochtend achter de stapel hout. Later sloop ik weer naar binnen, de trap op, en viel in slaap terwijl ik wachtte totdat Mama weg was.

Ik kwam pas de volgende ochtend weer beneden, toen mama Mae me riep met een stem die geen tegenspraak duldde. Langzaam liep ik de trap af naar beneden waar de tweeling naast hun moeder stond te wachten. Beattie stapte naar voren en gaf me een pakje dat in een keukendoek was gewikkeld. Er zat een pop in met rode vlechten en een lijfje van witte stof; ze had een bruine jurk aan en een schort dat gemaakt was van dezelfde groene katoen als Belles hoofddoek.

'Mama die voor jou maak,' legde Fanny uit.

Ik hield de pop voor me uit, want ik durfde Fanny niet te gelo-

26

ven en dus keek ik mama Mae aan. Ze knikte. 'Nu heb je een ding voor jezelf,' zei ze.

Tegen juli van dat eerste jaar werd ik geleidelijk aan beter, maar mijn geheugen niet. Ik zei niet veel, maar iedereen spoorde me aan om te praten, omdat ze mijn Ierse accent zo grappig vonden. Mijn uiterlijk was vaak onderwerp van gesprek. Fanny hoopte dat ik niet alleen op mijn neus maar overal sproeten zou krijgen, zodat mijn bleke huid wat meer kleur kreeg. Beattie probeerde mijn rode haar steeds weer over mijn puntige oren te pluizen en zelfs Belle maakte opmerkingen over de vreemde amberkleur van mijn ogen. Toen Mama hun kritische opmerkingen opving, zei ze dat ik me geen zorgen moest maken en verzekerde me dat ik op een dag tot bloei zou komen. Inmiddels aanbad ik Mama en deed ik er alles aan om aandacht van haar te krijgen. Ik bleef een beetje uit Belles buurt; ik woonde in haar huis, maar hield haar nauwlettend in de gaten. Ze zorgde voor me, maar ze voelde zich niet meer op haar gemak bij mij dan ik bij haar.

Overdag spoorde Mama me aan om met de meisjes op pad te gaan. We gingen vaak naar de stallen waar papa George werkte en daar ontmoette ik hun oudere broer Ben. Hij was even oud als Belle, achttien, en zelfs nog groter dan zijn vader. Zijn enorme postuur had me gemakkelijk kunnen afschrikken, maar ik was algauw dol op hem.

Ben was een spontane man met een hartelijke, diepe lach en ik was jaloers op zijn zusjes wanneer hij ze plaagde. Hij had blijkbaar met me te doen, want algauw hoorde ik er ook bij en noemde hij me Lil Birdie, vogeltje. Hoe kon ik nou vliegen met mijn duim in mijn mond? wilde hij weten. Na die opmerking moest en zou ik hem tevredenstellen, dus zorgde ik ervoor dat mijn hand in zijn bijzijn uit de buurt van mijn gezicht bleef. Na die eerste ontmoeting vroeg ik elke ochtend aan de tweeling of we bij Ben langs konden gaan. De meisjes plaagden me en toen Belle hier iets van opving, vroeg ze: 'Vind je Ben leuk?' Het bracht me in verlegenheid, maar ik knikte desondanks. Ze glimlachte naar me, voor het eerst in al die tijd. 'Je hebt in ieder geval smaak,' zei ze.

Ik ging wat van mijn avondeten apart houden en 's morgens kon ik amper wachten tot ik Ben mijn offerande kon aanbieden. Hij toonde zich iedere keer verrast en at altijd alles met smaak op. Op een dag gaf hij me in ruil een vogelnest dat hij had gevonden. Het was een geschenk van onschatbare waarde dat ik voor geen goud zou ruilen en het was het eerste in wat later mijn collectie verlaten vogelnesten zou worden. Ik legde het voorzichtig op de grond bij mijn strozak, naast mijn geliefde pop.

De tweeling en ik waren bij de beek aan het spelen op de middag dat Jimmy, een jonge man van bij de slavenhutten, de plank stal. We konden niet zwemmen, dus waadden we op kniehoogte langs de bemoste oever, spetterden in het water en tolden rond totdat we onszelf uitgeput hadden. We lagen op de oever uit te rusten toen Fanny plotseling haar vinger tegen haar lippen legde. We kropen achter haar aan het dichte struikgewas in en toen ze de bladeren uiteenduwde, zagen we iets verder stroomafwaarts een jonge donkere neger op zijn hurken in de schaduw van het koelhuis zitten. Ik wist dat er in dat gebouw gekoelde boter en kaas en vaak ook gebak lag opgeslagen, en mijn eerste gedachte bij het zien van zijn magere, ontblote borst was dat hij er hongerig uitzag.

Hij keek om zich heen en toen hij niemand zag, rende hij naar het volgende gebouw, het rookhuis, waarin vlees voor het hele jaar lag opgeslagen. Uit de wanden sijpelde een indringende geur van verbrand bitternoothout, waarvan de rook doordrong in de stevig gezouten stukken varkens- en rundvlees die aan de binnenbalken hingen. Fanny en Beattie hielden beiden hun adem in toen de man de klink omhoog schoof en naar binnen stapte. Beattie fluisterde dat de deur op slot had moeten zijn en dat papa George de sleutel had.

We bleven kijken tot hij weer verscheen. Hij ging weg, maar zonder vlees. In plaats daarvan droeg hij een plank onder zijn arm. Het leek een vloerplank van ongeveer een meter lang. Hij rende terug naar de beschutting van het koelhuis en na een korte pauze draaide hij zich om en stormde het bos in, de heuvel af, in de richting van de hutten.

Ik rende achter de meisjes aan op zoek naar papa George. We troffen hem met mama Mae in het kippenhok aan, waar hij haar hielp een hen te vangen. Net toen we de hoek om kwamen, ving hij er een en hield de krijsende vogel bij de poten vast.

'Papa,' riep Fanny toen we op hem af renden. 'Papa! Jimmy van de hutten neem nog een plank uit dat rookhuis.'

Mama Mae nam de kip van Papa over en liep ermee naar de achterkant van het hok. Met ons drieën in hun kielzog begonnen Papa en mama Mae ruzie te maken.

'Dit moet stop,' siste Mama.

'Die heb zout nodig,' zei Papa. Hij liep weg en mama Mae gooide de kip woest op het houtblok. Ze draaide zich om en keek ons alle drie aan. 'Jullie heb niks zien,' zei ze, en met een klap van haar kleine bijl hakte ze de kippenkop eraf. Ze gooide het kippenlijf op de grond terwijl het bloed uit de nek spoot. De kop lag levenloos op het blok, maar het lichaam liep rond en joeg me de stuipen op het lijf met zijn morbide dans des doods. Ik maakte rechtsomkeert en rende naar het keukenhuis, langs papa George, die op weg was naar het rookhuis met een vervangende plank. Belle stond op het erf bij een vuur met een grote pan kokend water erboven. Ik verraste ons beiden toen ik op haar af rende en me in haar rokken verborg.

Toen mama Mae eraan kwam, zag ik tot mijn grote opluchting dat de kip, die ondersteboven in Mama's hand hing, nu niet meer bewoog. Ik bleef bij Belle staan en keek toe hoe Mama de vogel in het kokendhete water doopte. Ze haalde hem eruit en wachtte niet totdat hij was afgekoeld maar begon hem meteen te plukken. Ik dacht dat ze boos was, maar toen ze de kip had uitgehaald riep ze me en liet me zien dat er een perfect gevormd ei in de buik zat. 'Zie je nou wel, niks om bang van te wezen,' zei ze. 'Mama maak alleen maar een kip dood.' En ze gaf me het ei voor mijn avondeten. Het was nog warm.

Een paar weken later ging ik met de meisjes naar de kinderen van de hutten. De tweeling mocht daar niet naartoe zonder hun moeder, maar Fanny, die toen al rebelse trekjes had, haalde Beattie en mij over om met haar mee te gaan.

De hutten lagen helemaal onder aan de heuvel, bij de beek. We kwamen uit het bos en naderden de hutten aan de achterkant, waar houtblokken lagen opgestapeld onder geïmproviseerde afdakjes. De hutten waren gebouwd van ruw gekapte stammen en de kieren waren gedicht met modder. Elke hut had twee deuren en een muur in het midden die ze scheidde in twee afzonderlijke kamers. Toen we bij een hut naar binnen keken, bleek die maar klein te zijn. In een hoek lag een stapel strozakken en naast de haard stond een grote ijzeren pan. Er hingen houten lepels aan haken in de muur en over een stuk touw dat over de lengte van de kamer was gespannen waren versleten doeken gedrapeerd. Onder een klein raampje zonder luiken zoemden vliegen die tevergeefs op zoek waren naar kruimels op de handgemaakte tafel en de stapel houten kommen.

Fanny zei dat dit het huis was van Jimmy en al zijn broers. Met haar vingers somde ze alle namen op. 'Ida ben ze mama en ze heb zoveel jongens.' Ze glimlachte en stak zes vingers op.

We hoorden kinderen en liepen achter het geluid aan. Het leidde ons langs een rij dubbele hutten en wat kleine tuintjes. Toen we bij de laatste hut de hoek om kwamen, belandden we op een groot erf van zand. Iets verderop zag ik een huis met overnaadse planken en Beattie fluisterde dat de opzichter daar woonde, uit de buurt van de anderen. 'Hij een blanke,' zei ze in mijn oor.

Van het midden van het erf klonk de groet van een oude vrouw. 'Zo, zo! Daar heb je die Fanny en die Beattie.' Ze rechtte haar kromme, magere rug zo goed als ze kon en ging door met roeren in een zwarte ketel die boven een open vuur hing te pruttelen. 'Jullie hier voor te eten?' vroeg ze. Een groepje kinderen stond achter haar en hield alles nauwlettend in de gaten.

'Nee hoor, Tantetje. We moet zo weer terug,' zei Fanny.

'En wie dit dan?' De oude vrouw tuurde naar me met haar donkere ogen.

'Dit Abinia, Tantetje. Belle haar nieuwe mama,' antwoordde Fanny. Ik wierp een blik op Fanny, verbaasd over de rol die ze Belle had toebedeeld.

'Aha,' antwoordde de oude vrouw en ze bekeek me van top tot

teen voor ze weer verder ging met haar werk. Ze riep twee van de jongens bij zich om haar te helpen de pan van het vuur te tillen en hem aan de kant te zetten om af te koelen.

Toen ze een enorme spatel pakte om weer in de maïspap te roeren, ving ik een heerlijk vleugje zoutige varkensvleesgeur op, maar tot mijn verbazing zag ik haar een stuk hout van de bodem vissen. Ze keek eerst goed om zich heen voordat ze het uit de pan haalde en gooide het toen vlug op het vuur. Geen idee hoe ik het wist, maar ik besefte dat dit een stuk was van de plank die Jimmy uit het rookhuis had gestolen.

Geholpen door de jongens goot ze hete pap in een houten trog die leek op het ding dat papa George gebruikte voor zijn varkens. Een lang meisje leegde een kleine houten emmer karnemelk over de opstijvende maïsbrij en de oude vrouw gebruikte haar spatel om de twee te mengen. Toen ze naar de kinderen knikte, renden ze gretig op hun maal af. Een paar kleintjes hadden zich vastgeklampt aan hun oudere broers of zussen en werden op schoot gezet of aan de trog, waar ze allemaal begonnen te eten. Sommige kinderen gebruikten dunne stukjes hout om het eten op te lepelen, maar de meesten hadden niet meer dan hun vieze handen en algauw kreeg het gele mengsel een donkere kleur. Toen ik zag hoe uitgehongerd ze waren, bekroop me een sterk gevoel van herkenning en wendde ik mijn blik af, in een poging de herinneringen waar ik nog niet klaar voor was op afstand te houden.

We kwamen op tijd terug bij het keukenhuis voor ons eigen middageten. Onze houten kommen waren die dag gevuld met een geroosterde zoete aardappel, een royaal stuk gekookte ham en een maïskolf. Met de herinnering aan de kinderen van de hutten nog vers in mijn geheugen voelde ik me schuldig toen ik aan mijn eten begon, maar de oorzaak van mijn schuldgevoel veranderde al snel toen ik Fanny tegen mama Mae hoorde liegen over waar we die middag geweest waren.

Met het koude weer in aantocht kregen we steeds meer taken toebedeeld. De meisjes moesten mee naar het grote huis om van

Mama te leren, en ik moest bij Belle blijven. Toen Fanny het huishoudelijk werk weigerde, nam mama Mae haar apart in het keukenhuis en las haar dochter de les binnen gehoorafstand van Beattie en mij. 'Wat denk jij wel, Fanny? Vergeet niet je bent een slaaf. Weet jij nou nog niet, de kap'tein kan jou verkoop wanneer hij maar wil? Als mevrouw Martha zeg jij moet weg, dan ben je weg.'

'Dan zeg ik gewoon nee, ik blijf,' zei Fanny brutaal.

Mama's stem trilde van woede. 'Luister, meid. Ik zal jou es vertel wat gebeur als je nee zeg tegen die blanke. Ik zie hoe die me eigen papa doodschiet toen hij een muilezel opzadel en wegrij voor hulp te zoek voor me eigen zieke mama. Ze krijg een kind en schreeuw voor hulp. Ik sta daarbij toen die m'neer tege mijn papa zeg kom van die muilezel af. Toen mijn papa zeg: "Nee, ik ga die hulp haal," en die ouwe m'neer schiet hem in ze rug. Die avond weet ik niks anders te doen dan vliegen wegjaag als ik kijk hoe mijn mama doodga. Toen die ouwe m'neer mij verkoop, hij zeg ik ben alleen maar goed voor dat veld. En daar groei ik op, en werk hard, naast Ida, tot ik van die ouwe mevrouw Pyke naar dat grote huis moet voor Belle te voeden. Ik weet al snel wat ik moet doen voor daar te blijf. Ik werk voor mevrouw Pyke alsof ik niet weet wat moe beteken. Niks dat ik nie doe. "Ja, mevrouw Pyke, u heb gelijk, mevrouw Pyke," dat alles wat ik zeg. Jullie meiden goed naar mij kijk. Ik doe alsof ik nooit aan mezelf denk, alleen maar hoe ik iedereen in dat grote huis gelukkig kan maak. Dat doe ik omdat daar wil blijf en ik doe mijn best voor jullie meiden bij me te hou.'

'Er gaat geen dag nie voorbij dat ik niet zeg: "Dank u Heer, voor mij naar dat grote huis te stuur en mij de kap'tein als mijn m'neer te geef." Ik weet er ben niks goeds aan slaaf wezen, maar wie ga ik dat verhaal vertel?

Dus, Fanny, wil je nog steeds dat ze je verkoop, ga jij Papa vraag hoe hij hier kom. En bereid je dan maar voor, want hij ga huilen als hij jou vertel en aan het eind ga jij ook huilen.'

Met grote ogen van verbazing konden wij drieën niets uitbrengen toen Mama was uitgesproken.

Later die maand vertelde de tweeling dat er bezoek was van nog een volwassene, die bij het gezin kwam wonen. Hij kwam uit Engeland, een privéleraar, zeiden ze, die door de kapitein was gestuurd om les te geven aan zijn kinderen. Toen Fanny verklaarde dat ze hem niet mocht, heb ik haar geloof ik niet gevraagd waarom.

Ik was zeker nieuwsgierig naar het grote huis en de kinderen die er woonden, maar de meisjes vertelden me dat ze de bewoners niet vaak zagen. Als dat wel gebeurde, mochten ze niet praten, maar alleen knikken en hun werk doen. Toen bleek dat Beattie net als Fanny van mening was dat hun werk, stof afnemen en vloeren schrobben, vervelend en verre van spannend was, vond ik het niet erg meer dat ik in de keuken moest blijven.'

Belle deed steeds vriendelijker tegen me, wat me motiveerde om nog meer mijn best voor haar te doen. Het was inmiddels al mijn taak om de kippen maïs- en graankorrels te voeren, dus was ik dubbel zo trots toen ze me de verantwoordelijkheid gaf om eieren in het kippenhok te gaan rapen. Toen papa George me uit de ren zag stappen, kwam hij naar me toe. Ik wilde graag de aandacht op mijn nieuw verworven taak vestigen, dus zette ik mijn volle mand heel voorzichtig op de grond alvorens het hek goed achter me te sluiten. 'Je ben goed met die kippen, Abinia,' zei hij. 'Je ben een goeie meid.'

Zijn stralende glimlach verwarmde mijn eenzame hart en stelde het plotseling open voor een nieuwe mogelijkheid. 'Papa,' vroeg ik, 'is Dory jouw dochter?'

'Dat klopt, ja,' zei Papa.

'Zijn Beattie en Fanny jouw dochters?' vroeg ik.

'Zeker te weten ben ze dat,' zei hij.

'Papa,' vroeg ik, 'is Belle jouw dochter?'

'Waarom vraag je dat allemaal, kind?' zei hij.

'Ik vroeg me af, Papa...' zei ik aarzelend en ik keek naar mijn teen die een streep in het zand trok.

'Toe maar, kind, zeg wat jij afvraag,' zei hij bemoedigend.

'Kan ik ook jouw dochter zijn?' vroeg ik vlug.

De grote, breedgeschouderde man wendde zijn blik af voordat hij antwoord gaf. 'Nou,' zei hij, alsof hij er diep over had nagedacht, 'dat wil ik wel heel graag, denk ik zo.'

'Maar,' zei ik, bang dat het hem misschien niet was opgevallen, 'ik zie er niet uit als jouw andere dochters.'

'Omdat je blank ben?'

Ik knikte.

'Abinia,' zei hij en hij wees naar de kippen, 'kijk es naar die vogels. Sommige ben bruin, andere ben wit en zwart. Denk jij dat dit die mama's en papa's iets uitmaak, als ze kuikentjes ben?'

Ik glimlachte naar hem en hij liet zijn grote hand op mijn hoofd rusten. 'Volgens mij heb ik nu er nog een kleine meid bij,' zei hij, terwijl hij mijn haar in de war maakte, 'en ik noem haar Abinia! Hoe vind je die! Ik zeg "Dank u, Heer!" Heb ik even geluk!'

Ik huppelde de hele weg terug naar huis. Belle gaf me een standje toen ze een gebroken ei vond en ik beloofde haar dat ik de volgende keer beter op zou letten, maar ik was te blij om er spijt van te hebben.

Er viel wat lichte sneeuw toen mama Mae begin december op een avond een krijsende baby Henry naar de warme keuken bracht. De tweeling was met haar meegekomen, en met zijn drieën keken we naar Belle en mama Mae die warme compressen op de gezwollen handjes en voetjes van de baby aanbrachten. Maar zijn gekwelde gekrijs hield niet op.

'Fanny, haal Dory. Mevrouw Martha neem de hele dag die zwarte druppels dus die slaap nu zeker. Oom Jacob let op haar tot Dory terug ben.'

Fanny rende de deur uit en Mama riep haar achterna: 'Zeg tege Dory dat ze die zwarte druppels meeneem.'

Toen Dory er was, probeerde ze haar baby te troosten door hem de borst te geven. De pijn maakte hem ontroostbaar en hij wierp zijn hoofdje steeds in zijn nek. Dory begon zelf te huilen. 'Mama, wat moet ik doen?'

'Hij niet goed, kind,' zei mama Mae tegen haar oudste dochter. 'Ik zie dit eerder, bij die hutten. We geef hem die druppels voor te kalmeer.'

Mama had het bruine flesje dat Dory uit het huis had meegenomen in haar hand en mengde een beetje van de donkere vloeistof met warm water. Dory hield het lijdende kind vast, terwijl Belle zijn mondje opendeed zodat Mama het mengsel er voorzichtig in kon druppelen. De kleine Henry hoestte toen hij slikte, maar tot onze grote opluchting viel hij algauw in een diepe slaap. Later werd er zachtjes aangeklopt en kwam oom Jacob binnen.

'Mevrouw Martha roep jou, Dory,' zei hij. 'Ze heb jou nu nodig.'

Mama Mae nam Henry over van Dory, tegen haar zin. 'Ga nu maar,' zei ze, 'hij ga nu slaap.'

Toen Dory weg was, liet Mama de gezwollen handjes en voetjes van de baby aan oom Jacob zien. Hij schudde zijn hoofd. 'Die blijf hier niet lang,' zei hij.

'Dit ga moeilijk wezen voor Dory,' zei mama Mae.

'En voor Jimmy,' voegde Belle daaraan toe. 'Hij is de papa, vergeet dat niet. Hij wil elke dag alleen maar zijn Dory en zijn zoontje zien, maar hij moet wegblijven. De opzichter waarschuwde Jimmy dat hij hem zal verkopen als hij hem weer in de buurt van Dory ziet. Jimmy werkt op het veld, zegt hij, dus moet hij met een vrouw van het veld gaan, en hij mag nooit niks te maken hebben met een meisje van het grote huis.'

'Heb niemand de kap'tein vraag of Dory met Jimmy over die bezemsteel kan springen?' vroeg oom Jacob.

'Rankin zeg hij ben die opzichter. Dus hij de baas, en hij zeg wie met wie ga trouwen,' antwoordde mama Mae. 'Die Rankin doe graag gemeen.'

Toen mama Mae ons drieën zag, werd de tweeling naar huis gestuurd en ik naar boven om te slapen. Toen oom Jacob weg was, bleef mama Mae achter met de baby en ging bij het vuur zitten om met Belle te praten. Ik viel in slaap, gerustgesteld door hun zachte, lage stemmen.

Baby Henry stierf die nacht. Vroeg in de ochtend kwam papa George met een kleine plank waar Mama en Belle een kleine strozak op legden. Dory stond bij de deur, met haar stille baby in haar armen. Mama ging naar haar toe. 'Geef hem aan mij,' zei ze zachtjes en stak haar handen uit naar baby Henry.

'Nee, Mama.' Dory wendde zich af met haar bundeltje.

Papa George ging naar haar toe en sloeg zijn arm om de smalle schouders van zijn oudste dochter. 'Dory, hij nu goed, hij bij die Heer. Geef hem aan Mama.'

Langzaam gaf Dory baby Henry af. 'Mama, maak jij hem beter? Jij ben altijd zo goed voor hem, Mama,' smeekte ze.

Belle nam Dory bij de arm en bracht haar naar buiten. Ik keek vanuit de deuropening toe hoe ze langs de stal het bos in liepen. Het sneeuwde, en alles werd bedekt door een schoon laken van witte stilte. Mama Mae wachtte tot ze uit het zicht waren en liep toen terug naar papa George. Ze legde baby Henry op de strozak en samen bonden ze, met behulp van een lange bruine doek, zijn kleine lichaam vast aan de houten plank. Toen ze hem helemaal in de doek gewikkeld hadden, keek mama Mae op naar Papa. Tranen stroomden over haar ronde wangen. 'Het goed voor dit kind dat hij ga, ik weet dit,' zei ze, 'maar ik ben bang hij neem Dory's hart met hem mee.'

'Onze meid kom wel bovenop,' zei Papa en hij droogde Mama's gezicht met zijn vingers.

De tweeling was binnen en ook zij huilden; ik niet. Ik voelde me leeg. Toen ze hem met zijn allen gingen begraven, bleef ik achter, totdat ik, als de dood om alleen te zijn, achter ze aan rende naar de begraafplaats beneden bij de hutten.

Ik bleef in de beschutting van de bomen staan en keek toe. Ben stond bij een kleine grafkuil naast andere kleine grafjes die gemarkeerd waren met rechtopstaande stenen. Toen ze baby Henry in de grond lieten zakken, liet Dory een reeks ijselijke kreten ontsnappen. Mijn gedachten werden meegesleurd in de stroom van haar verdriet en baanden zich een weg naar elders. Het leek alsof er een sluier werd weggetrokken en ik deze plek van verdriet had verlaten om een dieperliggende plek te bereiken, waar mijn andere ik huisde, dat tot deze dag verloren was geweest. Ik was terug aan boord van een schip, niet bestand tegen de woeste deining en de wanhopige misselijkheid van mijn zeeziekte.

Het in een doodskleed gewikkelde lichaam was nu dat van mijn moeder. Ik zag opnieuw hoe ze het lieten zakken, de verre diepte van het woelige water in. Enkele dagen eerder was mijn vader haar voorgegaan; ook hij ging het water in. Ik keek om me heen door de sneeuw op zoek naar mijn broer, Cardigan. Ervan overtuigd dat hij me riep, ging ik hem zoeken.

Jimmy, de vader van baby Henry, vond me en bracht me terug naar het keukenhuis. Ik was de hele dag spoorloos geweest. Die avond, toen de zon al onder was en Jimmy in zijn eentje om het verlies van zijn zoon wilde rouwen, trof hij me aan in het bos.

Naar het schijnt wiegde ik bijna twee dagen lang in stilte heen en weer. Uiteindelijk kwam mama Mae naar me toe. Ze ging naast me op de strozak zitten en zei tegen Belle en de tweeling dat ze weg moesten gaan. 'Abinia,' zei ze streng, 'waarvoor wieg je zo?'

Ik wiegde wild heen en weer om de pijnlijke herinnering vast te kunnen houden, de herinnering aan mijn moeder. Ik kon haar niet loslaten; ik zou haar opnieuw verliezen.

'Abinia,' zei ze, en ze probeerde me tegen te houden, 'zeg mama Mae waarvoor jij zo wieg.' Ze hield mijn gezicht vast en dwong me haar in de ogen te kijken. 'Praat tege Mama. Abinia, jij moet praten. Niet weer weggaan nu. Praat tege Mama. Zeg haar wat er scheelt.'

Ik probeerde me uit haar greep te bevrijden, want ik had de kracht van beweging nodig om mijn misselijkheid te bedwingen, maar Mama trok mijn wiegende lichaam op schoot. Door me tegen haar sterke boezem aan te drukken, vertraagde ze mijn ritme tot het zich aanpaste aan dat van haar. 'Mama ga deze pijn van jou overneem,' zei ze. Terwijl ze naar achteren wiegde, haalde ze diep adem en trok me naar zich toe en wanneer we weer naar voren wiegden, ademde ze het verdriet in mij uit met diepe, kreunende keelgeluiden.

Steeds weer wiegde ze naar achteren en naar voren, en haalde zo het woekerende vergif van de nachtmerrie die ik verborgen hield naar de oppervlakte. Ik probeerde met haar mee te ademen, maar mijn ademhaling bleef kort en raspend, en ik had het gevoel dat ik verdronk.

'Kom,' zei ze. 'Vertel dit aan Mama.'

Ik fluisterde het afschuwelijke. 'Baby Henry ligt in het water.'

'Baby Henry niet in dat water,' zei ze, 'dat kind ben bij die Heer. Hij op een fijne plek. Hij aan het lachen en spelen met andere kinderen van die Heer. Hij heb geen pijn meer! Hij op een fijne plek.'

'Mijn ma ligt in het water,' fluisterde ik weer.

'Abinia, jouw mama ben bij die Heer, net als baby Henry. De waarheid is, ze heb baby Henry in haar armen en ze speel nu samen. Luister maar, je hoor ze bijna lachen. Deze wereld ben niet dat enige thuis. Deze wereld ben voor te oefenen in goeie dingen doen. Soms, die Heer zeg: "Niks daarvan, die mama, die baby Henry, die ben te lief voor niet bij mij te zijn. Ik haal ze thuis." Ik weet dit, Abinia,' zei ze, en haar stevige armen en woorden van overtuiging boden me houvast. 'Mama zeg soms we moet vertrouwen op die Heer.'

Op een of andere manier hoorde ik mama Mae's waarheid, en mijn hart geloofde haar. Nu ik mijn verleden hervonden had, klampte ik me vast aan deze moeder die me nu mijn toekomst gaf. 'Ma!' jammerde ik. 'Ma!' Mijn gejammer maakte eindelijk de tranen los die ik sinds mijn aankomst had opgeslagen.

'Mama bij je,' werd ik gerustgesteld. 'Mama bij je.'

4

Belle

OM EERLIJK TE ZIJN, WANNEER BABY HENRY DOODGAAT, HIJ heeft zoveel pijn, het is maar goed dat hij gaat. Arme Dory wil hem redden, maar Mama zegt ze heeft dit eerder bij de hutten gezien en het loopt altijd slecht af. Nu kijken Dory's ogen precies zo als die van mevrouw Martha toen zij haar baby's verloor.

Wanneer Lavinia baby Henry de grond in ziet gaan, verliest ze haar verstand. Dan brengt Jimmy haar terug, en ik kan niks doen, maar Mama weet wat te doen. Dan herinnert Lavinia zich het schip, en ze ziet haar mama en papa doodgaan en hoe zij in het water worden gegooid. Wat denken die mannen, een kleintje dat laten zien?

Nu weet ze waar ze vandaan komt, Ierland, maar ze zegt dat haar mama en papa daar niks hadden en hier werk kwamen zoeken. Ze zegt dat ze een broer heeft, Cardigan.

Rare naam, Cardigan. Ik vraag niet verder want ik merk ze vindt het nog steeds moeilijk over hem te praten. Sinds de dag van haar herinneringen ken ik haar niet meer terug, hoewel ze nog steeds net een muis is, schichtig en bang van alles. Ze neemt haar karweitjes nu heel serieus en als ze klaar is, vraagt ze altijd of ik kom kijken. Als ik zeg 'goed gedaan', komt op haar gezichtje een glimlach die het hele keukenhuis kan verlichten.

Ik moet zeggen, wanneer de tweeling zegt dat ze eten naar Ben brengt, verwarmt die kleine meid mijn hart. Zij weet niet waarom ik haar extra meegeef, maar ik moet lachen als ik bedenk dat we allebei een oogje op dezelfde man hebben.

5

Lavinia

NU IK ME DE DOOD VAN MIJN OUDERS KON HERINNEREN, KWA-
men er andere herinneringen naar de oppervlakte. Natuurlijk had
ik op die prille leeftijd slechts een paar jaar om uit te putten, maar
als een geluid of een geur een volgend beeld opwekte, was dat vaak
al genoeg om me helemaal van streek te maken. Overmand door
het verlies kon ik niets anders doen dan rouwen. Ik had lieve ouders, die beiden gespannen waren toen we aan boord van het schip
gingen. Mijn ma wilde niet weg uit Castlebar, de stad in Ierland
waar haar ouders nog woonden. Maar mijn pa, die volgens mij verder geen familie had, wilde koste wat kost zijn gezin een beter bestaan bieden. Ik kan me herinneren dat ze vaak ruzieden, maar het
beeld van mijn ma's vreselijke verdriet om de dood van mijn pa
staat op mijn netvlies gebrand. En toen verloor ik haar. De rest van
de reis klampte ik me wanhopig vast aan mijn broer. Mijn laatste
herinnering aan Cardigan was zijn machteloosheid toen de kapitein me smekend en gillend bij hem weghaalde.

Ik verzachtte de pijn van deze herinneringen door mezelf een
belofte te doen: ooit zal ik mijn broer vinden.

Ik werd geleidelijk aan weer beter, en hoewel ik nu erg gehecht
was aan Mama, ging ik ook troost zoeken bij Belle. Sinds de dood
van baby Henry deed ze anders tegen me, zelfs zodanig dat ze me,
toen ze me op een nacht hoorde huilen, naar haar eigen bed bracht.
Ze sloeg haar armen om me heen en streelde mijn rug tot ik sliep.
Vanaf dat moment liet ze me 's avonds vaak bij haar in bed kruipen.

Toen de kapitein op tijd voor Kerstmis thuiskwam, kregen wij in de keuken te horen dat mevrouw Martha opnieuw tot leven was gekomen. De voorbije maanden, tijdens de afwezigheid van de kapitein, had mevrouw haar maaltijden in de zitkamer boven naast haar slaapkamer laten opdienen. De kinderen aten daar dan tussen de middag met haar, maar de andere maaltijden gebruikten ze samen met de privéleraar in de studeerkamer. Sinds de kapitein weer thuis was, en met de kerstdagen in aantocht, hadden de maaltijden een feestelijk karakter gekregen en werden ze opnieuw in de eetkamer opgediend.

Aangezien er extra hulp nodig was in de keuken, werd Beattie tot mijn grote vreugde naar het keukenhuis gestuurd en bleef Fanny achter om Dory te helpen. Iedereen was druk aan het bakken voor de feestdagen en zelfs Ben kwam bij de stal vandaan om te komen helpen. Hij hakte het hout dat het vuur in de keuken gloeiend heet hield en leverde ook de brandstof voor de haarden in het grote huis. Beattie en ik konden ons geluk niet op toen we Ben moesten helpen het hout te dragen. We renden naar buiten om hem te begroeten, zo graag wilden we hem blij maken.

'Jullie veels te klein voor werk,' plaagde hij ons allebei.

'Niet waar,' verzekerden we hem.

Hij gaf ons beiden een klein stuk aanmaakhout. 'Meer,' smeekten we, 'meer,' tot hij onze armen had volgeladen. We strompelden naar de houtstapel, erop gebrand dat hij zou zien hoe sterk we waren, maar toen we bij de keuken aankwamen, riep mama Mae: 'Ben! Ben, kom es hier!'

Ben was zo groot dat hij voorover moest buigen om door de keukendeur te kunnen. Hij richtte zich weer op en glimlachte. 'Roep je mij, Mama?' vroeg hij.

Belle keek om naar Ben en hij knikte naar haar. Met een gezicht dat een roze gloed had gekregen knikte ze terug en ging toen vlug verder met het afwegen van een pond suiker. Belle was dun, maar het viel me op dat haar taille, als ze naar voren leunde om het suikerblok te snijden, naar boven toe uitdijde tot een royale boezem en haar een bevallige vorm gaf. Toen ik naar Ben keek, zag ik dat het hem ook opviel.

'Ben,' zei Mama, 'wat moet dat met die twee meisjes, waarvoor laat je ze zoveel hout draag?'

Hij gaf ons een knipoog. 'Mama, zij mijn grote sterke helpers.'

Vol trots gingen we naast hem staan, klaar voor de volgende lading. 'We helpen hem, Mama,' zeiden we.

'Ben,' zei Mama lachend, 'jij weet zeker raad met die vrouwen.'

Hij grinnikte en keek Belle aan. 'Denk je, Mama?'

Belle keerde haar rug naar hem toe, maar de kracht waarmee ze de stamper in de vijzel liet neerkomen verried haar antwoord.

'Zo, Abinia. Dus Belle zorg voor jou als een goeie mama?' vroeg Ben aan mij.

Ik keek naar Belle, en toen haar blik de mijne kruiste, glimlachte ze. Ik keek weer naar Ben en knikte.

'Die Belle heb een kind zo mooi als zij krijg. Heb je een papa nodig?'

'Nee, hoor,' zei ik vol zelfvertrouwen. 'Ik heb papa George.'

De volwassenen lachten.

'Die ook mijn papa,' plaagde hij.

'Ik weet het,' zei ik trots, 'en die van Dory en Fanny en Beattie en Belle.'

'Aha,' zei hij, 'Belle, jouw mama. Papa George, jouw papa. Wie ben mama Mae dan?'

'Zij is de grote mama,' zei ik, verbaasd dat hij dat niet wist.

Ik voelde me opgenomen in het gelach dat volgde en hoewel ik niet zeker was van mijn precieze positie binnen de familiestructuur, kreeg ik het gevoel dat er een plaats voor me was.

'Ben,' zei Mama, 'geef die meiden niet te veel werk, dat ben nog maar kinderen.'

'Kom op dan, kinderen,' zei hij, en hij pakte onze handen, 'we heb nog zat hout te draag.'

Belle draaide zich naar ons om. 'Ben,' zei ze, 'zorg goed voor mijn kind.'

Toen ze me zo noemde, ging er een rilling door me heen, en Ben, die niets wist uit te brengen, tilde ons buiten op en wiegde ons om de beurt heen en weer tot we gierden van het lachen.

Op kerstochtend kwam Fanny met twinkelende ogen bij het grote huis vandaan.

'Marshall krijg twee nieuwe boeken,' zei ze, 'en hun allebei krijg potten verf en kwasten voor mee te schilderen. Marshall krijg die soldaatjes en Sally, zij krijg een pop die op haar lijk, en servies, en nog veel meer dingen. Mevrouw krijg die lange draad met glanzende kralen, ze noem die parels!' Ze spreidde haar armen en richtte zich tot de hemel. 'Zo ga dat wezen als ik doodga,' zei ze op dramatische toon.

'Jij ga dood als je ons niet help,' zei Mama, maar ze glimlachte terwijl ze het zei.

Er ontstond nog meer opwinding toen er rond het middaguur gasten arriveerden. Zo'n vrolijke chaos had ik sinds mijn aankomst nog niet meegemaakt. Fanny, Beattie en ik stonden om de hoek van het grote huis te kijken toen de paarden de oprijlaan op stormden. De kapitein stond in de deuropening, maar mevrouw Martha vloog bij hem vandaan, de trap af. Ze rende naar het rijtuig, waardoor de koetsier de paarden krachtig moest inhouden. De deur van het rijtuig vloog open en een vrouw wierp zich met een gil naar buiten, in de armen van mevrouw Martha. Ze hielden elkaar lang stevig vast.

'Dat ben zusjes,' fluisterde Fanny.

De kapitein liep de trap af om de gedrongen, kalende man die nu uit het rijtuig stapte te begroeten. Hij had een jong meisje van ongeveer mijn leeftijd aan zijn zijde; ze droeg een felrode jas en een bijpassende hoed met witte rand. Marshall sloeg de begroeting gade vanuit de deuropening, maar Sally rende meteen op haar nichtje Meg af.

De gasten werden het huis binnengeleid en naar kun kamers gebracht om wat uit te kunnen rusten. We keken naar Ben, papa George en oom Jacob, die de koetsier hielpen om alle koffers uit te laden. Pas toen het met modder aangekoekte rijtuig en de met schuim bedekte paarden naar de stal waren gebracht, liepen wij meiden terug naar de keuken. Belle en mama Mae hadden dagenlang gewerkt aan de voorbereidingen voor het feestmaal dat zou gaan plaatsvinden, en onze hulp was hard nodig.

Halverwege de middag begonnen we schalen met eten van de keuken naar het grote huis te dragen. We gingen de eetkamer via een zijdeur binnen, om de salon, waar de kapitein en mevrouw Martha zich amuseerden, te vermijden. De grote gelambriseerde schuifdeuren tussen de hal en de eetkamer waren gesloten, dus hadden wij, op onze beurt, ook geen last van de bewoners van het grote huis.

Dit was pas de tweede keer dat ik de eetkamer zag en ik keek mijn ogen uit. Dory, oom Jacob en Fanny hadden de kamer versierd met groen en maretak. Hulsttakjes sierden de kozijnen; de bessen pasten perfect bij de weelderige rode gordijnen. In het midden van elke vensterbank stond een lage porseleinen schaal met daarin de heerlijk geurende potpourri die Belle en ik in de herfst hadden gemaakt door een mix van gedroogde rozenblaadjes, lavendel, rozemarijn en partjes appel te besprenkelen met geraspte kaneel en nootmuskaat. Het parfum van de potpourri mengde zich met de aangename geur van de verse dennentakken die de schouw versierden.

De tafel was gedekt met twee witte damasten tafelkleden die ik Mama een paar dagen eerder had zien strijken. Het bovenste kleed zag er weelderig en dik uit, als opgesteven room. Zilveren bestek en glaswerk schitterde naast een servies waarop felgekleurde vogels waren geschilderd. Belle vertelde me dat het pauwen waren en dat de kapitein er ooit een op de plantage had gehad.

'Een lawaaimaker, die ouwe vogel,' mopperde oom Jacob.

'Ja, oom, je hebt gelijk,' zei Belle, 'maar was het geen prachtige, trotse vogel?'

'Ja, totdat die ouwe vos hem te pakken krijg.' Oom lachte en legde nog een stuk hout op het knetterende vuur. Daarna ging hij de vele kaarsen aansteken.

Ieder van ons droeg een schaal met eten van het keukenhuis naar de eetkamer en mama Mae en Belle zetten ze op strategische plaatsen op tafel, om zo een evenwichtig feestmaal te presenteren. Een enorme gerookte ham, verpakt in een servet en gegarneerd met ingemaakte pruimen en perziken op brandewijn, markeerde het ene eind van de tafel. Belle schikte donkergroen magnoliablad rondom de schaal en naast de zilveren suikerpot plaatste ze een kristallen sauskommetje gevuld met een pikante mosterd-honingsaus.

Mama en Belle konden alleen samen de enorme schaal met de sappige rosbief naar boven dragen. Het vlees was urenlang aan een spit geroosterd met daaronder een pan vol sissende aardappels waarin het braadvet werd opgevangen. Vier kleinere schalen in pauwenmotief gevuld met groenten stonden op de hoeken van de tafel. Er waren tuinerwten in een dikke roomsaus, kleine rode bie-ten die glansden van de boter, zoete aardappels met wat druppels honing, en witte pastinaak bestrooid met verse peterselie voor een feestelijk tintje. Boven aan het couvert voor mevrouw plaatste Ma-ma een terrine met oestersoep, op smaak gebracht en gegarneerd met groene takjes tijm.

Het dessert, een heerlijke pruimenpudding, stond in de keu-ken op te warmen, maar op het buffet stonden al schaaltjes met verschillende soorten gelei en crèmes klaar. Naast die traktaties stonden vier zilveren miniatuurrijtuigjes die getrokken werden door kleine zilveren geitjes. Dankzij Belle had ik de eer ze vol te mogen laden met suikergoed en donkere rozijnen.

Dory verscheen in de deuropening terwijl wij ons werk stonden te bewonderen. Ze had in de salon sherry geserveerd aan de kapi-tein en zijn vrouw en hoewel ik haar benijdde om wat ze had ge-zien, zag ze er vermoeid en ongeïnteresseerd uit. Plotseling storm-de Sally langs Dory naar binnen.

'Fanny, Fanny!' riep ze blij, en ze rende op ons af met haar nieu-we porseleinen pop in de hand. 'Kom hier, Meg.' Ze zwaaide naar haar nichtje die bij de deur stond te wachten. Terwijl de tweeling Sally's pop bewonderde, kwam het meisje, Meg, langzaam dich-terbij. Ze liep een beetje mank, maar wat me vooral opviel was het brilletje dat ze droeg. Haar bruine haar was strak naar achteren ge-trokken en vastgezet met een paars lint, maar er staken een paar springerige, onwillige pijpenkrullen uit, die haar scherpe gelaats-trekken wat verzachtten. Ondanks haar plechtige houding mocht ik haar meteen.

'Heb jij een pop?' vroeg Fanny aan Meg.

'Ik hou niet van poppen!' antwoordde Meg.

'Maar je houdt wel van vogels, toch, Meggy?' vroeg Sally.

'Wel van vogels, ja,' gaf Meg toe.

'Ze heeft er eentje die kan praten,' zei Sally, 'maar ze moest hem thuislaten.'

'Eentje die praat?' vroeg Fanny.

Meg knikte, in verlegenheid gebracht door onze aandacht.

'Ik hou ook van vogels,' schoot ik haar te hulp.

Ze keek me aan vanachter haar brillenglazen. 'Wat voor soort?' vroeg ze.

'Kippen,' zei ik.

'Heb je er een?'

Ik knikte. 'Een heleboel. Ze wonen beneden bij de stal. Ik voer ze elke dag. En ik raap de eieren. Als het warm wordt, dan krijgen ze kuikentjes, zegt Papa.'

'Ahhh...' zei ze vol verlangen.

Dory onderbrak ons. 'Juffrouw Sally, u neem die pop mee naar buiten voordat u kom eten.' Toen de meisjes weg waren, fluisterde Dory luid tegen Mama: 'Mevrouw Martha kom eraan met mevrouw Sarah.' Bij hun binnenkomst viel mijn mond open van verbazing. Het verschil tussen de twee vrouwen was zo groot dat ik niet kon geloven dat ze zussen waren. Mevrouw Martha, lang en spichtig, droeg een eenvoudige jurk van blauw brokaat met een prachtige snit, terwijl mevrouw Sarah, klein en mollig, daar scherp tegen afstak in volumineus felrood satijn dat van de taille tot de zoom geplooid was. Qua gedrag waren ze ook elkaars tegenpool. De stille en ingetogen mevrouw Martha maakte een elegante indruk, terwijl de enthousiaste en spontane mevrouw Sarah pietluttig en geagiteerd overkwam.

Mevrouw Sarah begon meteen luidkeels de kerstversiering op te hemelen, maar toen ze mij naast mama Mae en de tweeling zag staan, zette ze ogen op als schoteltjes. In verlegenheid gebracht door haar kritische blik ging ik achter Mama staan.

'Zeg, Martha, lieveling! Wie... wat...?'

'Ja, ja, ik weet het. Ik heb geen tijd gehad om... Ze zat aan boord. James heeft haar afgelopen lente mee naar huis genomen.'

'Maar lieveling! Ze verdient een kans! Om haar nu bij die–'

'Sarah! Kunnen we het hier later over hebben?'

'Ja, ja, natuurlijk. Maar je begrijpt toch wel dat ik verbaasd ben.'

Mevrouw Martha beëindigde het gesprek door zich tot Mama te wenden en haar te bedanken voor haar harde werk. Daarna stuurde ze ons naar buiten, maar ze liet Belle blijven. Met onze oren tegen de deur aan gedrukt hoorden we dat mevrouw Martha Belle het vuur aan de schenen legde omdat ze geen hoofddoek droeg. Toen Belle probeerde uit te leggen dat ze haar hoofddoek had afgedaan vanwege de hitte in de keuken, werd haar het zwijgen opgelegd.

'Vraag toch niet altijd zo om aandacht!' zei mevrouw Martha bits en snel stuurde ze Belle weg toen de kapitein en de anderen binnenkwamen.

Het duurde even voordat Belle aanschoof voor het kerstmaal met de familie in het huis van Mama en Papa. Ze maakte een terneergeslagen indruk totdat Ben, bij wie ik op schoot zat, haar opvrolijkte met zijn plagerijtjes.

Na de maaltijd kregen we ieder een paar rozijnen en een verse appel uit de voorraadkist. Papa kraakte een paar noten en Ben prikte de stukjes noot uit de doppen met de hoefijzernagels die hij altijd in zijn zak had.

Oom ging weer aan het werk in het grote huis toen er een fles perzikenbrandewijn op tafel kwam; een cadeau van de kapitein. Mama schonk iedere volwassene een glas in, inclusief Ben, Dory en Belle. Na het tweede rondje werd de stemming jolig en ik deed al-gauw vrolijk mee toen ik hoorde dat we die avond bij de hutten gingen dansen. Papa George en Ben vertrokken niet lang daarna, omdat ze graag hun werk wilden afronden.

Na de afwas nam Belle de tweeling en mij mee terug naar het keukenhuis. Ze ging naar boven, en toen ze weer beneden kwam, herkende ik haar amper. Onder haar omslagdoek droeg ze een witte blouse die ik nog nooit had gezien. Rond de hals liep een geplooid randje dat perfect paste bij dat van de witte petticoat die onder haar lange rok uitstak. Haar lange haar hing los en krulde rond haar gezicht. De tweeling en ik gaapten haar aan en we wilden alle drie om de beurt aan haar lange zachte krullen voelen. Belle glimlachte en zei dat we moesten ophouden met aan haar te plukken, maar haar groene ogen glansden.

Ze liet Fanny en mij haar zilveren kam, haar zilveren handspiegel en wat blauw lint naar het huis van Mama brengen. Zijzelf en Beattie droegen een grote gembercake die de dag ervoor was gebakken. Voordat we op weg gingen, kreeg ik te horen dat ik niet van de cakejes op het feest mocht eten.

'Waarom?' vroeg ik.

'Omdat we onze zoetigheid al ophebben,' antwoordde Belle.

We kwamen terug op het moment dat Mama Dory probeerde over te halen naar het feest te komen. 'Jij kom ook, kind, jij moet leven blijf,' zei Mama. 'Trouwens, ik ken een man die jou vanavond ga zoeken.'

Dory wendde zich van haar af. 'Ik kan dit gewoon niet, Mama,' zei ze.

'Goed dan,' zei Mama terwijl ze haar schort afdeed en aan tafel ging zitten. 'Dan blijf ik hier bij jou.'

'Nee, Mama,' zei Dory, 'ik wil niet jij mis dat feest voor mij.'

'Ga dan met ons mee,' zei Mama. 'Kom bij mij zitten en we kijk naar dat dansen.'

Belle zette Dory op een kruk. 'Kom,' zei ze, 'laat me je haar doen.' Belle deed Dory's hoofddoek af en vlocht een blauw lint door haar haar. Toen ze klaar was, hield ze haar de spiegel voor. Dory bekeek haar spiegelbeeld, maar even later betrok haar gezicht en begon ze te huilen. Belle boog voorover en sloeg haar armen om haar heen. 'Baby Henry is blij waar hij is en ik weet zeker dat hij wil dat je gelukkig bent,' zei ze.

Mama keek toe en toen we zagen hoe ze haar tranen droogde met haar schort, begonnen wij drieën ook te snikken. En zo troffen Ben en papa George ons aan toen ze de deur opendeden.

'Zo, zo,' zei Papa, 'lijk erop die vrouwen ben klaar voor dat feest, of niet soms, Ben?'

'Zeker te weten, Papa,' zei Ben, 'ze ben goed aan 't zingen.'

'Welke kies jij voor mee te dansen, Ben?' vroeg Papa.

'Ik kies mijn mama,' zei Ben. 'Zij huil het best. We hoor haar helemaal bij die stal.'

Mama lachte terwijl ze haar tranen droogde. 'Jullie mannen stop daarmee,' zei ze.

'Nou, ik denk ik kies Dory,' bleef Papa plagen. Hij liep naar haar toe en sloeg zijn arm om haar schouders, keek haar toen aan en zei: 'Met die dikke ogen, iedereen denk ik heb een nieuwe vrouw.'

Iedereen lachte en zelfs op Dory's gezicht verscheen een glimlach. Met zijn allen gingen we naar het feest. Buiten was het donker en koud. We hadden geen sneeuw meer gezien sinds de dag dat we baby Henry hadden begraven, maar de grond was bevroren en de droge bladeren knisperden onder onze voeten. De zware schoenen deden pijn omdat ze langs mijn enkels schuurden, maar klagen was niet nodig, aangezien Fanny al genoeg voor ons beiden protesteerde.

Mama gaf haar een standje. 'Die mensen daar bij die hutten heb alles over voor die schoenen te krijg,' zei ze, en ik was blij dat ik mijn mond had gehouden.

Vanaf de top van de heuvel konden we de oranje gloed van een fel brandend vuur onderscheiden. Toen we dichterbij kwamen, herkende ik het geluid van een viool en hoorde ik mensen lachen en zingen. Veilig ingeklemd tussen Belle en Ben hield ik hun hand stevig vast, een schakel in hun geluk, terwijl we door het donkere bos liepen in de richting van de vrolijke muziek.

Ons groepje werd met kreten van enthousiasme begroet. Belles cakes werden dankbaar in ontvangst genomen en de vrouwen brachten snel een bank waar ze met Mama, Belle en Dory op gingen zitten. Het terrein rond het vuur was schoongeveegd en er werd al gedanst. Verderop waren een paar mannen levendige muziek met zelfgemaakte instrumenten aan het maken: twee van hen speelden op fluiten van riet en een ander trommelde op pannen en deksels met stokken en botten.

Ik bleef bij Belle tot Fanny en Beattie me kwamen halen. We liepen op een groepje kinderen af, maar ze bleven op afstand, op hun hoede. Sommige meisjes waren even oud als wij, maar ze zeiden niets. Onze kleren waren anders, we hadden zeker meer om het lijf dan zij, en ze staarden naar onze voeten alsof ze nog nooit schoenen hadden gezien.

Algauw waren we alle drie terug bij Mama, Belle en Dory. We mochten van Belle een slokje van de perzikenbrandewijn die de vrouwen dronken; een zeldzame traktatie van het grote huis in het kader van het kerstfeest. Ruwe tafels waren aan elkaar geschoven en aan de zijkant verdeelden een paar mannen gretig twee kruiken maïswhisky, nog een cadeau van het grote huis.

Iedereen kwam in beweging toen de vrouwen gezamenlijk besloten dat de kippen die aan een spit boven een laag roodgloeiende kolen geroosterd werden, gaar waren. Snel prikte een man twee grote hammen uit kokend water en legde ze elk op een houten plaat aan weerszijden van een enorme zwarte ketel gevuld met dampende zwartoogbonen. De vrouwen brachten pruttelende pannen met wintergroenten en verspreidden knapperig warm maïsbrood over de tafels. Anderen gebruikten scherpe stokken om gepofte zoete aardappelen uit de as te halen. Eindelijk kon het feestmaal beginnen.

De vrouwen schepten eerst de mannen op en vervolgens de kinderen. Ze stonden erop dat wij van het grote huis met hen meeaten, en het verbaasde me dat mijn familie dat deed. Ze namen kleine porties, maar ik zag hoe blij de vrouwen waren toen Belle, Mama en Dory zeiden dat het eten heerlijk was. Toen ik mijn kom neerzette, had ik niet eens een klein stukje ham opgegeten.

Belle boog zich naar me toe. 'Alles opeten,' zei ze zachtjes, en haar toon was onverbiddelijk.

Nadat de vrouwen hadden gegeten, werden de kinderen teruggeroepen om de restjes op te eten. Bij het zien van hun vreugde besefte ik hoe zeldzaam deze gebeurtenis was en ik voelde me opgelaten omdat Belle me had moeten dwingen het vlees op te eten.

Toen de viool een vrolijk deuntje inzette, vielen de andere instrumenten meteen in. Joelend kwam een aantal jonge koppels overeind om te gaan dansen. De oudere leden van het publiek begonnen te klappen en al snel vormden de enthousiaste dansers een kring rond het vuur. Na een paar liedjes riep de violist: 'Wie ga ons laten zien hoe te beweeg?'

'George, Mae, kom op, laat zien. Laat zien,' riepen de ouderen, en ze begonnen een ritme te klappen.

Papa George ging Mama halen. 'Mae,' zei hij, en hij boog zich naar haar toe, 'wij ga die jonkies laten zien wij kan nog steeds dansen.' Met tegenzin stond ze op en toen hij haar naar de dansvloer leidde, werden ze door iedereen aangemoedigd. Bij de eerste klanken van een opgewekte melodie maakte Papa een buiging en Mama een reverence. Papa George herhaalde elke pas die Mama zette, en ik zag hoe hij overduidelijk met groot plezier probeerde te voorspellen wat haar volgende pas zou worden.

Andere dansparen namen het van hen over, maar de spanning die Papa en Mama hadden opgewekt was voorbij, tot het de beurt was aan Ben en Belle. Belle maakte verlegen een diepe reverence, maar toen ze haar ogen naar Ben opsloeg, gaf hij haar een knipoog. Als antwoord stampte ze krachtig op de grond en zette daarmee de toon voor een wilde dans.

Ik ving een gesprek op tussen een paar vrouwen achter me. 'Dat ben ze dochter, zeker te weten,' zei er een, 'ze heb die lichte kleur.'

Dory, die naast mama Mae zat, hoorde het ook. Ze draaide zich om en keek hen aan. 'Belle een goeie vrouw. Ze kan niks aan doen wie haar papa ben,' zei ze.

'Wij weet die Belle dat ben een goeie vrouw,' antwoordde de spreekster, 'wij zeg alleen ze kan ervoor doorgaan, das alles.'

'Doorgaan waarvoor?' vroeg Dory kortaf. 'Dit haar familie. Waar moet ze naartoe? Dit haar thuis. Zij hier geboren en getogen.'

Dory zei het op zo'n toon dat Mama aan het gesprek wilde deelnemen, maar haar aandacht werd afgeleid door een donkere, magere gedaante die zich in het donker op de achtergrond hield. Het was Jimmy, de vader van baby Henry. Hij gebaarde naar Dory dat ze moest komen en toen ze hem zag, struikelde ze bijna over Beattie in haar haast om met hem het donkere bos in te gaan. 'Pas jij op,' fluisterde Mama tegen Dory voordat ze wegging.

Terwijl het koppel wegsloop, kwam er een diepdonkere en broodmagere vrouw naar Mama toe. Haar handen wreven nerveus over haar bolle buik. Fanny vertelde me dat het Jimmy's moeder, Ida, was.

'Wat moet wij doen, Mae?' vroeg Ida, en ze wierp een blik over haar schouder. 'Rankin zeg hij maak mijn Jimmy dood als hij weer met Dory ga.'

'Ik praat met de kap'tein,' zei Mama. 'Ik ga naar hem toe voor hij vertrek. Ik ga hem vraag dat ze over die bezemsteel springen.'

'Je weet toch die mannen van die hutten mag niet mengen met die vrouwen van dat grote huis. Jij weet dat, Mae,' zei Ida.

'Die twee laat elkaar niet met rust, dat wat ik weet,' zei Mama. 'Ik zeg de kap'tein Jimmy ben een goeie man voor Dory. De kap'tein heb altijd een zwak voor Dory.'

'Als de kap'tein ja zeg, Rankin ga niet blij wezen,' zei Ida.

'Die opzichter niet blij met hemzelf, hoe kan hij met wat anders blij wezen?' vroeg Mama.

Het gesprek verstomde toen de kapitein, alsof we hem ontboden hadden, en zijn gezette zwager in het licht van het vuur verschenen. Marshall en een andere lange man kwamen achter hen aan. De muziek hield op.

'Niet stoppen!' riep de kapitein. Hij hield nog twee kruiken whisky omhoog. 'Wie o wie wil er meer hiervan?' Er klonk gejuich en de muziek speelde verder.

'Dat die m'neer Waters, de leraar,' fluisterde Fanny tegen me en ze wees naar de man die achter Marshall stond.

De eigenaardige kerel trok mijn aandacht. Hij stond met zijn hand stevig om Marshalls schouder geklemd en keek hooghartig naar de mensen van de hutten en hun omgeving. Af en toe boog hij voorover om iets tegen Marshall te zeggen en het viel me op hoe bang Marshall leek, maar ondanks dat probeerde hij niet weg te komen. Nu besef ik dat ik als kind al aanvoelde wat een verachtelijke man het was, en hoewel ik het niet begreep, wist ik toen al dat Marshall in de val zat.

'Haal Dory en Jimmy,' zei Mama tegen Ben, waarop hij het donkere bos in rende.

De kapitein keek de buitenste kring rond totdat zijn blik op Belle viel. Zonder te aarzelen liep hij op haar af. 'Belle,' zei hij, 'je ziet er prachtig uit.'

'Dank u,' zei ze zachtjes, haar blik op de grond gericht.

De kapitein wendde zich tot mama Mae, die eerst naast Belle zat, maar nu was opgestaan.

'Mae,' begon hij, 'dat was nog eens een feestmaal dat jij en je familie vandaag voor ons hebben verzorgd.'

'Ja, kap'tein,' antwoordde mama Mae.

'Heeft je familie al het nodige voor een goed kerstfeest?' vroeg hij.

'Ja, kap'tein, we heb hier meer als genoeg,' zei Mama.

'Goed zo,' zei hij, en alsof hij niet wist wat hij verder moest zeggen, draaide hij zich om en keek naar de dansers.

'Kap'tein?' hoorde ik Mama weer zeggen.

Hij draaide zich om. 'Ja, Mae?'

'Kap'tein,' begon ze, 'ik moet praat met u. Over Dory.'

'Mae,' zei hij, 'ik weet het van de baby. Het speet me dat te moeten horen.'

'Dat niet het probleem, kap'tein,' zei ze. 'Dory zij wil trouwen met Jimmy van hierbeneden bij die hutten. Hij de papa van haar baby.'

'Nou, Mae,' zei hij, 'dat weet ik nog zo net niet. Rankin zei tegen me dat hij Jimmy met een ander meisje wil laten gaan. Volgens hem is Dory niet goed voor Jimmy.'

'Ik denk hij heb geen gelijk,' zei Mama.

'Is dat zo, Mae?' vroeg de kapitein.

'Ik denk dat ben goed als ze over die bezemsteel springen,' zei Mama. 'George denk dat ook.'

'Nou, Mae, ik beschouw jou en George als familie en Dory betekent alles voor mevrouw Martha. Ik geloof dat we in dit geval wel een uitzondering kunnen maken. Maar Jimmy moet dan wel op het veld blijven en Dory in het grote huis.'

'Dat kom in orde,' zei Mama.

'Wanneer wilden ze dit doen?' vroeg hij.

'Zo snel als u zeg,' zei Mama.

Hij lachte. 'Weet je wat, Mae. Als je het een goed idee vindt, kunnen ze hier vanavond trouwen. Wat vind je ervan?'

'Dat voor iedereen prima,' zei Mama, 'maar misschien ga m'neer Rankin niet blij wezen?'

'Hij komt over een paar dagen pas terug. Ik praat dan wel met hem. Maak je geen zorgen, Mae, ik regel het wel. Zo,' zei hij, en hij keek om zich heen, 'waar is het jonge paar?'

Gelukkig had Ben ze gevonden; ze stonden samen naast papa George. Mama gebaarde dat ze moesten komen en ze stapten naar voren, met papa George voorop.

'Dory, jouw mama zegt dat jij met deze knul hier wilt trouwen,' zei de kapitein.

Dory had weer gehuild. Haar dikke ogen zaten bijna dicht, maar ze knikte.

'En jij Jimmy, wil jij met Dory over de bezemsteel springen?' vroeg de kapitein.

'Ja, kap'tein,' zei Jimmy, 'zeker te weten.'

'Wie haalt er een bezem?' riep de kapitein. 'Er gaan hier mensen trouwen.'

De muziek hield op en iedereen kwam om hen heen staan. Er klonk geroezemoes en iemand bracht een bezem.

'Pak nu elkaars hand,' gebood de kapitein Dory en Jimmy, 'dan zal ik de ceremonie voltrekken.'

De bezem werd voor het paar gehouden en de kapitein vroeg of ze goed voor elkaar zouden zijn, elkaar trouw zouden blijven en veel kinderen zouden krijgen. Allebei antwoordden ze ja en hij zei dat ze over de bezem moesten springen. Ze hielden elkaars hand vast en sprongen samen, maar Jimmy struikelde en iedereen moest lachen, de kapitein incluis.

'Nou, Jimmy,' zei hij, 'het is duidelijk wie de broek aan zal hebben.'

Dat was het. Belle zei tegen me dat ze getrouwd waren.

'En nu gaan we het vieren!' riep de kapitein en hij stuurde Ben naar oom Jacob in het grote huis om meer drank te gaan halen. De muziek begon weer en ik was verbaasd toen de kapitein zijn hand naar Belle uitstak. 'Belle,' vroeg hij, 'wil je met me dansen?'

Belle stond op. Toen ze de dansvloer betraden, gingen de andere dansers opzij en even later waren Belle en de kapitein het enige paar dat nog danste. Het werd stil terwijl ze samen dansten en hun voeten bewogen zich automatisch op de schrille klanken van een eenzame viool. Toen Belle naar hem opkeek, bloosde haar mooie gezicht van de brandewijn. De kapitein keek trots naar haar en uit de manier waarop hij haar rond de cirkel van vuur leidde, bleek hoe dol hij op haar was.

Ik zocht naar Ben, maar zag hem niet. Toen viel mijn blik op Marshall. De leraar was weg en Marshall stond in zijn eentje naar het dansende paar te kijken. Er ging een rilling door me heen toen ik de haat in zijn ogen las.

6

Belle

ALS MEVROUW MARTHA ZO BLIJFT DOORVRAGEN, GA IK HAAR EEN van deze dagen de waarheid vertellen. Probleem is, als ik dat doe, dan gaat de kap'tein me zeker wegsturen.

Kerstmis is voor mij de ergste tijd. Daar heb ik de meeste herinneringen aan, van toen ik in het grote huis woonde. En nu slaapt Marshall in mijn oude slaapkamer.

Oom Jacob kent het verhaal van mijn echte mama. Hij zegt de kap'tein was vierendertig en nog niet getrouwd, en hij liep over het plein waar ze negers aan het verkopen waren. De kap'tein ziet ze prikken naar een vrouw die trots op de kist staat en wegkijkt, alsof zij de boom is en de anderen de grond. Dan zeg de kap'tein: 'Ik neem haar wel.' Iedereen lacht en ze zeggen: 'Pas maar goed op. Zij is van het soort dat je in je slaap afmaakt.'

Dan brengt de kap'tein haar hier, en zijn eigen mama, mevrouw Pyke, was heel ziek. Mijn zwarte mama weet hoe ze planten kan gebruiken en krijgt mevrouw Pyke weer op de been. De kap'tein blijft in die tijd thuis en je raadt het al, dan kom ik om de hoek kijken. Maar toen ik geboren werd, kreeg mijn mama koorts en ging ze dood. Naar het schijnt ging de kap'tein tekeer alsof ze een blanke vrouw was.

Ben werd in datzelfde jaar als ik geboren, 1773, dus als mevrouw Pyke ziet dat mama Mae de borst geeft, haalt ze haar uit de hutten naar boven voor mij ook te voeden. Mama Mae is een harde werker en voor je het weet, helpt ze Oom in het grote huis en gaat dan in het keukenhuis eten maken. Toevallig werkte papa George al boven bij de stal.

Volgens Oom was ik het oogappeltje van mevrouw Pyke. Mijn grootmoeder bracht me bij dat je altijd iets kan leren, dat iedereen je iets kan vertellen. Op haar verzoek liet oom Jacob ons zien hoe je dat Arabisch kan schrijven, en hij vertelde ons verhalen over zijn Foulah-stam en zijn Allah.

Toen mevrouw Pyke doodging, veranderde alles. Toen ze nog leefde, was het grote huis mijn thuis.

Dory zegt altijd dat mevrouw Martha zo verandert als de kap'tein thuis is, maar het verbaast haar nog het meest hoe anders mevrouw Martha doet als haar zus er is. Ze heeft haar nog nog nooit zo gelukkig gezien.

Dory mist baby Henry nog steeds, maar het was goed voor haar om met Jimmy over de bezemsteel te springen. Mama zegt: 'Dank die Heer. Ik altijd bang dat ze die twee samen betrappen.' Ik ben verrast als Mama naar Ben vraagt. 'Ik zie jullie twee dansen,' zegt ze, 'dat zeg mij iets.'

'En jij en Papa dan? Jullie zijn allebei in de veertig en dansen nog steeds zo. Dat zegt mij ook iets.'

Mama lacht niet. 'Dat zeg mij niet wat ik vraag, Belle.'

Ik sta op voor te gaan koken. 'Misschien is Ben de ware voor mij,' zeg ik.

'Belle, pas jij goed op. Je weet de kap'tein ga jou die vrije brief geven en hij wil jou meenemen,' zegt Mama.

Ik vertel haar niet dat Ben en ik al hebben gekust. Toen we klein waren, was Ben mijn beste vriend, maar dit jaar is hij stiller en kijkt hij heel anders naar mij. Ik moet glimlachen, want ik kijk terug. Een keer, achter het kippenhok, pakt hij me en trekt me naar hem toe voor een kus. Ik zeg: 'Nee, Ben.' Hij leek gekwetst, alsof ik hem niet wil. Dan pak ik zijn lieve gezicht in mijn handen en kus hem zo goed dat hij me wegduwt. 'Weet je niet wat je met me doe?' vraagt hij.

'Vind jij het niet fijn hoe ik kus?' zeg ik plagend.

'Belle,' zegt hij, 'je weet ik wil jou.' Hij zegt dat hij over de bezemsteel wil springen, maar dan ren ik terug naar het keukenhuis. Wij weten allebei dat de kap'tein sinds ik klein was altijd zegt dat hij me op een dag meeneemt naar Philadelphia.

En nu praat de kap'tein elke keer dat hij thuis is over plannen maken. Maar ik huil altijd en zeg: 'Wacht, laat me alstublieft thuis blijven.' Als ik huil, weet hij niet wat hij moet zeggen, dus gaat hij weer weg en mag ik blijven. Maar ik moet hem telkens beloven dat ik niks met een man ga beginnen en ik hou me aan mijn belofte. Tot nu.

7

Lavinia

HOEWEL DE GASTEN NOG TWEE WEKEN LANGER BLEVEN, WER-
den Belle en ik druk bezig gehouden in het keukenhuis en hadden
we verder geen contact met hen. Op een avond voordat ze vertrokken, ving ik een gesprek op tussen oom Jacob en Belle. Ze hadden
het over mevrouw Martha. 'Ik weet niet wat zij ga doen als deze va-
kantie voorbij,' zei oom Jacob. 'Haar zusje ga terug en de kap'tein
vertrek weer. Mevrouw Martha blijf dan in bed, zeker te weten. Ik
weet niet hoe hij dit in zijn hoofd haal dat hij die vrouw weer zo alleen laat.' Volgens Oom had de kap'tein dit altijd gedaan sinds hij
haar als zijn bruid mee naar huis had genomen, in de veronderstelling dat zij de leiding over de plantage zou nemen zoals zijn moeder had gedaan.

'Hij heeft zijn zaken in Philadelphia en Williamsburg,' zei Belle
ter verdediging van de kapitein.

'Ik weet dat, Belle. Maar het al lang tijd hij blijf hier. Mevrouw
Martha weet niks van dit alles hier. Elke keer dat hij vertrek, Dory
zeg ze neem meer en meer van die druppels. En mevrouw Martha
verlies die kleine Sally niet uit haar oog. De enige die zij vertrouw
met dat kind ben Dory,' zei Oom.

'Ze is zo bang dat ze er nog eentje gaat verliezen. Mama zegt dat
mevrouw Martha zich raar gedraagt sinds ze die baby verloor,' zei
Belle.

'Ik weet alleen, het nu echt tijd dat de kap'tein hier blijf en let op
alles wat hier gebeur. Die Rankin ben een slechte zaak daar bij die

hutten, en die leraar ben zeker te weten een slechte zaak.'

'Wat is er mis met de leraar?' vroeg Belle.

'Iets ben niet goed met die man,' zei oom.

'Wat bedoel je daarmee?' vroeg Belle.

'Waarom doet die man de deur op slot als hij de jonge m'neer over die boeken leer? Wat gebeur, geen idee, maar ik hoor die jongen vaak huilen als ik langs die deur loop. Ik zeg dit tegen de kap'tein, maar hij zeg die jonge m'neer heb tucht nodig, het nu tijd dat hij wat boek leren doe voor hier in die toekomst die baas te wezen.'

Belle zuchtte.

'Ook tijd dat de kap'tein wat met jou doe,' zei Oom.

'Nou, ik heb besloten dat ik niet weg wil,' zei Belle. 'Hij hoeft alleen maar met mevrouw Martha te gaan praten. Ik weet niet waarom hij me nu hier weg wil hebben!'

'Belle, je ben te oud voor te blijven. Mevrouw Martha denk de hele tijd jij ben de dochter van Mae,' zei Oom. 'Kijk, als de kap'tein naar dit keukenhuis kom en jou die kammetjes en lintjes geef, zij wil weten waarom. Het tijd hij geef jou die vrije brief. Hij heb gelijk, Belle. Het tijd hij haal jou hier weg.'

'Iedereen zegt altijd dat ik weg moet. Maar jullie vergeten allemaal dat dit mijn thuis is! Ik ga de kap'tein zeggen dat ik hier blijf, en misschien trouw ik wel met Ben.'

'Ben! Pas jij op,' zei oom Jacob streng. 'Al sinds je klein was, je weet de kap'tein heb andere plannen met jou.'

'Ik kan maar beter gaan opruimen,' antwoordde Belle en daarmee beëindigde ze het gesprek.

Toen Belle naar bed ging, kroop ik naast haar. Ze lag met haar rug naar me toe, maar ik wist dat ze huilde, dus streelde ik haar rug, zoals ze vaak bij mij deed. Toch was ik er niet zeker van of het hielp, want het leek alsof ze door mijn pogingen om haar te troosten alleen maar harder ging huilen.

Toen de gasten waren vertrokken, verraste mevrouw iedereen met haar aanhoudende goede stemming. De kapitein was thuis tot half februari, maar deze keer behield mevrouw Martha na zijn vertrek tot ieders verbazing haar goede humeur. Voordat hij wegging, gaf de kapitein toestemming aan Papa om samen met Jimmy in de stal te werken, en Dory kon weer lachen. Mevrouw Martha stond steeds vaker toe dat Fanny voor juffrouw Sally zorgde, waardoor Dory de gelegenheid kreeg om meer tijd met mevrouw door te brengen.

We wisten dat de lente was begonnen toen de kippen eieren legden en er kuikentjes uitkwamen. Ik was nog nooit zo blij geweest. Fanny moest met Sally binnen blijven en werd ongeduldig.

'Die Sally een verwend nest,' zei Fanny tegen ons, maar ze klonk niet erg overtuigd, want we wisten hoeveel ze om het goudblonde kind gaf.

Tot onze grote verbazing verscheen Fanny op een warme lente-ochtend hand in hand met Sally bij de keukendeur. 'Mevrouw Martha zeg het ben goed wij kijk bij die kuikentjes,' zei ze.

Belle en Mama keken elkaar aan.

'Waar de jonge m'neer Marshall?' vroeg Mama.

'Hij is aan het studeren,' zei het meisje.

'Wat hij studeer, juffrouw Sally?' vroeg Mama.

'Boeken,' zei ze. 'Hij heeft een leraar, meneer Waters, maar Marshall en ik vinden hem niet aardig.' Ze keek op naar Fanny. 'Vind jij meneer Waters aardig, Fanny?'

Geschrokken keek Fanny Mama aan.

'Kom, we gaan naar die kuikentjes toe,' zei Mama vlug.

Opgewonden sprintte het kleine meisje vooruit. Haar witte hoed, die zo groot was dat er aan de achterkant slechts een paar blonde krullen uitsprongen, wapperde in haar gezicht, en terwijl ze rende, probeerde ze hem met haar mollige armpjes omhoog te houden. Daardoor piepte haar witte petticoat onder haar roze jurk vandaan, terwijl de gouden gespen op haar roze schoenen schitterden alsof ze vlam hadden gevat door de zon.

We haalden haar al snel in, en eenmaal bij het kippenhok zette Fanny het kleine meisje voorzichtig op een stukje gras neer. Vervolgens ging Fanny het kippenhok binnen, en riskeerde de aanval van een moederkip toen ze een kuiken weggriste. Sally wachtte geduldig totdat Fanny weer terug was en het gele vogeltje in haar uitgestoken handen duwde.

'Niet knijpen,' waarschuwde Fanny, 'zo maak je hem dood.'

Het leek alsof het meisje ophield met ademen. 'O, hij is zo zacht, Fanny,' fluisterde ze.

'Dat kom hij nog maar een baby,' legde Fanny geduldig uit.

'Net als ik,' zei Sally. 'Mama zegt dat ik nog steeds haar baby ben. Ook als de nieuwe baby komt, dan blijf ik haar baby, zei ze.'

'Krijg jouw mama een nieuwe baby?' vroeg Beattie.

'Ja' – het kleine meisje knikte – 'een echte. En ik mag hem vasthouden, zei mama. Jij ook, Fanny,' bood ze gul aan.

We bleven nog wat langer, maar Mama hield ons bezorgd in de gaten totdat Fanny Sally veilig naar het grote huis had gebracht.

'Ik kom snel weer,' riep het kind over haar schouder naar het groepje dat haar op het erf naast de keuken stond uit te zwaaien.

Ze hield woord. Vanaf die dag kwam Fanny, als het weer het toeliet, naar ons toe met het kind dat ze nu onder haar hoede had. Juffrouw Sally deed niets liever dan schommelen en we duwden haar allemaal om beurten de lucht in. Marshall was er bijna nooit. De weinige keren dat we hem zagen was het zijn zusje gelukt hem over te halen om haar te duwen. Het meisje aanbad hem en het was duidelijk dat hij ook veel om haar gaf.

Tijdens die lente en zomer werden we allemaal verliefd op juffrouw Sally. Het was een gul en vrolijk kind, zonder enige pretentie. Ze wilde haar poppen en porseleinen servies uit het grote huis per se meenemen en ze was altijd dolblij als ze haar speelgoed kon delen. Alleen Belle hield het kind op afstand.

'Vind je mij niet aardig?' vroeg Sally haar op een dag.

Belle keek op haar neer en Sally beantwoordde haar blik met grote vragende ogen. Heel even dacht ik dat Belle ging huilen. Toen zei ze: 'Natuurlijk vind ik u aardig, juffrouw Sally.'

'O, gelukkig,' zei het kleine meisje, 'want soms lijkt het van niet.'

'Misschien wanneer ik hoofdpijn heb,' zei Belle.

'Heb jij ook weleens hoofdpijn?' vroeg Sally. 'Mijn mama heeft heel vaak hoofdpijn. Het doet heel zeer. Als ik groot ben, krijg ik hopelijk nooit hoofdpijn.'

'Vast niet,' zei Belle en ze gaf het kleine meisje een handje rozijnen. Toen Belle zag dat Sally ze vervolgens gul met ons allemaal deelde, wist ik dat ze ook Belles hart veroverd had.

Het kwam die zomer niet vaak voor dat de tweeling en ik vrije tijd hadden, maar op een middag tegen het einde van augustus was het zover. In de schaduw van het bos lagen wij drieën op een bed van dennennaalden en praatten over het spannende nieuws dat zowel Dory als mevrouw Martha een baby zou krijgen.

'Hoe kan dat?' vroeg ik me hardop af. Fanny nam de gelegenheid om een schokkende theorie met ons te delen. Nadat Beattie die informatie bevestigd had, dachten we er alle drie goed over na. Plotseling ging Fanny rechtop zitten en wendde haar hoofd af om beter te kunnen luisteren. Toen hoorden Beattie en ik het ook. We herkenden allemaal de smekende stem van Marshall. Toen de stem luider werd, hoorden we een volwassene die zei dat hij stil moest zijn.

'Wil je dat ik de volgende keer je kleine zusje neem in plaats van jou?'

'Nee, nee, laat haar met rust. Ik zal me gedragen, ik zal me gedragen,' zei Marshall.

Ik weet niet wie er banger was toen Marshall onze open plek op werd geduwd. Hij leek opgelucht maar tegelijkertijd doodsbang om ons te zien. De leraar leek onaangenaam verrast door onze aanwezigheid en kneep zijn ogen tot spleetjes.

'Aha,' zei hij, terwijl hij zijn vochtige mondhoeken bette, 'zo te zien hebben we gezelschap.'

'Wegwezen hier,' siste Marshall.

De meisjes renden weg, maar er was iets in Marshalls angst dat me tegenhield.

'Kom met ons mee,' zei ik, en ik trok aan zijn arm, maar hij stond daar als aan de grond genageld.

Meneer Waters kwam dichterbij en glimlachte. 'Zo, en wie hebben we hier?' Hij greep mijn arm stevig vast, maar Marshall trok de hand van de leraar in een uitbarsting van woede los en riep dat ik weg moest gaan. Ik rende doodsbang weg.

De meisjes waren al bij papa George in de grote stal. Toen ze hem hadden uitgelegd waarom ze hem kwamen halen, wachtte hij niet tot ze uitgesproken waren, maar greep meteen een hooivork en ging op weg naar het bos. Hij was de beek nog niet over, of daar verschenen de leraar en Marshall. Marshall keek Papa smekend aan toen hij op hen afliep. Ik weet niet wat Papa zei, maar de leraar liep rood aan van woede. 'Deze jongen is mijn verantwoordelijkheid!' schreeuwde hij. 'Jij bent maar een stalnikker. Als je niet oppast, werk je straks op het veld.'

'Papa, heb je hulp nodig?' Het was Ben die vlug uit de stal was gekomen. Hij had bij het smidsvuur staan werken, een hete klus op deze broeierige dag. Hij droeg een zwart leren schort dat hem beschermde tegen de vonken die rondvlogen als hij het witte ijzer besloeg. Hij had zwarte vegen op zijn donkere, natte gezicht en hij droeg de voorhamer die werd gebruikt om het metaal mee in vorm te slaan. Met zijn brede schouders fier naar achteren zag Ben eruit als een krijger.

Papa draaide zich om. 'Wij goed, Ben. Ik deze man vertel wij pas op m'neer Marshall.'

Meneer Waters zag Ben dichterbij komen en hij trok Marshall vlug achter zich aan naar het grote huis. Ben maakte aanstalten om hen te volgen, maar Papa greep zijn zoon bij de arm en fluisterde met klem: 'Ben! Wacht!'

Ik kon mijn ogen niet van Ben afhouden terwijl hij de leraar nakeek en het grote huis in zag gaan. Woede had de zachtaardige man onherkenbaar veranderd. Zijn nek puilde uit. Hij sprak met opeengeklemde kaken en ik herkende zijn stem niet. 'Laat me, Papa! Ik ga dit rechtzetten,' zei Ben.

'Nee, Ben. Daar wacht hij op. Voor je dit weet, hij stuur Rankin naar hier. Rankin maak jou dood of verkoop jou, en dan dis hij een verhaal op aan de kap'tein. Mevrouw Martha krijg die baby bijna en de kap'tein zeg hij ga voor die tijd hier zijn. Tot dan wij moet wachten en goed opletten.'

Toen het Papa gelukt was Ben naar de stal terug te sturen, rende ik naar de veilige keuken, waar Belle was. Ik sloeg mijn armen om haar heen en klemde me aan haar vast. Die avond werd ik overal opnieuw doodsbang van. In het donker lag ik wakker naast Belle en probeerde te begrijpen wat er gebeurd was. Ik kon mijn angst niet in woorden uitdrukken en had een vreselijk voorgevoel.

Gelukkig kreeg ik wat afleiding toen Dory eind september beviel van een meisje. In de weken daarna kreeg Dory het voorrecht om haar werkuren in de keuken door te brengen en mocht ik haar pasgeboren baby helpen verzorgen.

Het meisje kreeg de naam Sukey en leek in niets op de krijsende Henry. Dit donkere kindje met haar ronde gezicht was net een pop en ik genoot met volle teugen van haar. Mama verving Dory in het grote huis en vertelde elke dag wat ze allemaal te verduren had met de gefrustreerde en bedlegerige mevrouw Martha.

'Nog maar een paar weken en de baby is er,' bracht Belle Mama in herinnering.

'En godzijdank beloof de kap'tein mevrouw Martha hij kom thuis voor die dag,' zei Mama.

Inmiddels had Fanny bijna de volledige verantwoordelijkheid voor juffrouw Sally. 's Middags nam ze haar meestal mee naar de keuken, waar wij drieën met haar speelden. Het kleine meisje was verliefd geworden op Dory's tweede baby en ze was dolgelukkig als ze haar mocht vasthouden. Op een ochtend verraste ze ons allemaal door met Marshall op sleeptouw bij de keuken te verschijnen. Toen ze hem naar voren trok, zag ik de zon in haar armband weerkaatsen. Fanny stond ongemakkelijk achter hen.

Ben was van de stal naar boven gekomen en stond achter het keukenhuis hout te hakken voor Belles vuur. Beattie en ik hielpen hem weer enthousiast en brachten het hout naar Belle, terwijl zij in een pan met de eerste appelmoes van het seizoen stond te roeren.

'Mag Marshall de baby zien?' vroeg Sally aan Belle.

'Ja hoor, dat mag,' antwoordde Belle. 'Dory is binnen.'

Marshall leek zich niet op zijn gemak te voelen, maar toonde belangstelling voor de baby die Dory hem bij de keukendeur liet zien.

'Mooi hoor,' zei hij, en hij klonk oprecht.

'Dank u, jonge m'neer Marshall,' antwoordde Dory.

'Wordt onze baby ook zo?' vroeg Sally aan Marshall.

Na een korte stilte schudde Marshall zijn hoofd. 'Nee,' zei hij.

'Waarom niet?' vroeg Sally verbaasd.

'Daarom niet,' mompelde hij, en hij bloosde.

'Maar ik wil net zo'n baby.'

'Nou, die krijg je niet,' zei Marshall kortaf.

Sally begon te jengelen. 'Ik wil zo'n baby.'

Belle zette haar spatel even opzij en kwam bij Sally op haar hurken zitten. 'Van wie heb jij dit mooie bandje om je arm gekregen?' vroeg ze in een poging het kind af te leiden. Het werkte.

'Ik heb het van mijn papa voor kerst gekregen,' zei Sally. 'Kijk, hier kun je hem zien.' Ze draaide de miniatuur zo dat Belle het portret beter kon bekijken. Het bedeltje had een gouden rand en zat met een roze fluwelen lint om haar pols gebonden.

'Wat mooi,' zei Belle zachtjes.

'Kom, we gaan, Sally.' Marshall werd ongeduldig en trok aan haar arm.

Het kleine meisje herinnerde zich de baby en duwde haar broer van zich af. 'Belle, mag ik zo'n baby hebben?' vroeg ze.

Belle stelde haar gerust. 'Jouw mama krijgt een mooie baby, net zo mooi als deze.'

'Echt waar, Belle?' vroeg Sally.

Belle knikte. 'Ja, echt waar.'

'Zie je nou wel,' zei Sally. 'Belle zegt dat we net zo'n baby krijgen.'

Marshall keek Belle boos aan en liep toen weg. Zijn zusje merkte dat hij boos was en rende achter haar broer aan. Fanny liep ze achterna, maar Beattie en ik bleven met Ben bij de houtstapel en keken toe hoe ze naar het grote huis liepen. Sally kwam aan bij de eikenboom en klom op haar schommel. 'Marshall, duw me dan,' riep ze, en ze schopte haar voeten de lucht in. Marshall negeerde haar en liep verder in de richting van het huis.

Fanny ging naar haar toe, maar het kind hield vol dat haar broer moest komen. 'Marshall! Kom! Duw me dan,' riep ze.

Hij deed of ze lucht was. Toen ze de leraar bij de achterdeur van het grote huis zag staan, veranderde ze van strategie.

'Meneer Waters, meneer Waters,' riep ze, 'zeg tegen Marshall dat hij me duwt.'

Marshall bleef staan en keek op. Hij zag de leraar het trapje af komen en liep vlug terug naar Sally. Bij de schommel aangekomen, greep Marshall het zitje en duwde wild, waardoor het kind er bijna vanaf viel.

'Marshall,' riep het meisje, 'niet zo hard.'

Hij duwde haar opnieuw, nog harder nu. Bang schopte Sally naar hem en riep dat hij moest stoppen, maar hij duwde nog een keer, alsof hij zich door het gegil van zijn zusje gesterkt voelde. Toen Sally een ijzige kreet liet horen, kwam Belle de heuvel op gerend. Ook Ben kwam eraan, vlak achter Belle. Belle riep naar Marshall dat hij moest stoppen, stoppen! Fanny rende op hem af en wierp hem met al haar gewicht tegen de grond, maar hij kon nog net een laatste harde duw geven. De schommel vloog de lucht in, bereikte het hoogste punt, en kwam toen met een ruk naar beneden.

Niemand was er zeker van of het kind viel of sprong. Toen ze landde, knakte er hoorbaar iets; ze bleef stil liggen, met haar hoofdje schuin naar achteren en haar armen uitgestrekt in een welkomstgroet aan de hemel.

Zelfs de vogels floten niet meer.

8

Belle

DE EERSTE KEER DAT IK DIE KLEINE SALLY ZIE, MAG IK HAAR NIET, gewoon om wie ze is. Ze is mijn zusje, maar dat kan ik haar niet vertellen. En alleen omdat ze helemaal blank is, zal ze nooit zoals ik in het keukenhuis gezet worden. Maar deze zomer leer ik dat kind kennen en ik zie dat ze net zo vrolijk en vrijgevig is als Beattie. Na een tijdje ga ik haar aardig vinden en denk: misschien als ze wat ouder is, zal ik haar zelf vertellen dat we zussen zijn. Maar dan, opeens, is ze dood. Na haar dood, voordat de dokter er is, zegt Mama dat ik Sally moet wassen en dat meisje haar mooiste jurk moet aantrekken.

Ik zeg: 'Nee, alsjeblieft, Mama, vraag het aan Dory.' Maar Mama zegt: 'Belle, jij weet hoeveel Dory van dat kind hou. En trouwens, zij geef nu de borst en misschien stop die melk daardoor.' Dan kijkt Mama me lang aan en zegt: 'Maar als je dat nog steeds wil dan doe Dory dit. Ik ga haar halen.'

'Nee, Mama, je hebt gelijk. Ik hou er gewoon niet van iets aan te raken waar geen leven in zit.'

'Niemand wil dat,' zegt Mama.

Toen ik dat kind waste, voelde ze zo zacht als een babyvogel. Het is niet eerlijk dat zij de grond in gaat. Dan maak ik haar kleine arm schoon en doe ik de armband af met dat portretje van de kap'tein. Ik stop hem in mijn zak, denk hij is nu van mij, maar ik moet huilen en haal hem er weer uit, want ik weet dat ding was nooit van mij, net als ik nooit in het grote huis zal wonen. Dan komt Oom, en ik huil zo hard dat ik schrik van zijn hand op mijn schouder.

'Ach, Belle,' zegt hij, 'iedereen ga vroeg of laat dood.'

Maar zijn eigen ogen zijn nat tegen de tijd dat we klaar zijn. 'Dat een goed kind,' zegt hij steeds weer. Als het werk gedaan is, geef ik hem de armband. Hij kijkt ernaar, dan hij kijkt naar mij. Hij schudt zijn hoofd heel verdrietig, alsof hij weet wat ik allemaal denk, en stopt hem dan in zijn zak.

9

Lavinia

NAAR HET SCHIJNT WAS MEVROUW MARTHA'S GEKRIJS OM HAAR dochter helemaal tot in het veld te horen. Meteen nadat Mama haar het vreselijke nieuws had verteld, begonnen mevrouw Martha's weeën.

Fanny, die er zeker van was dat ze de dood van Sally op haar geweten had, beefde over haar hele lichaam en wilde Beattie niet loslaten. Mama stuurde Dory met ze naar de keuken om Fanny een slok brandewijn te geven en bij haar te blijven. Papa droeg juffrouw Sally naar het huis en de leraar nam de geschokte Marshall mee naar zijn kamer. Oom Jacob en Belle bleven bij het levenloze lichaam van het kind en wachtten op Ben die op weg was naar de dokter. Ik bleef als enige over om Mama te helpen toen baby Campbell geboren werd.

Ik bleef trillend bij de deur staan, en was er niet zeker van of mevrouw Martha het uitschreeuwde van verdriet om Sally of vanwege de weeën die door haar gezwollen buik trokken. Mama riep me bij zich, maar toen mevrouw Martha weer een afgrijselijke gil liet horen, bleef ik stokstijf staan en mijn handen vlogen naar mijn oren. Mama kwam naar me toe en greep me bij de arm. Ze fluisterde in mijn oor: 'Mevrouw Martha heb net een kind verlies, wil je dat ze deze baby verlies? Je ben hier voor te helpen en je help niemand als je zo doe.'

Mama's woede raakte me meer dan het vreselijke gegil van mevrouw Martha, dus nam ik de vochtige doek van Mama aan. 'Bet haar hoofd droog, Abinia. Rustig maar, mevrouw Martha. Rustig persen, rustig persen, goed zo.'

Met de ervaring die ik sindsdien heb opgedaan, weet ik nu dat het een snelle geboorte was, maar die middag leek mevrouw Martha's pijn eeuwig te duren. Eindelijk kwam de baby.

'Abinia, geef me die draad, pak nu die schaar, knip hier, niet bang wezen, je doe hem geen pijn. Goed zo, geef me die deken.' Mijn handen trilden, maar het lukte me om alles ten uitvoer te brengen.

De baby hoestte en verslikte zich toen Mama hem schoonmaakte en begon toen te huilen. Tranen van opluchting en verwondering stroomden over mijn gezicht en ze waren niet te stoppen, dus veegde ik ze weg met de rug van mijn hand. Mama wikkelde hem in een deken en bracht hem bij zijn moeder. 'Dit een jongen, mevrouw Martha,' zei ze, 'dit een sterke jongen.'

'Nee!' Mevrouw Martha duwde Mama en de huilende baby weg. Ze wendde haar gezicht af en sloot haar ogen.

'Hier, Abinia, hou hem vast.' Mama knikte in de richting van een fauteuil. Ik haalde luid mijn neus op en ze fluisterde met klem: 'Abinia. Dit geen tijd voor te huilen. Jij moet deze baby stevig vasthouden. Kom op. Ik heb jou nodig hier.'

En weer kwam ik tot bedaren. Erop gebrand Mama's goedkeuring te krijgen, pakte ik de baby aan. 'Ik kan hem vasthouden, Mama,' zei ik. Instinctief ging ik hem heen en weer wiegen totdat hij stil werd. Terwijl Mama mevrouw Martha verzorgde, keek ik naar het bundeltje dat mij nodig had. Zijn handjes bewogen in de lucht en ik zag het paars van zijn minuscule vingernagels in roze veranderen. Zijn gezichtje was onvoorstelbaar klein en toen zijn oogjes opengingen, richtten ze zich op mij. Het leek alsof zijn mondje iets probeerde te zeggen, en diep vanbinnen hield ik al van hem.

Mama probeerde de baby steeds weer aan mevrouw Martha te geven; telkens als ze hem weigerde, stond ik te trappelen om hem weer in mijn armen te hebben. Mama was duidelijk opgelucht toen het rijtuig van de dokter arriveerde. Eerst ging hij naar de kinderkamer om juffrouw Sally te zien, en toen kwam hij met een wit gezicht naar mevrouw Martha toe. Hij onderzocht haar, maar ze gaf geen antwoord op zijn vragen. Na het onderzoek nam de dokter Mama apart. Hij haalde een bruin flesje met donkere vloeistof uit zijn tas en gaf haar instructies. 'Je weet hoe je de druppels moet gebruiken, Mae,' zei hij. 'Geef haar voldoende om haar te laten slapen tot...' Hij knikte in de richting van de kinderkamer.

De baby kreeg honger en de dokter kwam naar ons toe. 'Je moet iemand van de hutten hierheen halen om hem te voeden. Heb je iemand?' vroeg hij aan Mama.

'Mijn dochter Dory zij heb een nieuwe baby,' zei Mama vlug. 'Zij ga deze ook voeden.'

De dokter onderzocht het pasgeboren kind; hij wreef over zijn dunne blonde haartjes en ik vroeg me af of juffrouw Sally deze baby net zo mooi zou gaan vinden als die van Dory. Geschokt herinnerde ik me opeens dat juffrouw Sally dood was.

'M'neer Marshall heb een onderzoek nodig,' zei Mama tegen de dokter. Ze leidde hem door de hal en klopte aan totdat de leraar de deur opendeed. Meneer Waters liet de dokter binnen, maar sloot de deur voor mama Mae's neus. Toen ze terugkwam, stond haar gezicht grimmig. Iets later hoorden we de dokter en de leraar praten terwijl ze naar beneden liepen. Ze sloten de deuren van de bibliotheek achter zich en Mama ging bij Marshall kijken, maar kwam toen terug om te zeggen dat hij sliep. Ze nam de baby van me over en vroeg me Dory te gaan halen.

Ik weet niet waarom ik niet via de achterdeur ging, maar ik liep door de voordeur naar buiten. Misschien omdat die openstond; ik was duidelijk mijn oriëntatie kwijt door de traumatische gebeurtenissen van die dag. Ik bleef even op de veranda staan en verbaasde me erover hoe gewoon een gouden zonsondergang eigenlijk was. Ik liep het trapje af, langs de zijkant van het huis, maar vertraagde mijn pas uit angst om de hoek om te slaan. Ik wist dat de eikenboom met de bungelende schommel me daar opwachtte en ik wilde hem niet zien. Ik bleef onder het open raam van de bibliotheek staan. Het palmhout was omhooggeschoten en hoewel niemand me hier buiten kon zien, kon ik duidelijk de stem van meneer Waters onderscheiden.

'Het was die Ben van de stal,' zei hij. 'Hij heeft niets met de kinderen van doen, maar naar het schijnt kan niemand hem in toom houden. Hij is de baas hier, en meestal ligt hij daar achter die houtstapel te slapen. Ik weet niet wat hem bezielde toen hij dat kleine meisje op de schommel zette en haar zo duwde. Ik geloof niet dat hij haar wilde vermoorden, maar zoals hij die schommel duwde, ik heb werkelijk geen idee wat hij wilde bereiken.'

Ik rende meteen naar de keuken om Dory te vertellen over het gesprek tussen de leraar en de dokter, maar daar aangekomen bleek Dory, nog steeds in shock door Sally's dood, zo van streek dat ze me het zwijgen oplegde. Toen herinnerde ik me waarom ik naar de keuken moest. 'Dory, Mama heeft je nodig,' zei ik met klem. Dory probeerde het avondeten klaar te maken terwijl haar eigen baby Sukey dringend gevoed moest worden. 'Wat!' riep ze uit. 'Wat wil ze van me? Ze weet ik heb genoeg te doen, ik probeer hier overeind te blijven!'

Ik hield vol dat Mama haar in het grote huis nodig had om de nieuwe baby te voeden. Dory keek me woest aan, zette haar kom met een klap neer, pakte toen haar eigen baby op en ging op weg naar het grote huis met mij in haar kielzog.

We werden begroet door het gehuil van mevrouw Martha's pasgeboren kind. Met de baby in haar armen kwam Mama naar ons toe in de blauwe zitkamer direct naast de slaapkamer van mevrouw. Daar legde Dory, op bevel van Mama, de baby van mevrouw Martha met tegenzin aan haar borst. Ik ging bij haar staan omdat ik graag wilde zien hoe hij gevoed werd. Terwijl hij gretig dronk, begon Sukey in de armen van Mama te huilen.

'Mama,' zei Dory, 'hoe kan dit? Mijn Henry dood, kleine Sally dood en nu deze.' Ze wierp een blik op haar eigen kind, dat in de armen van haar moeder lag te huilen. Boos keek ze neer op het kind dat ze aan het voeden was. 'Hij drink alsof dit zijn recht.' Ze begon te snikken. 'Ik wil dit niet doen, Mama.'

Mama schoof haar stoel dichterbij. Ze sprak zacht maar streng. 'Kom op, kind. Vergeet niet, dit goed voor jou. Zo heb ze jou nodig hier in dit huis. Stop nu met huilen. Hij heb recht op leven, net als jij en ik. Niet goed voor een baby dat je huil als je hem die borst geef. Jij wil niet dat ze zeggen jouw melk ben niet goed. Voor je het weet, haal ze hier iemand anders. Zing voor hem. Dan val die melk goed.' Mama wiegde Sukey tot ze stil werd. 'Je geef deze nieuwe baby eerst melk, hij heb die nu nodig. Daarna je geef dit aan jouw eigen lieve kind,' zei ze, en ze knuffelde Dory's baby. 'Jij heb heel veel voor te geven aan allebei. Je hoef alleen maar meer te eten.'

Dory snikte luid. 'Ik ga dit proberen, Mama,' zei ze.

Ik kon amper wachten totdat Dory klaar was en ik mevrouw Martha's baby weer kon vasthouden.

Mama Mae prees me om mijn hulp en zei dat ik het heel goed gedaan had voor mijn leeftijd. Ik zei nog maar een keer tegen haar dat ik al acht was. Ze schudde haar hoofd en vroeg zich hardop af hoe ze dat had kunnen vergeten. Ze zei dat ik zo goed omging met de nieuwe baby dat ze overwoog om mij misschien de volgende dag voor hem te laten zorgen. Ik drukte haar enthousiast op het hart dat ik dat kon, en ik hield de baby voorzichtig vast terwijl zij de blauwe kamer voor de baby inrichtte.

De opzichter schreef voor Ben een reispas uit en hij reed weg om de kapitein van Sally's overlijden op de hoogte te stellen. De volgende ochtend vroeg arriveerde er een predikant en er kwamen een aantal buren in rijtuigen en wagens langs. Ze brachten eten mee, en Mama rende druk heen en weer naar de keuken, en later weer terug naar het huis om bij mevrouw Martha te kijken. Uiteindelijk vroeg Mama of ik mevrouw misschien haar medicijn kon geven als ze wakker werd. Hoewel dit nieuwe verzoek me nerveus maakte, wilde ik niets liever dan dat Mama me nog meer lof zou toezwaaien, dus gaf ik er gehoor aan. Mama vertelde me precies wat ik met de door haar afgemeten dosering moest doen, en ze verzekerde me dat ik niet lang alleen zou zijn, aangezien Dory gauw zou komen om de baby te voeden.

Het kindje lag in zijn wieg te slapen, dus ging ik in de slaapkamer kijken. Toen ik mevrouw Martha zag bewegen en ze haar ogen opendeed, aarzelde ik geen seconde en bracht haar het drankje. Ze leek te weten wat ik haar gaf en dronk het gulzig op.

Even later zakte haar hoofd terug in de kussens en liet ze haar armen met een zucht naast haar magere lichaam vallen. De binnenzijde van haar polsen lag naar boven gekeerd en de blauwe aderen klopten zichtbaar onder haar blanke huid. Op dat moment leek ze zo kwetsbaar als haar pasgeboren kind. Ze droeg geen nachtmuts, waardoor haar dikke rode haar als een waaier om haar fijne gezicht lag. Haar grasgroene ogen richtten zich op mij.

'Isabelle?' vroeg ze. Ze probeerde mijn hand te pakken en ik liet haar begaan. Toen haar ogen dichtvielen en ik de kamer uit liep, riep ze me terug. 'Isabelle.'

'Ik ben Lavinia,' zei ik.

'Ga niet weg,' zei ze.

Toen ik zag hoe hulpeloos ze was, verdween mijn angst en bleef ik bij haar om haar hete, droge hand vast te houden. Ze zei niets meer tegen me, maar staarde in de verte totdat haar ogen dichtvielen en ze in een diepe slaap viel.

Ik nam geen deel aan de dienst die ze voor juffrouw Sally hielden en ik was niet bij de begrafenis, maar enige tijd later nam Belle me mee naar de kleine begraafplaats. Deze lag een klein eindje van het huis vandaan, aan de andere kant van de boomgaard. We passeerden een zwarte ijzeren poort in een stenen muur en gingen naast elkaar op een houten bank binnen de omheining zitten. Ik verbaasde me erover hoe vredig het er was. 'Waarom hebben ze baby Henry hier niet gelegd?' wilde ik weten, want het idee van de twee onschuldige zieltjes die hier samen rustten troostte me.

'Deze plek is alleen voor de mensen van het grote huis,' legde Belle uit. 'Mijn grootmoeder is hier.' Ze liep naar een grote grafsteen en wreef over de zijkant.

'Waar is jouw mama?' vroeg ik.

'Ze ligt daarbeneden, net als baby Henry,' zei ze.

'Ga jij hiernaartoe als je doodgaat?' vroeg ik aan Belle.

'Nee,' zei ze bits, 'ik zeg toch net, alleen de mensen van het grote huis gaan hiernaartoe.' Ze voegde daar nog aan toe, alsof ze haar woorden wilde verzachten: 'Ik weet niet wat ze met mij gaan doen, Lavinia. Misschien stoppen ze me onder het keukenhuis.' Ze bukte om juffrouw Sally's grafsteen te bekijken.

'Wat staat erop?' vroeg ik. In mijn verwarring wilde ik graag van onderwerp veranderen.

'Sally Pyke,' begon Belle en terwijl ze de letters met haar vingers volgde, stroomden er tranen over haar gezicht. 'Sally Pyke, geliefde dochter van James en Martha Pyke.'

De dagen daarna kwam de dokter weer bij mevrouw Martha op visite en adviseerde ons door te gaan met de opium tot de kapitein terugkwam. 'Laat haar slapen,' zei de dokter tegen mama Mae.

'Die drank maak haar hoofd in de war,' zei Mama tegen hem.

'Dat komt wel goed,' stelde de dokter haar gerust. 'Blijf het aan haar geven.'

Als mevrouw Martha het drankje op had, duurde het meestal even voordat ze weer in slaap viel. Wanneer ze wakker was, keerde ze terug naar haar kindertijd en werd ik haar jongere zus Isabelle. Als het medicijn begon te werken, wilde mevrouw Martha vaak dat ik naast haar op de rand van het bed kwam zitten. Ze maakte dan mijn vlechten los, ontwarde nerveus mijn haar, en streek het glad tot ze gerustgesteld in slaap viel.

Dory voedde en verschoonde de baby, maar ik was degene die van hem hield. Ik greep elke gelegenheid aan om hem vast te houden en wanneer ik alleen met hem was, knuffelde ik hem en begroef mijn neus in zijn zachte nekje om zijn zoete geur op te snuiven.

De dag na de begrafenis zat ik in mijn eentje in de blauwe kamer met de baby in mijn armen. Hij was wakker en keek me aan toen ik me plotseling in een flits een broertje van me herinnerde, eentje die in Ierland geboren was. En was gestorven.

'Ik noem je Campbell,' fluisterde ik, terwijl ik overspoeld werd door herinneringen. 'Campbell,' herhaalde ik. Hij greep mijn vinger en liet hem niet meer los. 'Jij bent mijn knappe ventje,' zei ik kirrend. Ik schrok me een ongeluk toen een stem mijn idylle verstoorde.

'Ik wil mijn moeder zien.' Marshall stond in de deuropening.

'Ze slaapt,' zei ik. Ik had Marshall niet gezien sinds Sally van de schommel was gevallen. Zijn bleke gezicht verried zijn diepgewortelde pijn en ik had medelijden met hem. 'Kom bij de baby kijken,' zei ik. Tot mijn verbazing deed hij dat. 'Zie je hoe goed hij groeit?' Ik trok de deken weg om zijn gezonde armpjes en beentjes te laten zien.

Ondanks zijn terughoudendheid, knielde Marshall naast de fauteuil. 'Hoe heet hij?' vroeg hij.

'Campbell,' zei ik om zijn naam uit te proberen. Ik hield een van de voetjes omhoog. 'Kijk eens naar zijn teentjes.'

Marshall nam het voetje voorzichtig in zijn hand.

'Je mag hem wel kussen, hoor,' zei ik.

'Nee!' Als door een gloeiende pook aangeraakt trok hij zijn hand terug. Hij liet zijn hoofd hangen en ik dacht dat hij ging huilen.

'Marshall, je wilde Sally geen pijn doen,' zei ik in een poging hem te troosten.

Hij liet zijn schouders hangen en keek me hulpeloos aan. Hij wilde juist iets zeggen toen de stem van zijn moeder uit de slaapkamer klonk.

'Isabelle. Isabelle.'

Marshall sprong op. 'Wie roept ze?' vroeg hij.

'Mij,' zei ik.

'Heet je zo?'

'Nee,' zei ik, 'ik heet Lavinia, maar je moeder denkt dat ik Isabelle ben. Mama Mae denkt dat het haar zus is.'

Ik had niet gedacht dat het mogelijk was, maar hij trok nog witter weg. 'Dat klopt,' zei hij, maar voegde er toen met afgrijzen aan toe: 'Die is dood!' Hij ging weg en trok de deur met een klap achter zich dicht.

De kapitein arriveerde de middag daarop. Dory was in de blauwe kamer de baby aan het voeden en ik zat op de rand van het bed naast mevrouw Martha. Ze sliep bijna en ik zat met haar hand op mijn schoot.

'Martha,' zei de kapitein. Hij stond in de deuropening.

Zijn krachtige aanwezigheid maakte me bang en ik wilde zo snel mogelijk weg daar, maar mevrouw Martha greep mijn hand.

'Martha,' zijn stem haperde en ik trok me los toen hij op ons af kwam. Hij rook sterk naar vuil en paarden, maar toen hij ging zitten en haar naar zich toe trok, begroef ze haar gezicht in zijn nek.

'James,' fluisterde ze, en haar verdriet leek vers toen ze haar dochters naam begon te roepen. Terwijl hij haar probeerde te troosten, voelde ik de tranen in mijn keel prikken.

Marshall kwam de volgende avond naar de slaapkamer voor een licht diner met zijn ouders. Mevrouw Martha bleef in bed, maar ze werd rechtop gezet om te kunnen eten. Mama diende het eten op terwijl Dory en ik in de aangrenzende kamer voor de baby zorgden. Oom Jacob was net een vuur in de haard aan het maken toen Belle de blauwe kamer binnenstormde.

'Mama,' riep ze, 'Mama, ze hebben Ben! Haal de kap'tein!'

Mama kwam aangerend met de kapitein en Marshall in haar kielzog.

'Belle,' zei de kapitein. 'Stil! Alsjeblieft! Martha is–'

'Ze hebben Ben!' zei ze.

'Wat?' De kapitein keek bezorgd om naar de slaapkamer van zijn vrouw.

'Ze hebben Ben te pakken,' snikte Belle. 'Rankin en die patrouillemannen zijn bij hem. Ze zijn allemaal aan het drinken. Ze zeggen dat Ben Sally heeft vermoord.'

Verbijsterd ging Mama in de blauwe zijden fauteuil zitten.

'Ze hebben hem vastgebonden en gaan hem meenemen,' zei Belle. 'U moet hem gaan halen! Ze gaan hem vermoorden!'

'Rustig maar, Belle,' zei de kapitein. 'Wat bedoel je? Waarom denken ze dat Ben–'

Marshall stapte opzij toen de leraar in de deuropening verscheen. Belle draaide zich met een ruk naar meneer Waters om. 'U was het!' zei ze. 'Ze zeggen dat u zei dat Ben Sally heeft vermoord.'

De leraar trok zijn wenkbrauwen op.

'Waar gaat dit over? Kan iemand me vertellen waar dit over gaat?' schreeuwde de kapitein.

De leraar richtte zich tot Belle. 'Ik heb tegen niemand een woord over jouw minnaar gezegd. Ik heb het ongeluk zelf niet eens gezien. Ik kan alleen maar herhalen wat meneer Marshall mij heeft verteld, namelijk dat Ben juffrouw Sally van de schommel heeft geduwd.'

Allemaal keken we Marshall aan. Ze gingen Ben iets aandoen! Ik wist dat de leraar loog. Waarom zei Marshall niets?

'Marshall?' brulde zijn vader.

Marshall keek paniekerig van zijn vader naar de leraar.

'Vertel gewoon de waarheid, Marshall,' zei meneer Waters.

Marshalls ogen bleven op de leraar gericht.

'Ze gaan Ben vermoorden!' Belle was in alle staten. 'Marshall, alsjeblieft. Vertel het de kap'tein! Zeg dat jij Sally hebt geduwd.'

Belles angst om Ben sloeg op mij over.

'Wie heeft de schommel geduwd?' bulderde de kapitein.

'Marshall duwde,' flapte ik eruit. 'We hebben het allemaal gezien. Maar hij deed het niet expres.' Ik rende naar Mama toe.

'Is dat zo, Belle?' vroeg de kapitein. 'Belle?'

'Marshall heeft het gedaan!' zei ze. 'Alstublieft! Ga dan! Ze gaan hem vermoorden.'

Haar woorden zetten de kapitein aan tot actie. We keken toe hoe hij de kamer uit vloog en de trap afrende naar de bibliotheek, waar hij de wapenkast van het slot deed. Hij gaf een van de geweren aan papa George en ze sprintten naar buiten, het blauwe licht van de volle maan tegemoet.

Het was bijna ochtend toen de kapitein bij zijn slapende vrouw terugkwam. Hij liep door de blauwe kamer, waar ik naast de wieg van Campbell sliep, en ik werd wakker. Ik wilde hem achterna lopen en hem naar Ben vragen, maar ik durfde niet. In plaats daarvan keek ik toe hoe hij naar het hoofdeinde van het hemelbed liep; de blauw met witte gordijnen waren open. Hij bukte om mevrouw Martha te kussen en schudde zachtjes aan haar arm, maar ze was in een diepe opiumslaap. Toen ze niet reageerde, kwam hij overeind. Hij keek lang op haar neer voordat hij naar de kaptafel liep. Daar tilde hij het glazen flesje op, schudde het, en met een diepe zucht ging hij op het stoeltje naast de kaptafel zitten. Hij zette het flesje neer, maar uit zijn abrupte inademing kon ik opmaken wat hij toen zag. Op de dag van Sally's begrafenis had oom Jacob daar, terwijl mevrouw sliep, voorzichtig het voorwerp neergelegd dat de kapitein nu pakte. Het was de porseleinen miniatuur van haar vader die iemand van de pols van het meisje had losgemaakt.

De kapitein hield de armband tegen zijn borst. Hij kreunde en boog voorover, alsof het roze lint zijn hart doorboorde. Toen hij weer overeind kwam, bracht hij het voorwerp naar zijn lippen.

Campbell werd wakker en begon te huilen. Ik pakte hem op en liep met hem rond totdat hij stil werd. Toen ik opkeek, stond de kapitein in de deuropening.

'Komt alles goed met Ben?' Ik kon de vraag niet langer bedwingen.

De kapitein keek me aan en leek zich te verbazen over mijn belangstelling.

'Hij komt er wel bovenop,' zei hij. Hij kwam naar me toe en nam de baby onhandig van me over. 'Wie voedt hem?' vroeg hij.

'Dory,' antwoordde ik. 'Ze komt er zo aan.'

'Goed,' zei hij. 'Hoe heet hij?'

'Campbell,' antwoordde ik.

'Campbell. Campbell?' herhaalde hij.

Voordat ik het uit kon leggen, voordat ik hem kon vertellen dat ik de baby zijn naam had gegeven, verscheen Dory.

'Hoe is het met Ben?' vroeg de kapitein. 'Hebben ze het bloeden kunnen stoppen?'

'Ja,' zei Dory, 'maar hij schreeuw voor die pijn.' Haar handen trilden toen ze de baby van de kapitein overnam.

De kapitein ging de slaapkamer van zijn vrouw weer binnen en kwam terug met de opiumfles. 'Breng dit naar Mae,' droeg hij me op. 'Zeg haar dat ze hier wat van aan Ben moet geven.'

Ik pakte de fles aan en holde weg, zo graag wilde ik Ben zelf zien. De zon kwam op en oom Jacob kwam net terug van Mama's huis. Hij knikte naar me toen we elkaar op het trapje van de veranda passeerden. Een schitterende zonsopgang in een wolkeloze hemel strooide goud over onze kleine wereld. Rook kringelde geruststellend uit de schoorsteen van Belles keuken en met een zucht van opluchting zag ik dat de dag begon als alle andere. 'Oom, komt alles weer goed met Ben?' vroeg ik.

Oom Jacob staarde in de verte. 'Dat aan Ben,' zei hij. 'Nu heb hij die angst. Als hij die angst in hemzelf steek, niks maak hem blij. Als hij die angst terug in die wereld steek, alles ben een reden voor te vechten.' Hij ademde diep in en hief zijn armen op. 'Jij en ik, wij geef dit aan Allah,' zei hij. 'Wij zeg: "Allah, neem die angst van Ben."' Hij boog zijn hoofd. Met zijn armen nog steeds opgeheven keek hij toen weer om zich heen. 'Wij zien die zon, wij zien die bomen, wij zien die nieuwe dag. Wij zeg: "Dank u, Allah. Dank u voor onze jongen te helpen."' Tranen stroomden over zijn gezicht en hij boog zijn hoofd nog eens. Toen liet hij zijn armen zakken en droogde zijn tranen.

Ik wilde Oom een plezier doen, dus boog ik me ook naar de zon. 'Dank u, Allah,' zei ik, 'luistert u alstublieft naar oom Jacob.'

'Je ben een zegen, Abinia,' zei Oom, en hij schonk me een glimlach voordat ik naar Mama's hut rende.

Toen ik bij Mama's hut aankwam, hoorde ik Ben schreeuwen van pijn. Ik was zo bang dat ik amper aan durfde te kloppen, maar tot mijn grote opluchting deed Mama de deur open zonder me binnen te laten. Ik gaf haar de druppels en vluchtte naar de veilige omgeving van het keukenhuis. Belle had dikke ogen van het huilen, maar ze gaf me wat melk en maïsbrood, vlocht mijn haar opnieuw en hielp me mezelf te wassen. Terwijl ze daarmee bezig was, vroeg ik haar naar Ben, maar ze negeerde mijn vragen en zei me dat het snel goed zou komen met hem. In de zekerheid dat Ben veilig was, gaf ik uitbundig blijk van mijn opluchting. Ik kletste honderduit over mijn gesprek met oom Jacob en vroeg haar wie Allah was. Ze vertelde me dat Allah de God van Oom was, net zoals de Heer de God was van Mama.

'Wie is die van jou?' wilde ik weten.

'Allebei,' zei ze. Ze keek me verbluft aan. 'Sinds je hier bent, praat je nooit zoveel als nu.'

Ik glimlachte, maar had daar geen antwoord op. Ik kon haar mijn vreugde niet uitleggen. Ik wist alleen dat Ben terug was en dat ik daarboven in het grote huis een baby had om lief te hebben. Eentje die me nodig had.

10

Belle

DE ELLENDE HOUDT MAAR NIET OP. EERST KLEINE SALLY, DAN grijpen ze Ben.

Gisteravond pakken ze Ben uit het niets. En wie anders dan die opzichter gaat voorop, die smerige Rankin. Vier mannen springen op Ben als hij uit de varkensstal komt. Ze binden hem vast en rijden weg voordat papa George en Jimmy ze kunnen tegenhouden. Ik wacht niet. Ik ren naar de kap'tein. Hij rijdt weg met Papa. Ze komen bij Ben als die mannen hem helemaal hebben uitgekleed, als ze al zijn kleren hebben gepakt, alleen voor gemeen te doen.

'Vuile nikker, als je niet bekent, maken we je af,' zeggen ze, maar Ben weet dat ze hem toch wel afmaken, maakt niet uit wat hij zegt.

Hij vraagt: 'Wat ik doen? Wat ik doen?'

'Jij heb dat blanke grietje vermoord,' zeggen ze.

'Ik weet niet waar jullie over praat,' zegt Ben, maar ze werken hem tegen de grond, schoppen hem, zeggen dat hij moet bekennen.

'Hier,' zegt een van hen, 'hier, gebruik dit.' Hij pakt een van de hoefijzernagels die Ben in zijn zak heeft. 'Snij zijn oor af. Dan gaat ie wel praten.'

Iedereen weet, als een neger iets heb gedaan, nagelen ze daar bij die rechtbank zijn oor aan de boom voordat ze het afsnijden. Dus dat doen ze met Ben. Ze halen zijn ene oor eraf, en ze willen net het andere gaan doen, maar de kap'tein komt eraan en schiet op de top van de boom.

'Maak die man los!' zegt de kap'tein. 'Hij is mijn eigendom.'

Ze zijn allemaal aan het drinken en willen niet stoppen, maar papa George tilt zijn geweer op en legt aan. De kap'tein zegt: 'Rustig, George, hou je geweer zo dat ze het kunnen zien. Ik ga met ze praten.' De kap'tein stapt van zijn paard en hij loopt naar de mannen. Hij kent al hun namen en spreekt ze aan.

Rankin stapt naar voren. 'Kap'tein, ik doe alleen mijn werk, en pak deze nikker op.'

'Rankin. Heren,' zegt de kap'tein, 'ik vrees dat er een misverstand is ontstaan. Mijn man hier heeft niets misdaan.'

Ze willen Ben niet laten gaan, maar ze weten dat hij eigendom van de kap'tein is. Rankin snapt wel dat hij maar beter de kap'tein kan steunen, dus zegt hij tegen de mannen dat ze moeten gaan. Hij zegt dat hij de kap'tein zal helpen voor dit thuis op te lossen.

Er stroomt bloed van waar Bens oor eraf is, en Papa scheurt zijn hemd voor het strak te verbinden. 'Ben niet hemzelf,' zegt Papa. 'Hij loop alleen maar rond en rond en zegt: "Papa, waar mijn kleren, waar mijn kleren?"'

In die hele chaos wil Ben niet op het paard stappen tot hij zijn kleren aan heeft. De kap'tein pakt Rankins paard voor Ben en zegt tegen die opzichter dat hij maar moet lopen. Iedereen weet dat die Rankin dit onderweg op iemand gaat afreageren.

Mijn Ben wil niet dat ik hem zo zie, maar ik ga toch naar hem toe. Hij wil mij niet aankijken en houdt zijn ogen dicht. Ik hielp Mama het bloeden te stoppen, maar terug in mijn keukenhuis kan ik alleen maar huilen voor hoe hij eruitziet. Hij is nog steeds mijn Benny, maar niet zijn mooie zelf. Waarom hebben ze hem dit aangedaan?

Als ik de volgende dag het avondeten opzet, komt de kap'tein hier beneden en hij smijt de deur open. 'Wat bedoelde Waters toen hij zei dat je een minnaar had?'

'Ik weet het niet,' zeg ik bang. Ik heb de kap'tein nooit eerder zo boos op mij gezien.

'Had hij het over de zoon van Mae? Is het Ben?'

Ik schud mijn hoofd. 'Ik weet niet waar die leraar het over heeft.'

'Als ik erachter kom dat hij jou heeft aangeraakt, dan verkoop ik hem!'

'Ben heeft mij niks nie gedaan,' zeg ik.

'Belle, we hebben dit al te lang uitgesteld. Ik ga je papieren in orde maken. In de zomer ga je naar het noorden. Ik zal een goede man voor je vinden. Ik kan niet toestaan dat je je leven hier kapotmaakt.'

'Maar ik wil blijven! Dit is mijn thuis! Ik heb Mama en Papa hier. Dory en de meisjes, ze zijn als zussen voor me.'

'Dat zijn mijn slaven!'

Ik word boos. 'Vergeet niet wie mijn mama is. Zij was ook uw slaaf. U brengt slaven op uw schip. U verkoopt ze!'

'Nee! Nooit op mijn schip. Ik heb ze nooit gehaald.'

'Maar u kocht ze! Zij zijn van u. Iedereen bij de hutten behalve Rankin is een slaaf.'

'Mijn vader heeft ze allemaal gekocht,' zegt de kap'tein. 'Hij had ze nodig om hier te kunnen starten. En je weet dat ik ze nu nodig heb om alles draaiende te houden.'

Ik adem een paar keer in, want mijn mond gaat te snel. 'Eerst zegt u dat ik niet in uw grote huis kan blijven. Nu zegt u dat ik niet in mijn keukenhuis kan blijven. Waarom wil u mij altijd weg hebben?'

'Belle,' zegt hij, en zijn stem wordt zacht, 'ik wil dat je een goed leven hebt. Jij bent mijn dochter.'

Ha! Hij noemt me zijn dochter, en al die tijd laat hij me hier beneden in het keukenhuis werken! 'Dus als ik doodga, ga ik dan de grond in naast juffrouw Sally, of stopt u mij in de grond bij de hutten?'

'Nu ga je te ver! Uiterlijk volgende zomer ben je hier weg. Tot die tijd blijf je uit de buurt van die vent.'

'Ben is een goeie man, kap'tein,' probeer ik weer.

'Luister, Belle. Ik heb Rankin gezegd dat hij hem in de gaten moet houden. Indien nodig neemt hij maatregelen. Ik waarschuw je, Belle, de gevolgen zullen niet prettig zijn.'

'Alstublieft,' zeg ik.

'Ophouden nu, Belle! Ik heb net mijn dochter... Ik vertrek morgenochtend, en ik wil er zeker van zijn dat we een afspraak hebben.'

Voor het eerst lijkt hij ouder dan zijn vijftig jaar en nog wat.

'Moet u alweer weg? Zo snel?' zeg ik.

'Ik heb geen keus, Belle. Maar het wordt tijd dat ik de zaken hier in eigen hand neem. Martha kan zo niet doorgaan, en Marshall–'

'Die leraar is niet goed voor Marshall,' zeg ik.

De kap'tein heft zijn hand op. 'Ik wil niets meer over Marshall horen. Wat hij nodig heeft, is discipline.'

'Maar–'

'Belle,' valt hij me in de rede, 'ophouden nu! Beloof me dat je die man uit je buurt houdt.'

En dat doe ik.

11

Lavinia

TOEN BEN TERUG WAS, WERD IK 'S MIDDAGS WEER NAAR HET grote huis gestuurd om bij Campbell te zitten. Het huis was stil en ik lag naast de baby te dutten tot ik wakker werd van de stem van de kapitein op de overloop. 'Waar gaat u heen?'

'Gezien de omstandigheden leek het mij het beste om ergens anders een betrekking te zoeken.' Ik herkende de stem van de leraar.

'Luister, Waters,' zei de kapitein, 'dit is een slecht moment. Ik kan me geen verdere verstoring van mijn huishouden permitteren. Ik moet morgen weer weg; ik heb een bemanning die ik moet betalen, een lading die ik moet lossen, reparaties die ik moet regelen. Ik ben over maximaal twee maanden terug, zeker voor Kerstmis. Ik zou het op prijs stellen als u in ieder geval tot die tijd wilt aanblijven. Mijn zoon moet streng worden aangepakt. Martha kan hem nu niet aan. Overigens denk ik dat haar toegeeflijkheid een groot deel van het probleem is.'

'Ik voel mij wel degelijk verantwoordelijk voor mijn aandeel in zijn onjuiste voorstelling van de dood van–' begon de leraar.

'Dat ligt nu bij mijn zoon,' onderbrak de kapitein hem. 'Hij moet leren verantwoording af te leggen.'

'Ja,' zei Waters. 'Ik voel mij verplicht u mede te delen dat ik mij sinds mijn aankomst bewust ben van meneer Marshalls behoefte aan een strenge begeleiding. Uw huisslaven en die bij de stal zijn de jongen genegen en ik moet eerlijk bekennen dat ze meerdere malen hebben geprobeerd om zich met onze zaken in te laten.'

'Ik zal met hen praten. Hoe gaat het met zijn studie?' vroeg de kapitein.

'Slecht, vrees ik,' antwoordde de leraar. 'Hij is geen discipline gewend en hij is snel afgeleid.'

'Als u bereid bent aan te blijven, geef ik u de volledige toestemming om alle maatregelen te nemen die u nodig acht om hem te begeleiden.'

Het duurde even voordat de leraar antwoord gaf. 'Kapitein, onder deze omstandigheden voel ik mij verplicht om mijn werk hier voort te zetten. Ik zal mijn uiterste best doen om meneer Marshall te helpen.'

'Goed. Heel goed,' antwoordde de kapitein. 'Het wordt tijd dat iemand die jongen onder zijn hoede neemt.' Hij liet Jacob komen en vroeg hem om de koffers van de leraar terug te brengen naar zijn kamer en ze uit te pakken.

'Ja, kap'tein,' hoorde ik oom Jacob zachtjes antwoorden.

Op de ochtend van zijn vertrek kwam de kapitein naar de blauwe kamer om met Dory en Mama te praten. 'Ik wil niet dat mevrouw Martha nog langer laudanum krijgt,' zei hij. 'Ze wordt nooit beter als ze zo blijft slapen.'

'Die dokter zeg zij heb die druppels nodig,' antwoordde Mama.

'Het kan me niet schelen wat de dokter heeft gezegd. Ik zeg dat zij ze niet meer mag hebben!'

'Ja, kap'tein,' zei Mama.

'Mae,' zei hij, 'ik reken op je. Meneer Waters zal Marshall onder zijn hoede nemen. Mevrouw Martha en Campbell zijn jouw verantwoordelijkheid.' Hij knikte in de richting van de wieg.

'Kap'tein,' zei mama Mae, en ze wierp een blik op de deur, 'ik moet met u praat over Marshall en meneer Wat–'

De kapitein viel haar in de rede. 'Waters heeft toegezegd dat hij aanblijft. Hij is verantwoordelijk voor Marshall. Ik wil dat jij en de anderen Waters zijn werk laten doen.'

'Maar kap'tein–' probeerde Mama, maar weer onderbrak hij haar.

'Mae! Niet nu. Hij heeft me verteld dat er bemoeienissen zijn geweest, en ik wil het niet hebben! Alles blijft bij het oude tot ik met Kerstmis weer thuis ben.' Hij liep snel naar de deur van de slaapkamer en keek nog even naar zijn slapende vrouw voor hij vertrok.

Toen hij weg was, vroeg Mama aan Dory: 'Hoe noem de kap'tein dat kind?'

Dory haalde haar schouders op.

'Campbell,' zei ik.

Mama Mae keek bedenkelijk. 'Hoe kom hij aan die naam?'

Als antwoord trok Dory een gezicht.

Ik zei niets.

We hadden algauw een vaste dagindeling. Aan het begin van de ochtend werd ik naar Dory gestuurd om haar in de blauwe kamer te helpen met de verzorging van de baby's. Wanneer mevrouw Martha opstond en ging ontbijten, verschoonde Mama het bed en kreeg ik de taak om mevrouw Martha te assisteren bij haar ochtendtoilet. Hoewel ik trots was op mijn nieuwe verantwoordelijkheden, wist ik vaak niet wat ik moest doen en keek ik constant naar Mama voor aanwijzingen. Die eerste paar weken was mevrouw Martha vreselijk ongelukkig. Ze eiste onophoudelijk meer druppels, en hoewel Mama aldoor deed alsof ze een hoge dosering gaf, wist ik zeker dat ze had besloten om de orders van de kapitein strikt op te volgen. Het middel verloor aan kracht en geleidelijk aan kwam er een nieuwe, stabielere mevrouw Martha tevoorschijn. Wanneer ze door de kamer liep, bleef ze vaak even staan om uit het raam te kijken. De eerste keer dat ik haar daar zag staan, begreep ik zonder het echt te horen dat ze huilde. Ik besefte dat ze Sally miste, dus ging ik uit mezelf zonder iets te zeggen naast haar staan. Ze keek op me neer en streelde mijn haar. 'Lieve Isabelle,' zei ze.

Mijn medeleven met de vrouw groeide met de dag, maar daardoor kreeg ik het gevoel dat ik Belle tekortdeed. Ik begreep niet helemaal waarom Belle boos was op mevrouw Martha en op een dag vroeg ik haar naar de reden.

'Als je oud genoeg bent, zul je alles begrijpen,' zei Belle streng. 'Als je in het grote huis bent, luister dan naar Mama.' Haar woorden kwamen mij goed uit, want uiteindelijk wilde ik niemand liever dan mama Mae tevredenstellen.

Mevrouw Martha had nog steeds weinig belangstelling voor Campbell, hoewel hij minstens tweemaal per dag bij haar gebracht werd. Als het moest, hield ze hem vast, maar zodra hij ook maar even protesteerde, gaf ze hem terug en wilde ze hem de kamer uit hebben.

Ze zei niets over Marshall tot hij op een ochtend in november in de deuropening verscheen. Ik was de speldjes uit mevrouw Martha's haar aan het halen en Mama was bezig het bed op te maken.

'Hallo, Marshall,' zei zijn moeder, en uit haar begroeting klonk oprechte blijdschap. 'Grutjes,' voegde ze daar iets ernstiger aan toe, 'wat ben je... groot geworden.'

De dertienjarige Marshall zag er slungelig uit en zijn armen waren veel langer dan zijn mouwen. Maar zijn felblauwe ogen werden overschaduwd door donkere kringen; en zijn korte haar was ongelijk geknipt, alsof hij het zelf zonder spiegel gedaan had. Hij deed snel de deur achter zich dicht. 'Moeder,' zei hij, en hij liep vlug naar haar toe, 'ik wil stoppen.'

'Waarmee, schat?' vroeg ze.

'Met mijn studie.' Hij keek om naar de deur.

'Ach, Marshall,' zei ze, 'je weet dat je moet studeren. Je vader heeft niet voor niets die eh... meneer eh...'

'Waters!' fluisterde Marshall fel. 'Hij heet Waters!'

'Och ja, natuurlijk,' zei mevrouw Martha.

'Alstublieft, moeder,' smeekte Marshall, 'stuur me naar een internaat.'

'Waarom wil je dat, Marshall? Waar is meneer Waters?' vroeg mevrouw Martha. 'Wil je dat ik met hem praat? Is hij te veeleisend?'

'Nee,' zei Marshall, en hij wierp weer een blik op de deur, 'zeg niet tegen hem dat ik bij u ben geweest.'

'Waar hij nu?' vroeg mama Mae, terwijl ze de witte beddensprei uitklopte.

'Hij is weg,' zei Marshall.

'Weg met Rankin?' vroeg mama Mae aan Marshall, maar haar ogen waren op mevrouw Martha gericht.

'Dat gaat je niets aan!' Marshall werd opeens woedend.

'Marshall!' zei zijn moeder streng. 'Bied je excuses aan.'

'Waarom? Wat kan zij doen dan? Ze is maar een nikker!' Rood aangelopen pakte hij uit het niets zijn moeders glas en gooide het naar Mama. Ze sprong opzij en het vloog tegen de muur. Mevrouw Martha stond snel op en greep Marshalls arm. Woest duwde hij haar weg, waardoor ze tegen de kaptafel viel. In een poging houvast te vinden gleed ze met haar hand over de tafel, stootte een zilveren spiegel om en gooide haar kostbaarheden van porselein en glas aan stukken. Het lukte haar om ergens grip te krijgen en ze wist zich overeind te houden. In de stilte die daarop volgde, kwam Marshall tot bedaren. Toen zijn moeder vertwijfeld zijn naam uitsprak, keek hij verloren om zich heen en verliet vervolgens verslagen de kamer.

Nadat mevrouw die avond gekalmeerd was, gingen Mama en ik naar de keuken om de stoofpot die Belle voor het avondeten had bereid op te halen.

'Kom vanavond bij ons eten,' nodigde Mama Belle uit.

'Nee, dank je, Mama, ik denk ik vanavond hier blijf,' zei Belle.

'Voel jij wel goed?' vroeg Mama.

'Ja hoor,' zei Belle, en ze wreef over een vlek op haar schort, 'oom Jacob komt straks hier.'

Mama keek Belle onderzoekend aan. 'Vind jij goed als Abinia met ons eet?'

'Natuurlijk is dat goed, Mama.'

'Ik stuur haar terug met Ben als wij ben klaar.'

'Ze is groot genoeg voor alleen terug te rennen.' Belle ontweek Mama's vragende blik.

'Goed dan, Belle,' zei Mama uiteindelijk en ze gebaarde dat ik mee moest komen.

Toen wij aankwamen, zat de tweeling op het trapje van de hut te wachten. Dit gezin leek lichtjaren verwijderd van het grote huis en in hun bijzijn kon ik de zorgen van die dag achter me laten. Papa George was onderweg naar boven en de tweeling en ik renden hem tegemoet. Hij bukte zich zodat Beattie op zijn rug kon klimmen en hij strekte zijn armen naar Fanny en mij uit om zich door ons de heuvel op te laten trekken. Daar aangekomen schudde hij ons van zich af en kwam weer overeind.

'Jij ben niet anders als een groot kind,' vitte Mama. 'Ga je wassen.'

'Eerst wil ik een kus van mijn vrouw,' zei hij, en hij probeerde Mama te grijpen. Ze hield hem af, maar lachte met ons mee toen hij haar stevig vastpakte voor een knuffel.

Binnen hielp ik de meisjes met plezier hun speelgoed van de plank te pakken. Papa zat aan tafel en praatte tegen Mama, terwijl zij het maïsbrood voor onze maaltijd klaarmaakte. 'Marshall zeg die Waters kerel weer bij die Rankin vandaag,' zei Mama.

'Ze nemen dat eten voor die arme nikkers en ze verkopen dat,' zei Papa.

'Hoe weet je dit?' vroeg Mama.

'Ik praat met die mannen,' zei Papa. 'Ze krijg niet wat ze volgens de kap'tein moet krijgen. Die twee gaan nu zelfs achter die vrouwen daar aan–'

Mama wierp een blik op ons en schudde haar hoofd net toen Ben de deur opendeed. Ik had hem niet meer gezien sinds zijn ontvoering en was niet voorbereid op de schok van zijn verminkte gezicht.

Hij had een gemene zwarte wond waar zijn oor had gezeten, maar, erger nog, die kant van zijn gezicht en nek was zo gezwollen dat ik hem amper herkende. Ik staarde hem ontzet aan.

'Abinia!' zei hij blij verrast, maar zag toen hoe bang ik was. Hij ging op de bank bij de tafel zitten en riep me bij zich. Ik duwde mijn duim in mijn mond en schudde van nee. 'Kom hier, Birdie,' zei hij en hij stak zijn hand uit naar de mijne. Schoorvoetend liep ik naar hem toe. Hij trok me voorzichtig naar zich toe en draaide zijn gewonde kant van me weg. 'Zie je,' zei hij, 'ik nog steeds Ben.'

Op dat moment herkende ik hem. Toen ik in huilen uitbarstte, tilde hij me op schoot en ik kroop dicht tegen zijn brede borst aan.

Hij legde zijn enorme hand op mijn hoofd en binnen de geborgenheid die hij me gaf huilde ik om wat hem was aangedaan.

'Ik ga beter uitzien met die tijd,' troostte hij me, en tegen de tijd dat Mama ons eten opdiende, had hij me tot bedaren gebracht. Onder het eten zei niemand iets, tot Ben naar Belle vroeg.

'Ze blijf thuis,' antwoordde Mama. 'Ze zeg Jacob kom langs.'

'Als ik klaar ben, neem ik Abinia mee terug,' zei Ben, en hij keek Mama aan.

'Ik weet niet, Ben,' zei Mama, 'iets niet in die haak met Belle sinds de kap'tein vertrek.'

Er was geen maan, en het was een donkere avond, maar ik voelde me veilig met Ben toen hij na het avondeten mijn hand vasthield en me naar huis bracht.

'Doet je hoofd pijn, Ben?' vroeg ik.

'Ja, doe pijn, maar dat bijna beter,' zei hij.

'Wil je dat ik nog meer druppels voor je haal?' vroeg ik.

Hij lachte. 'Hoe ga je dat doen?'

'Ik zal het mevrouw Martha vragen,' zei ik.

'Nou, eh, bedankt Birdie, voor om mij te denken, maar ik geloof dat kom goed met mij.' Hij kneep in mijn hand.

Toen we bij de keukendeur aankwamen, trok Belle me bruusk naar binnen zonder Ben aan te kijken.

'Dus nu zie ik te lelijk uit voor jou?' vroeg hij, en hij liep weg voordat ze antwoord kon geven. Gekwetst riep Belle hem na, maar hij draaide zich niet meer om. Ze stuurde me naar bed, maar toen ik haar even later hoorde snikken, sloop ik naar beneden.

'Wat is er, Belle?' vroeg ik.

'Ga terug naar boven,' zei ze huilend, 'ga slapen.'

Ik aarzelde, maar zei toen iets waarvan ik wist dat het haar aandacht zou trekken. 'Vandaag heeft Marshall mevrouw Martha geduwd, en ze viel.'

Het werkte. Belle stopte met huilen. 'Wat?' vroeg ze.

Ik zei het nog eens. Belle snoot haar neus en gebaarde toen dat ik naast haar moest komen zitten. 'Kom hier,' zei ze. 'Zeg me wat er gebeurd is.'

Het luchtte me op om alles te vertellen. Zwijgend pakte Belle mijn hand en haar vingers vlochten zich om de mijne. 'Het is goed dat je mij dit vertelt,' zei ze, terwijl ze haar blik over me heen liet glijden. 'Je helpt me steeds beter.'

'Ik ben al acht,' bracht ik haar in herinnering.

'Ben je te groot voor op mijn schoot te zitten?' vroeg ze. Ik schudde blij mijn hoofd. 'Kom hier,' zei ze. Ik was sinds mijn aankomst gegroeid, maar nog steeds zo mager als een lat en ze tilde me moeiteloos op. Ik liet mijn hoofd op haar schouder rusten en zo bleven we lange tijd dicht tegen elkaar aan bij het smeulende vuur zitten.

Dory en ik zaten samen in de blauwe kamer, en terwijl Dory Campbell voedde, hield ik Sukey vast. Het was begin december, de eerste dag van de zwijnenjacht. Ik vroeg aan Dory waarom iedereen daar zo opgewonden over was.

Het betekende even pauze voor de mensen bij de hutten, legde ze uit, en ze keken uit naar een feestmaal na het werk. Ook kregen ze deze week extra vlees bij hun rantsoenen maïsmeel.

'Eten ze anders alleen maar maïsmeel?' vroeg ik.

Nee, zei ze, ze kregen ook wekelijks een rantsoen gezouten varkensvlees. Bijna iedereen bij de hutten had een kleine tuin waar ze bladgroenten, zoete aardappelen, velderwten en bonen kweekten, en sommigen hadden zelfs kippen, zei ze.

'Waarom krijgen ze geen eten van het grote huis?' vroeg ik. Ik was vaak genoeg met Belle naar de opslagruimtes in de kelder van het grote huis gegaan, en ik wist van de overvloed die daar opgeslagen lag.

'Daarom niet.' Ze zuchtte. 'Belle heb gelijk. Je vraag heel veel deze dagen.' Dat was het einde van ons gesprek. Ik begon in te zien dat vragen over de hutten niet welkom waren, en als een volwassene toch antwoord wilde geven, dan was het duidelijk dat ze zich ongemakkelijk voelden bij het onderwerp.

Toen de baby's toe waren aan hun dutje, stelde Dory voor dat ik Mama en Belle in het keukenhuis ging helpen, want het werk was al begonnen. Ik wilde er graag naartoe, maar ik moest eerst de po legen die onder mevrouw Martha's bed stond. Ik droeg de porseleinen pot met deksel via de achtertrap het huis uit naar het dichtstbijzijnde privaat. Er waren twee toilethuisjes buiten. Het toilet voor de huisslaven was achter Mama's huis. Het privaat waar ik nu naartoe liep, dat alleen gebruikt werd door de mensen van het grote huis, stond op een wat meer afgelegen plek achteraan bij de boomgaard.

De vroegeochtendlucht rook schoon en fris en ik was blij dat ik buiten was. Ik liep langzaam; de gevallen bladeren ritselden onder mijn voeten. Tegen de tijd dat ik het privaat kon zien, was de po zwaar geworden en ik zette hem neer om even uit te rusten. Mijn blik viel op een vergeten rode appel die vlakbij onder een boom op een bed van bruine bladeren lag. Ik begon te watertanden, maar besloot de appel op de terugweg te pakken en de traktatie met de tweeling te delen. Plotseling hoorde ik vreemde geluiden uit het privaat komen.

Ik dacht Marshalls stem te herkennen, maar de geluiden waren op een vreemde manier verontrustend. Instinctief verstopte ik me achter het tuinhek. Ik ging op mijn hurken zitten en gluurde door een spleet tussen de planken. De deur van het privaat zwaaide open en de leraar verscheen in de deuropening. Hij draaide zich om, schopte tegen iets op de vloer en zei dat het op moest staan. Op een of andere manier wist ik dat het Marshall was. Ik trok me verder terug toen de man de omgeving afspeurde en ik durfde niet meer te kijken tot hij bij het grote huis was. Ik wachtte tot hij binnen was voordat ik behoedzaam naar het privaat rende. Binnen trof ik Marshall aan; hij was maar half aangekleed en zat in een hoek op de grond. Hij leek versuft en toen ik zijn naam zei, leek hij me niet te horen. Waarom weet ik niet, maar ik rende naar buiten om de appel te pakken en toen ik terugkwam, gaf ik hem aan Marshall.

'Alsjeblieft, Marshall, deze is voor jou,' zei ik. Het leek niet tot hem door te dringen. Ik pakte zijn hand en probeerde de appel erin te leggen, maar zijn vingers wilden niet sluiten. 'Hier, Marshall,' zei ik, 'eet dit op, dan ga ik Papa halen.' Toen hij weer niet antwoordde, nam ik een hap en legde het stukje appel in zijn mond.

'Kauwen,' instrueerde ik, en toen hij dat langzaam begon te doen, legde ik de appel weer in zijn hand. Dit keer sloten zijn vingers zich eromheen. 'Ik kom terug met Papa,' zei ik, en toen liet ik hem achter.

Ik vloog door de boomgaard, langs de moestuinen en de zijkant van het keukenhuis. Toen ik de hoek van de maïsschuur om kwam, bleef ik staan. Wat ik zag was zo afschuwelijk dat ik me niet kon verroeren. Ik stond op het erf waar de mannen varkens aan het slachten waren. Mijn blik viel op een varken dat al dood was en aan een poot was opgehangen boven een dampende kuil met heet water. Daarachter hing er een aan een paal, met opengereten buik. Toen ik nog een derde zag, waarvan het bloed uit de nek in een pan eronder dripte, voelde ik me duizelig worden.

'Abinia! Wat doe je hier?' De boze stem van Ben bracht me weer bij. Hij schudde me door elkaar tot ik hem aankeek. 'Ga terug naar dat huis, dit hier geen plek voor jou,' zei hij.

'Papa?' zei ik.

'Wat is er, Abinia?'

'Papa?' zei ik. 'Waar is Papa?'

'Hij bij Rankin.' Ben trok me achter de maïsschuur. Hij boog voorover om me in ogen te kunnen kijken. 'Wat aan de hand, Abinia?' vroeg hij. 'Waarvoor heb je Papa nodig?'

'Voor Marshall,' zei ik. 'Hij is ziek. Hij zit in het privaat en kan niet opstaan. Hij kan niet praten.'

'Wat?' vroeg Ben.

'De leraar,' zei ik. 'Hij heeft hem daar in het privaat geschopt.'

Bens blik maakte me bang, en ik moest ineens denken aan de dag dat hij zijn voorhamer mee had genomen. Hij keek om zich heen.

'Ga niet naar Papa, hij bij Rankin. Ik zorg voor Marshall. Haal Mama, zij in die keuken. Stuur haar naar mij.'

Ben zette het op een lopen en ik ging terug naar het keukenhuis. Op het erf zag ik meer tekenen van de varkensslacht. Maar de aanblik was hier minder gruwelijk. Aan lange planken die fungeerden als werktafels zaten de vrouwen van de hutten vlees in porties te snijden voor het rookhuis. Ik zag dat mama Mae samen met de anderen aan een van de tafels zat te werken en te lachen. Ze draaide zich geïrriteerd om toen ik aan haar arm trok, maar toen ze mijn gezicht zag, boog ze zich naar me toe.

'Ben heeft je nodig,' fluisterde ik luid.

'Ben?' De verbazing in haar ogen maakte plaats voor ongerustheid.

'Hij is bij Marshall in het privaat,' zei ik. 'De leraar heeft hem pijn gedaan.'

Mama Mae liet haar kleine handzaag vallen, liep naar Belle, fluisterde iets in haar oor en haastte zich weg.

Het was al midden op de ochtend toen Mama terugkwam, en haar eerdere goede humeur was verdwenen. Voordat ze snel weer met de andere vrouwen aan het werk ging, nam ze Belle even apart en daarna betrok ook Belles gezicht.

'Is alles goed met Marshall?' vroeg ik.

'Ben is daarboven bij hem,' zei ze.

Ik was opgelucht dat Marshall veilig bij Ben was, hoewel ik het gevoel had dat er nog steeds iets heel erg mis was. Maar algauw leidde Fanny me af. Ze was weer helemaal de oude en maakte Beattie en mij aan het lachen met haar fratsen. Eerst trok ze een varkenstong uit een emmer, sloop ermee op ons af, en ze genoot toen we het uitgilden van walging. Daarna vond ze ergens buiten twee varkensoren en klemde die tussen haar vlechtjes. Het duurde even voor we haar, met de flapperende varkensoren over de hare, in de deuropening zagen staan.

'Fanny, je bent een raar portret,' zei Belle hoofdschuddend, maar ze kon een glimlach niet onderdrukken.

'Zo, zo, wat hebben we hier met z'n allen een plezier.' Rankin, de opzichter, stond in de deuropening naar ons te kijken, maar in zijn harde blik ving ik een glimp op van iets anders dan vermaak. Zijn grijze haar klitte in strengen op zijn schouders en zijn bruine kleren zaten onder het bloed van het slachten. Hij haakte zijn duimen achter zijn riemlussen en ik zag een dikke laag viezigheid onder zijn lange nagels. Hij bekeek Belle van top tot teen voor hij de keuken doorliep en demonstratief alle hoeken doorzocht. 'Ik zoek die negerzoon van een Ben. Maar goed dat hij zich niet in deze keuken verstopt,' zei hij.

'Meneer Rankin, kan ik iets voor u betekenen?' vroeg Belle.

'Waar heb een kleine nikker als jij geleerd zo mooi te praten?' zei hij. 'Je klinkt bijna als een blanke vrouw. Je ziet er verdomme bijna uit als een blanke vrouw. Ik snap wel waarom de kapitein je voor zichzelf wil houden.'

Belle keek naar hem als naar een luis. Toen ze langs hem naar de deur liep, greep hij haar arm. 'Ik wilde je heus niet bang maken, hoor,' zei hij.

Belle keek naar de hand op haar arm tot hij losliet.

'Er is genoeg werk te doen,' zei ze.

'Ik had gehoopt dat je vanavond een drankje met me wilde doen. Misschien na het feest?' Hij gaf haar een knipoog.

Ze liep naar buiten.

'Nou, nou,' zei hij, 'die nikker heb het hoog in de bol. Ik geloof dat ik die een toontje lager moet laten zingen. Wat jullie?' Hij sloeg met zijn vuist op tafel en riep weer: 'Wat jullie?' We schrokken ons een hoedje en hij moest lachen. 'Juist, zo zie ik mijn vrouwtjes graag. Ze moeten weten wie de baas is.'

Toen mama Mae binnenkwam, leek ze verbaasd hem te zien, hoewel ik al die tijd haar schaduw buiten bij de deur had gezien.

'Verhip, meneer Rankin,' zei Mama, 'wat fijn u in die keuken te zien.'

'Ik zoek die zoon van je. Waar is Ben? Hij is al een tijd spoorloos, foetsie,' zei hij.

'Meneer Rankin, mij verbaas niks dat u de mensen die u zoek niet kan vinden. U zo druk, ik weet niet hoe u dat alles doe. Dit een lange, lange dag voor u.'

'Het is zeker een drukke dag,' beaamde hij.

'U ben een steengoeie opzichter,' zei Mama. 'De kap'tein heb zeker goed gedaan toen hij u hier breng. George zeg de hele tijd: "Kap'tein, die meneer Rankin krijg dat werk gedaan."'

'Zo, Mae, dat is fijn om te horen.'

Mama liep naar de kruiken brandewijn die Oom eerder die dag had gebracht voor het feest van die avond. Ze ontkurkte er een, goot een beetje van de amberkleurige vloeistof in een kop, en gaf hem aan Rankin. 'U werk zo hard, ik denk u wil wel beginnen met een beetje van dit,' zei ze.

Glimlachend nam hij het drankje aan, goot het naar binnen en hield de kop in de aanslag voor meer. 'Mae, jij weet hoe je een man gelukkig maakt,' zei hij. Toen hij zijn tweede drankje ophad, rechtte hij zijn rug en zuchtte. 'Zo, ik moet weer naar buiten,' zei hij. 'Je weet hoe die nikkers zijn. Laat ze even een minuut alleen en ze zitten meteen op hun luie gat.'

'Meneer Rankin, u heb gelijk,' zei Mama. Ze wachtte tot hij uit het zicht was, zette Fanny bij de deur, en ging demonstratief op een bank zitten. 'Ik heb hier niks geen tijd voor,' zei ze tegen niemand in het bijzonder, 'maar ik ga zitten voor iedereen daarbuiten. Ik hoop van harte dat die goeie Heer mij niet aandoe wat ik die gemene ouwe haan wil aandoen.'

Laat in de middag bracht Belle ons wat lekkers: een schaaltje met knisperende, knapperige stukjes spek die ze uit de smeltende reuzel had gevist. We aten ze gulzig op. Er is straks meer, zei ze, vanavond bij het eten, want ze ging kaantjesbrood maken voor alle mensen van de hutten.

'Kaantjesbrood?' Dat klonk goed.

'Dat ben zalig,' zei Beattie.

'Ze stop die kaantjes in dat maïsbrood,' voegde Fanny daaraan toe.

'Mmmmm,' zeiden ze in koor.

Vroeg op de avond, toen het donker werd en het werk buiten bijna klaar was, werden Beattie en ik naar het grote huis gestuurd om Dory te helpen. Het grootste deel van de middag was er boven een vuurkuil vers varkensvlees geroosterd. Tussen de kolen lagen zoete aardappelen te poffen en in de grote oven van de keuken bakte Belle samen met Ida enorme hoeveelheden kaantjesbrood.

Mama kwam naar ons toe voordat we weggingen. 'Oom Jacob ben bij m'neer Marshall. Ben blijf in de buurt van dat huis voor als Dory of Oom hem nodig heb. Als ik hier klaar ben, ga ik naar die baby's en mevrouw Martha, en jullie kom terug met Dory voor jullie avondeten en dat feest.' Dus daar gingen Beattie en ik, hand in hand, blij dat we snel weer terug zouden zijn.

Het grote huis lag in de schaduw van het afnemende daglicht en toen we binnenkwamen was het beneden akelig stil. Oom Jacob had een van de lampen in de lange hal aangestoken, maar hij flikkerde en wierp donkere schaduwen op de muur; we aarzelden en hielden elkaars hand stevig vast. 'Laten we rennen,' fluisterde ik.

'Mama zeg niet rennen in dat grote huis,' fluisterde Beattie terug, dus wandelden we verder, maar ons tempo steeg al snel toen we de akelig donkere kamers passeerden waarvan de deuren naar de trap toe openstonden. We waren op de eerste overloop toen we oom Jacobs krachtige stem hoorden. 'Ik zeg ik blijf hier bij die jongen,' zei hij.

We liepen verder naar boven, maar nu wat minder snel.

'Hij is mijn verantwoordelijkheid en je laat hem aan mij over!' Het was meneer Waters. Hij klonk razend en ik was zeker uit angst teruggegaan als Beattie me niet verder had getrokken. Toen we aankwamen op de bovenste overloop, probeerde de leraar zich langs oom te wringen, maar op dat moment stapte Ben uit Marshalls kamer en blokkeerde de deuropening. 'Zoals Jacob zeg, wij blijf hier met m'neer Marshall tot de kap'tein thuiskom.'

'Zijn de nikkers hier nu de baas? Zijn jullie helemaal gek geworden?' zei de leraar terwijl hij langzaam achteruitliep.

Ben antwoordde niet, maar zelfs in de duisternis van de hal kon ik zijn ogen zien schitteren.

'Je wil het maar niet leren, hè,' siste meneer Waters. 'Ik ben benieuwd wat meneer Rankin hiervan vindt.'

Hij maakte rechtsomkeert en hij was nog niet de trap af of Ben droeg ons luid fluisterend op: 'Haal Dory! Zeg haar ze moet Mama haal!'

Toen we de deur van de blauwe kamer opendeden, was het alsof we ons in een andere wereld bevonden. Het was stil in de kamer, maar er hing niet zo'n beklemmende stilte als in de rest van het huis. Hoewel hier ook lampen brandden, was het licht hier kalm en zacht. Het blauw en ivoor van de kamer glansde in de gloed van de haard en het rook er naar baby's en lavendel. Beide kinderen sliepen: Campbell in zijn wieg en Sukey op een strozak op de grond. Er drongen vlagen muziek van het feest naar binnen en door het grote, gesloten raam zag ik de vlammen van een vreugdevuur dat als een baken het erf van de keuken verlichtte.

'Ze slaap eindelijk,' fluisterde Dory tegen ons toen ze uit de kamer van mevrouw Martha kwam. 'Dit een slechte dag voor haar. Ze hoor die varkens de hele dag krijs–'

'Dory, Dory.' Beattie rende naar haar toe.

'Sst! Je maak haar wakker. Wat wil je?' Nog voordat Beattie alles had uitgelegd, stond Dory al bij de deur. 'Ik kom zo terug,' zei ze. 'Pak die baby's als ze huilen.' Net toen ze naar buiten sloop, begon Campbell te huilen. Beattie en ik haastten ons naar de wieg en toen ik zijn natte billen voelde, wist ik dat hij verschoond moest worden. Zelfverzekerd deed ik zijn nachtpon uit en trots liet ik mijn pas verworven vaardigheden zien: eerst knoopte ik de buitenste wollen doek los, pakte vervolgens de onderliggende lap beet en haalde die weg. Ik tilde zijn billen op door hem met een hand bij zijn enkels vast te pakken, en gebruikte de andere om de schone lap eronder te schuiven. Hoewel het fris was in de kamer, leek hij te genieten van de vrijheid en trappelde met zijn beentjes in de koele ruimte. Beattie en ik moesten lachen toen we het overduidelijke verschil tussen jongens en meisjes bestudeerden.

'Ik zou dat ding niet willen,' verklaarde Beattie ernstig.

'Ik ook niet,' zei ik, en ik trok een gezicht.

'Hij ziet raar uit,' zei ze, en ik knikte instemmend.

We keken er nog eens goed naar.

Alsof hij op dit moment had gewacht, richtte zijn onderscheidende geslacht zich op en schoot een straal de lucht in, die onze gezichten besproeide als een fontein. We hapten naar adem en sprongen achteruit. Toen we elkaars blik opvingen, proestten we het uit en probeerden tevergeefs de lachsalvo's die daarop volgden in te houden. Telkens als we onszelf net onder controle hadden, beeldde een van ons de scène nog eens uit waardoor we weer de slappe lach kregen. We kwamen weer bij ons volle verstand toen we de angstige stem van mevrouw Martha hoorden.

'Jij ga naar binnen,' zei Beattie. 'Ik doe Campbell die lap om.'

'Isabelle!' Mevrouw Martha begroette me en ging rechtop in bed zitten. 'Luister,' zei ze, en ze vormde met haar hand om haar oor een kom die ze op het raam richtte, 'er roept iemand.'

Ik aapte na wat Mama altijd zei. 'Alles is in orde,' zei ik, 'er is een feest bij de keuken.'

'O,' zei ze, en ze liet me een groot glas sherry inschenken uit de karaf op de kaptafel. Ze dronk het glas leeg en begon vervolgens aan een tweede te nippen. 'Luister!' zei ze weer. 'Hoor je dat niet? Er roept iemand.'

Mijn hart sloeg over toen ik ook het angstige geroep hoorde. Meteen wist ik dat het Dory was. Zonder uitleg rende ik de kamer uit, langs Beattie met Campbell in haar armen de hal in, waar ik hard op de deur van Marshall klopte.

'Ben! Ben!' riep ik, en meteen vloog de deur open. 'Dory is buiten en ze roept je.'

Ben aarzelde geen seconde, maar greep een kleine voorhamer en rende naar de trap. 'Ga terug naar die baby's,' commandeerde hij, 'en blijf in die kamer.'

Toen ik mevrouw Martha's slaapkamer weer binnenkwam, riep ze om mama Mae. 'Waar is ze heen?' vroeg ze geërgerd. Ik verzekerde haar dat Mama eraan kwam, en ik hoopte uit de grond van mijn hart dat het waar was. Mevrouw Martha zette haar lege sherrykaraf neer, gooide de dekens van zich af en kondigde aan dat ze haar behoefte wilde doen. Ik trok de po onder het bed vandaan, hielp haar opstaan, en ging met mijn rug naar haar toe staan terwijl ze er gebruik van maakte. Toen ze klaar was, deed ik het deksel op de po en schoof hem weer onder het bed, en ik vroeg me af wie hem uit de boomgaard had gehaald, want daar had ik hem die ochtend achtergelaten. Mevrouw Martha wankelde toen ik haar het bed in hielp. Ze zakte onderuit in de kussens en keek de kamer rond. 'Kun je Jacob vragen wat hout op het vuur te leggen?'

'Dat kan ik ook wel,' zei ik vlug, en ik liep naar de haard.

'Dank je, Isabelle. Kom bij me zitten,' zei ze uitnodigend, en ze klopte naast haar op het bed. 'Gaat het goed met de kinderen?' Ze begon moe te klinken.

'Ja.'

'Is James al thuis?'

'Nog niet.'

'Laat me niet alleen,' mompelde ze. Haar ogen vielen dicht terwijl haar stem wegstierf.

Ik bleef bij haar tot ik zeker wist dat ze sliep en ging toen terug naar de blauwe kamer. Ik verraste Beattie, die zachtjes op en neer zat te wippen in de blauwe zijden fauteuil. Ze keek me schuldbewust aan. 'Hij zo zacht,' zei ze, terwijl ze de bekleding gladstreek.

Ik kreeg de kans niet om te antwoorden, omdat Dory de kamer binnenstormde. Ze keek wild uit haar ogen en snakte naar adem. Er stroomde bloed uit haar neus en het gescheurde hemd dat ze voor haar borst bij elkaar hield zat onder de vlekken. 'Haal Mama,' fluisterde ze wanhopig. 'Haal Papa. Ga! Nu!'

We renden de trap af, het huis door. In het donker vielen we bijna over Ben die op het trapje van de achterveranda zat. Toen ik hem zag, dacht ik even dat er niets aan de hand was, maar uit de verslagen manier waarop hij ons aanspoorde Papa te halen, begreep ik dat het mis was.

Er zaten nog mensen te eten, maar de muzikanten waren al begonnen met spelen en een paar kinderen, onder wie Fanny, waren aan het dansen. Papa zat aan het eind van een lange eettafel brandewijn in te schenken. We liepen op hem af, maar zagen toen dat Rankin op de bank naast hem zat. We veranderden van richting en renden naar de keuken, waar mama Mae, Belle en Ida op het punt stonden om de gembercakes naar buiten te dragen.

Beattie struikelde over haar woorden, maar Mama begreep dat ze meteen moest handelen. 'Jullie twee blijf hier,' beval ze ons, en ze liep naar het hoekje onder de trap waar al het slachtgereedschap van die dag lag opgeslagen. Toen ze een scherp mes greep en het onder haar schort liet glijden, zei Ida luid: 'Mae! Stuur George!'

Mama schudde haar hoofd. 'Rankin buiten bij hem.' Ze liep nonchalant weg over het erf. Belle droeg ons op in het keukenhuis te blijven en bracht toen snel met Ida de cakes naar buiten.

Belle zat met Beattie en mij in de keuken toen mama Mae terugkwam. Mama ademde moeizaam, maar ze ondernam snel actie. Eerst zette ze Beattie bij de deur en zei haar dat ze hard moest gaan zingen als er iemand aankwam. Toen nam Mama Belle apart in de hoek van de keuken en fluisterde iets in haar oor. Belle hapte naar lucht en deed een stap terug om Mama recht aan te kijken, maar Mama had geen tijd voor verdere uitleg. In plaats daarvan trok ze een fles whisky uit het grote huis onder haar schort vandaan, zette hem op de bijzettafel en haalde toen uit de diepe zak van haar rok het bruine flesje van mevrouw Martha tevoorschijn.

Belle zette grote ogen op toen Mama de kurk uit de fles trok en een ruime hoeveelheid laudanum bij de sterkedrank goot. Mama deed de kurk weer op de fles, schudde ermee en gaf hem aan Belle. 'Jij moet dit in hem krijg. Genoeg voor hem die hele nacht te laten slapen. Zodra hij slaap, stuur Papa naar dat grote huis.' Ze liep weer naar de stapel gereedschap, doorzocht hem vlug en trok er toen een kleine vleeszaag uit die ze onder haar rok stopte.

Plotseling begon Beattie te zingen. Ze klapte in haar handen en stampte op de grond terwijl ze zo hard als ze kon over een rivier zong. Mama liep naar de deur en Belle naar de haard waar ze deed alsof ze bezig was.

'Hou op met dat gekrijs,' zei Rankin tegen Beattie toen hij haar in de deuropening passeerde. Toen hij Mama zag, keek hij haar afkeurend aan. 'Mae,' zei hij, 'ik dacht dat je buiten zou helpen met het eten.'

'Meneer Rankin, dit spijt me echt dat ik niet kan blijf, maar ik moet naar dat grote huis. Mevrouw Martha voel niet goed,' zei Mama, en ze liep weer naar de deur.

Rankin hield haar tegen. 'Zeg, waar is je zoon? Ik heb hem vandaag amper gezien.'

'U heb hem weer misloop.' Mama's stem had een vreemde hoge klank. 'Hij bij die stal aan het werk.'

Toen Rankin Mama strak aankeek, deed Belle een paar passen in hun richting. Haar gezicht bloosde van de warmte en ze was mooier dan ooit. 'Mama,' zei ze, 'ik weet zeker dat meneer Rankin er niets op tegen heeft als je gaat. Hij weet dat mevrouw Martha op je wacht.' Ze kwam dichter bij hem staan en vroeg: 'Meneer Rankin, hebt u mijn gembercake al geproefd?'

'Ja, natuurlijk,' zei hij en hij keek haar verbaasd aan, 'en ik vond hem heerlijk. Ik moet nu wat gaan regelen met meneer Waters, maar ik vroeg me af of je straks misschien met mij een dansje wilt wagen? Ik heb gehoord dat je goed kunt dansen.'

Mama glipte de deur uit.

'Meneer Rankin,' antwoordde Belle, 'met alle plezier.' Ze liep naar de bijzettafel en pakte de whiskyfles. 'Ik vroeg me af of u voordat u gaat hier misschien wel iets van wil. De kap'tein heeft dit speciaal voor mij meegenomen van zijn boot.'

'Nou, dank je wel,' zei hij, en hij hield zijn kroes omhoog, 'maar ik ben al voorzien.' Hij keek verlekkerd naar de whiskyfles. 'Ik wil daar later wel wat van, als het aanbod dan nog staat.'

Belle lachte zachtjes. 'Een man als u kan dat kleine beetje in zijn mok toch wel opdrinken, zodat ik u nog een drankje kan inschenken?'

Rankin zei zelfvoldaan: 'Zo te zien doet een dagje hard werken jou wel goed.'

'Dat en een beetje hiervan,' zei ze, terwijl ze de fles met een glimlach tegen zich aan hield.

Hij dronk zijn kroes leeg, veegde zijn mond af met de rug van zijn hand en stak zijn mok uit naar Belle. 'Misschien wil ik daar toch wel wat van proberen,' zei hij, en hij hield haar nauwlettend in de gaten toen ze de fles kantelde en hem een royale hoeveelheid inschonk.

'Wil u niet even zitten?' vroeg Belle. 'Meisjes,' zei ze tegen Beattie en mij, 'gaan jullie maar naar buiten voor te dansen.'

Ik aarzelde, maar Belle wierp me een blik toe die geen tegenspraak duldde. We sloten ons aan bij Fanny, maar ik bleef de keuken in de gaten houden in de hoop een glimp van Belle op te vangen. Toen ik zag dat Rankin de deur dichtdeed en zichzelf met Belle opsloot, moest ik mijzelf uit alle macht beheersen om niet naar haar toe te rennen.

Ik keek naar de deur, en het leek een eeuwigheid te duren voordat hij weer openging. Toen dat gebeurde, zag ik Belle Rankin aan een van zijn vieze handen naar buiten leiden. 'Kom weer naar binnen,' jengelde hij. Hij wankelde toen Belle hem tot een dans verleidde.

'Een dansje maar, dan gaan we weer naar binnen,' beloofde ze. Toen hij protesteerde, tilde Belle haar rokken op en ging ze met haar heupen wiegen. De andere dansers deden een stap naar achteren toen Rankin haar met onvaste tred probeerde te grijpen. Belle zwierde weg. Kwijlend strompelde hij achter haar aan, maar ze wist zich steeds weer buiten zijn bereik te bewegen. Hij nam een laatste slok voordat hij zijn mok liet vallen en voorover tuimelde. Meteen ging Papa op weg naar het grote huis.

De muziek was opgehouden, maar het leek of Belle niet kon stoppen met ronddraaien. Ze zwierde het ene na het andere rondje, totdat Ida op haar af liep en haar in haar armen opving. Ida was een grote vrouw en Belle leek een kind dat haar gezicht tegen Ida's magere borst aan drukte. Belles rug ging op en neer terwijl Ida zachtjes in haar oor zei: 'Hij plat, lieverd. Hij plat. Hij krijg je niet te pakken.'

12

Belle

OP EEN NACHT MAAK IK MEER ELLENDE MEE DAN OOIT. IK BEN
nog maar net uit de klauwen van Rankin of Mama heeft me in het
grote huis nodig. Dit is er gebeurd: Waters vergrijpt zich aan Dory,
en nu is hij dood. Ben zorgt daarvoor. En nu ligt er wat in het privaat achter Mama's huis waar niemand over gaat praten. We gaan
snel te werk, Mama, oom Jacob en ik, voor de kamer van de leraar
leeg te halen. Ik weet niet wie er banger is. Als iemand erachter
komt wat er hier is gebeurd, maken ze ons allemaal af. We werken
de hele nacht, en vlak voor zonsopgang, voordat ik naar het keukenhuis terugga, zegt Mama dat ik een brief aan de kap'tein moet
schrijven. Ik moet het zo doen dat het lijkt alsof hij van Waters is,
die schrijft dat hij weg moet. Ik gebruik mijn woordenboek, en aan
het eind schrijf ik zijn naam net als op het papier dat we in zijn kamer vinden.

Dan zeg ik haar dat we een zegel moeten maken, net als de
kap'tein doet. Ik laat Mama zien hoe ze de brandende kaars moet
vasthouden onder de was die ik boven het papier hou, maar ze is zo
moe en bang en trilt zo erg dat ze mijn vinger raakt.

'Au!' zeg ik. 'Je komt te dichtbij met dat vuur.'

'Jij beweeg,' zegt Mama.

'Ik beweeg niet, jij beweegt,' zeg ik.

'Hou stil,' zegt Mama, maar als ik haar weer met de kaars zie
aankomen en haar hand nog steeds trilt, dan weet ik dat ze me weer
gaat branden, en ik begin te lachen.

'Ga nou niet lachen,' zegt Mama, en dan barsten we allebei los. Mama moet de kaars neerzetten, zo hard lacht ze, en ik ook.

Dan komt oom Jacob de kamer binnen. 'Jimmy weer terug,' zegt hij. 'Jimmy zeg dat paard zo gek als Waters. Hij zeg hij hoef niks geen zweep voor dat paard weg te jaag. Hij zeg dat ga lang duren voor ze dat paard van die leraar vinden.'

'Dory kies een goeie vent,' zegt Mama, en ze probeert niet te lachen, want oom kijkt gek naar ons. Mama staat op en geeft de kaars aan oom Jacob. 'Help jij Belle maar voor dit afmaken,' zegt ze, 'ik ga nog een keer naar die kamer voor te kijken of hij echt leeg ben. Papa zeg als daar nog wat lig, hij stop dat in dat privaat.'

'Hoe gaat hij ervoor zorgen dat het niet omhoogkomt?' vraag ik, en dan proest ik als een paard, en Mama moet weer gaan zitten, zo hard lacht ze. Hoe meer oom naar ons kijkt, hoe meer we tekeergaan.

'Vrouwen,' zegt hij, en hij schudt zijn hoofd.

13

Lavinia

BELLE WAS ZO PRIKKELBAAR EN AFWEZIG DE OCHTEND NA DE zwijnenjacht dat ze, als ik haar er niet aan had herinnerd, vergeten zou hebben me iets te eten te geven voordat ze me naar het grote huis stuurde. Ook Dory schrok zich een ongeluk toen ik de deur naar de blauwe kamer opendeed, en ik op mijn beurt hapte naar adem toen ik haar zag. Haar rechteroog was dik en blauw en haar bovenlip was flink opgezet. Ze ontweek mijn vorsende blik en stuurde me streng naar mevrouw Martha's slaapkamer.

Meteen toen ik binnenkwam, verontschuldigde Mama zich en zei dat ze binnen een uur terug zou zijn. Mevrouw Martha zat rechtop in bed en haar ochtendtoilet was al gedaan. Toen ik alleen met haar was, werd ik verlegen. Ik bleef op een afstand van het bed staan terwijl ze me aandachtig bekeek. 'Hallo Isabelle,' zei ze. Onverwachts voegde ze daaraan toe: 'Kun je Sally bij me brengen?'

Ik zocht naar Mama, hoewel ik wist dat ze al weg was. Mijn knieën knikten van angst, maar ik had geen keus, dus ging ik dichter bij het bed staan. Ik keek mevrouw Martha in de ogen, haalde diep adem en fluisterde luid: 'Nee, dat kan ik niet. Ze is van de schommel gevallen.'

De bleke vrouw ademde diep in en bedekte haar gezicht met haar handen. Juist toen ik Mama wilde gaan halen, keek mevrouw Martha me weer aan, haar groene ogen dof van ellende. 'Ik blijf maar hopen dat het een droom was,' zei ze, 'een vreselijke droom.'

'Ik heet geen Isabelle,' zei ik, in de hoop haar te kunnen afleiden.

Ze wendde haar blik van me af en ik was bang dat ik iets verkeerds had gezegd, maar toen ze me weer aankeek, glimlachte ze. 'Dat weet ik, lieverd, maar doe me een plezier. Je doet me aan mijn zus denken en het geeft me veel troost als ik haar naam kan gebruiken.'

Ik begreep het volkomen, want om precies die reden had ik Campbell zijn naam gegeven. 'Het is goed als u me Isabelle noemt,' zei ik.

Ze pakte mijn hand. 'Ik weet dat ik weer sterk moet worden, ik moet deze kamer uit, maar het lijkt allemaal zo nutteloos.' Ze keek me indringend aan. 'Ik weet niet wat ik moet doen.'

Ik herinnerde me oom Jacobs wijze raad. 'U kunt het aan Allah geven,' zei ik.

'Allah?' vroeg ze. 'Wie is Allah?'

'Dat is een andere naam voor de Heer,' zei ik. 'Mama zegt dat Sally met mijn ma aan het spelen is en dat de goede Heer over hen allebei waakt.'

Mevrouw Martha keek me nieuwsgierig aan en klopte toen op het bed. 'Kom bij me zitten,' zei ze uitnodigend, en ik gaf gehoor aan haar verzoek. 'Hoe ben je zo wijs geworden?'

Ik haalde mijn schouders op.

Ze speelde even met mijn vlechten. 'Hoe gaat het met de baby?' vroeg ze.

'Wilt u dat ik hem haal?' vroeg ik hoopvol.

Ze schudde haar hoofd. 'Nu niet,' zei ze. Ze merkte dat ik teleurgesteld was, dus voegde ze eraan toe: 'Misschien later.'

Ik knikte en het bleef even stil.

'Kun je iets voorlezen?' vroeg ze na een tijdje.

'Ik kan niet lezen,' zei ik.

Ze leek van haar stuk gebracht. 'Dan zal ik het je moeten leren.'

Ze had net een boek opengeslagen toen we Mama's luide stem in de blauwe kamer hoorden. 'Ik ga eerst naar haar! Zij een dame en ik wil niks geen man in haar kamer behalf als zij zeg van wel!'

'Laat haar weten dat ik haar wil spreken.'

Mijn nek ging tintelen bij het horen van Rankins stem.

Mama kwam de slaapkamer binnen en deed de deur achter zich dicht.

Ze liep naar mevrouw Martha, boog naar haar toe en fluisterde dat de opzichter er was. 'Hij denk hij ben de m'neer hier, zo loop hij door dit huis. Hij zeg u ben maar een zielige zieke vrouw en hij de baas tot de kap'tein thuiskom.'

Mevrouw Martha trok haar wenkbrauwen op en liep rood aan. 'Hij loopt door mijn huis? Hij noemt me zielig? Hoe durft hij!'

'Die man daar denk hij heb die macht in dit huis. Wil u hem zien?'

'Ja, en of ik dat wil!'

Mama liep al naar de blauwe kamer, maar mevrouw Martha riep haar terug. 'Mae. We hebben geen haast. Kun je me mijn handspiegel aangeven?'

Mama kwam terug en deed wat haar gevraagd werd.

Mevrouw Martha nam haar nachtmuts af en gaf hem aan Mama. 'Geef me mijn borstel even,' zei ze, en ze liet mij de spiegel vasthouden terwijl ze haar rode krullen over haar schouders drapeerde. Ze kneep in haar wangen, knipperde met haar ogen wagenwijd open, en toen ze opkeek, merkte ze hoezeer haar metamorfose me verbaasde. Ik bloosde toen ze naar me glimlachte.

Mama keek nerveus om naar de deur.

'Mae,' zei mevrouw Martha, 'ga in de fauteuil zitten. Isabelle, wil je alsjeblieft de deur voor meneer Rankin openen?'

Ik liep naar de deur en deed hem open, maar Mama riep dat ik moest wachten. Ze liep naar de po en schoof hem onder het bed, trok wat ondergoed van een andere fauteuil en borg het snel op. Ondertussen observeerde ik Rankin door de kier van de deur; hij stond naast Dory in de blauwe kamer. 'Wie heeft jou geslagen?' vroeg hij.

'Niemand. Ik gevallen,' zei Dory vlug.

'Gevallen zei je?' zei hij, en hij bekeek haar nog eens goed. 'Weet je dat zeker?'

Toen Dory, zichtbaar verlamd van angst, niet antwoordde, vervolgde hij: 'Je bent me een knap grietje, zeg.' Hij lachte. 'Volgens mij barst je van de melk voor die twee baby's.' Na een korte stilte vroeg hij: 'Hoe heet je ook alweer?'

'Juffrouw Dora,' zei Dory uitdagend.

'Juffrouw Dora! Nou, nou, het is me een verwaand stelletje in dit grote huis, zeg!'

Op een teken van Mama duwde ik de deur open en liet Rankin met een knikje weten dat hij binnen mocht komen. Hij boog zijn hoofd naar Dory's oor voordat hij bij haar wegliep. 'Je weet het hè, meneer Rankin let wel op de mooie meiden.' Zelfverzekerd stapte hij de slaapkamer binnen. Hij zag er nog steeds onverzorgd uit en er hing een onaangename geur om hem heen. Hij had een brief bij zich.

'Ja, meneer Rankin?' De toon waarop mevrouw het zei weerhield hem ervan dichterbij te komen. Hij leek verbaasd toen hij mama Mae in een van de fauteuils zag zitten.

'Kijk eens aan, mevrouw Martha,' zei hij na een korte aarzeling, 'wat ziet u er goed uit vandaag.'

'Ja,' antwoordde ze. 'Zoals u kunt zien, voel ik mij erg goed.'

Zijn vieze handen speelden met de brief.

'Hoe kan ik u van dienst zijn?' vroeg mevrouw.

'Hier staat dat Waters weg is.' Hij kwam naderbij en gaf haar de brief.

Ze pakte hem aan en bestudeerde het gebroken zegel. 'Hij is aan de kapitein gericht,' zei ze.

'Eh ja, nu alles zo... nu u zo...'

Ze legde hem met opgeheven hand het zwijgen op en las de brief.

'Zo, dus meneer Waters is vertrokken?' vroeg ze, terwijl ze het papier weer dichtvouwde.

'Ja. Ja. Zijn bezittingen zijn verdwenen, en het lijkt erop dat zijn paard ook weg is, maar ik ben er niet zeker van...'

'Niet zeker waarvan, meneer Rankin?' vroeg mevrouw Martha.

'Nou, hij heeft me niet verteld dat hij weg zou gaan,' zei Rankin.

'En waarom zou hij dat doen?' vroeg zij.

Daar leek hij geen antwoord op te hebben.

'Naar mijn mening, meneer Rankin, is dit een zaak voor mijn echtgenoot. Hij kan elk moment terugkomen. Ik ga deze zaak laten rusten tot hij weer thuis is. Ik wil u bedanken voor uw bezorgdheid, maar zoals u ziet, heb ik het reilen en zeilen van dit huis volledig onder controle.'

'Tja, ik doe alleen maar mijn werk,' zei Rankin. 'Toen hij vertrok, vroeg de kap'tein me om hier een oogje in het zeil te houden. Hij zei niet dat ik verantwoording moest afleggen aan zijn vrouw, maar ik geloof–'

Mevrouw Martha's stem kreeg een ijzige klank. 'Meneer Rankin, laat mij u niet van uw andere verplichtingen afhouden.'

De man maakte een absurde buiging voordat hij naar de deur liep. In de blauwe kamer bleef hij naast Dory staan; ze was net klaar met Campbell en was nu Sukey aan het voeden. Toen hij dichterbij kwam, bedekte ze snel haar borst. Hij bleef even over haar heen gebogen staan, bracht toen zijn hand omlaag en kneep de baby in zijn wang. Sukey begon te huilen, en toen Dory zijn hand wegduwde, greep hij haar pols en kneep deze fijn, terwijl hij haar recht in de ogen keek. Uiteindelijk liet hij haar met een schor lachje los en verliet de kamer, zodat Dory zichzelf en haar baby kon troosten.

Achter me hoorde ik mevrouw Martha tegen Mama zeggen dat ze vanaf vandaag meer wilde gaan bewegen.

Na het middagmaal lag mevrouw Martha te rusten en bleef ik bij Campbell terwijl Dory ging eten. De baby was wakker, dus pakte ik hem op om hem te knuffelen en ik neuriede een van Mama's liedjes. Marshall stak zijn hoofd om de hoek van de deur. Zijn ogen zaten half dicht en hij leek nog slaperig van de opium die Mama hem de avond ervoor had toegediend. 'Waarom is de kamer van Waters leeg? Weet je waar hij is?' fluisterde hij tegen me.

'Hij is weg,' zei ik.

'Waters? Weg waarnaartoe?' vroeg hij.

'Ik weet het niet. Meneer Rankin was hier vandaag, en hij zei tegen uw moeder dat meneer Waters vertrokken is.'

'Ik geloof er niets van,' zei Marshall boos, en hij keek de hal weer in.

'Echt waar,' zei ik. 'Mama zegt dat hij naar de dufel is gelopen.'

'Naar de wat?'

'Naar de dufel,' herhaalde ik.

'De duivel?' corrigeerde hij.

'Ik denk het,' zei ik.

'Ga niet zo praten,' zei hij. 'Je hoort niet bij hen.'

'Wat bedoelt u?'

'Ze zijn anders dan wij,' zei hij. 'Ze zijn dom.'

'Wie zijn dom?'

'Die nikkers!'

'Belle niet,' zei ik, en ik wilde hem vertellen dat ze kon lezen.

'Belle!' Hij spuugde haar naam uit. 'Dat is maar een halfbloed-hoer!'

Ik zei niets, want ik wist niet wat het betekende.

'Vertrouw die lui niet,' zei hij. 'Ze verraden je zodra je je om-draait.'

'Ook Ben en Papa?' vroeg ik.

'Die zijn van de ergste soort,' zei hij, 'die mensen waar je de beste band mee hebt. Die maken je af in je slaap.'

'Wie heeft dat gezegd?' vroeg ik.

'Waters en Rankin,' zei hij. 'Het gebeurt zo vaak. Ze zeggen dat er heel veel slaven zijn die hun eigenaar vermoorden. Je moet ze onder de duim houden, anders maken ze ons allemaal af.'

Ik keek hem aan. Marshall sprak met zoveel overtuiging dat ik me tegen beter weten in afvroeg of er reden was tot angst.

'Maar maak je geen zorgen,' zei hij, 'ik bescherm je wel.'

Campbell begon te woelen, dus deed ik zijn deken wat los-ser. Toen ik weer opkeek, was Marshall al weg. Wat hij had gezegd verontrustte me en later die avond vroeg ik aan Belle wat hij eigen-lijk bedoelde. Ze zei dat het dwaasheid was en dat het klonk alsof Marshall te veel tijd met Rankin had doorgebracht.

Naarmate mevrouw Martha minder laudanum gebruikte, ging haar mentale en fysieke gezondheid met sprongen vooruit. In-middels hield ze me tot het middageten bij zich. Ze liet schrijf-leitjes komen en leerde me lezen en schrijven. Ik was leergierig en genoot van haar aandacht, hoewel ik het vreemd vond dat ze zo weinig om haar eigen kinderen gaf. Ze vroeg nooit naar Marshall, en vanaf het moment dat ze weer beneden kwam, vond ze het fijn om Campbell in Dory's armen te zien, maar ze wilde hem nooit zelf vasthouden. Wat me ook opviel, was dat ze haar ogen afgewend hield als we langs Sally's kamer liepen.

Beneden waren er vier grote kamers waar we konden zitten. De in een levendige kleur blauw geschilderde hal liep midden door het huis en was groot genoeg om eigen meubelstukken te kunnen herbergen, maar de brede trap trok alle aandacht. Achteraan, aan de westkant, was de eetkamer met zijn panoramische muurschilderingen van schepen op een blauwe zee en groene heuvels met paarden. Voor deze schitterende ruimte bevond zich de officiële ontvangkamer.

Aan de overzijde van de hal, aan de oostkant van het huis, was een grote salon, en daarachter de bibliotheek, ook wel studeerkamer genoemd. De salon was de minst officiële van alle kamers, en hier leek mevrouw Martha wat tot zichzelf te kunnen komen.

Zoals in alle kamers beneden waren de muren van de salon bijna vier meter hoog. De drie grote ramen hadden houten luiken die netjes in de muur opgeborgen konden worden als er daglicht gewenst was. De muren waren felgroen geschilderd en op de grenen vloeren lagen tapijten in verschillende formaten, elk met een ingewikkeld patroon en in een andere kleur. Portretten in gouden lijsten sierden de muren, en hoewel ik wilde vragen waar ze vandaan kwamen, heb ik daar in die jaren nooit gelegenheid voor gehad.

In de ene hoek tegenover de marmeren haard, waarin oom Jacob steevast een vuur liet branden, stond een klavecimbel; in de andere hoek een staande klok van kostbaar zwart walnotenhout. Op een prachtig bureau ertussenin lagen twee enorme boeken en een bril, die naar ik aannam van de kapitein was. In het midden van de kamer stonden een theetafel en daaromheen een canapé en drie comfortabele fauteuils. Als ik daar met mevrouw Martha zat, vertelde ze me verhalen over vroeger, en in de loop van die dagen sprak ze vrijuit over haar kinderjaren; kennelijk was ze blij dat ze herinneringen kon ophalen aan een tijd waarin ze zich veilig en geliefd had gevoeld.

Ze had twee zussen. De oudste zus, Sarah, was die uit Williamsburg. De jongste, Isabelle, 'stierf toen ze twaalf was. Een vreselijk verlies,' aldus mevrouw Martha, die toen snel over haar moeder ging praten. Het was een strenge, veeleisende vrouw uit Engeland met maar één doel: fatsoenlijke Engelse dochters grootbrengen. Haar vader was het tegenovergestelde. Hij was als jongeman uit Ierland gekomen en was met wat geluk en keihard werken een rijk koopman geworden. De luidruchtige, drukke man bracht zijn vrouw steeds weer in verlegenheid, maar zij verdroeg het, ook omdat hij in Philadelphia veel in de melk te brokkelen had. Voor mevrouw Martha was het belangrijkste dat haar vader zijn dochters op handen droeg. 'Hij verwende ons zo,' zei ze. 'Als we om een jurk vroegen, kregen we er twee; als we om een hoed vroegen, kregen we er drie.'

'Zijn ze hier ooit bij u langsgekomen?' vroeg ik.

'Maar één keer,' zei mevrouw Martha. 'Het was een lange reis, en mijn moeders gezondheid ging toen al achteruit. Ik heb me weleens afgevraagd of de reis haar... einde niet bespoedigd heeft.'

Tijdens een van deze vertelmomenten nam mevrouw Martha me mee naar de studeerkamer. Ze liep naar een groot bureau en bleef even staan om haar hand langs de gepolijste rand te laten glijden. 'Dit was het bureau van mijn vader,' zei ze. Ze opende de lade en haalde er een stapeltje brieven uit, dat met een lint van tarlatan bijeengebonden was. 'Deze zijn van mijn moeder.'

'Dat is een mooi lint,' zei ik.

Ze wilde dat ik op een stoel naast die van haar kwam zitten. 'Ja,' zei ze, en ze maakte het strikje los, 'blauw is altijd mijn lievelingskleur geweest. En die van jou?'

'Groen,' zei ik, met in gedachten de hoofddoek van Belle en de kleren van mijn pop.

'Aha,' zei ze met een glimlach, 'het groen van Ierland.'

Ze las passages uit wel een dozijn brieven voor. Ik zag de moeder van mevrouw Martha bijna voor me: een indrukwekkende vrouw, zo stelde ik me voor, die aan haar eigen bureau in Philadelphia zat te schrijven. Ze schreef over sociale aangelegenheden en over mevrouw Martha's vriendinnen van vroeger die inmiddels getrouwd waren en nu in hoge kringen verkeerden. Haar moeder maakte zich zorgen over haar dochter en drukte haar op het hart om op haar gezondheid te letten. Ze begreep dat mevrouw Martha zich eenzaam voelde, maar ze herinnerde haar eraan dat ze zelf besloten had om weg te gaan. Mevrouw Martha hield op met lezen en keek uit het raam.

'Waarom wilde u hiernaartoe komen?' vroeg ik.

Ze lachte even, alsof ze een binnenpretje had. Ze haalde een boekje uit het bureau tevoorschijn en trok er een vergeeld krantenknipsel uit. Ze las het meer aan zichzelf dan aan mij voor. Het ging over een mooie, jonge vrouw, juffrouw Martha Blake, die trouwde met de veertigjarige kapitein James Pyke, een succesvol koopman en eigenaar van een schip. Ze zouden op Tall Oaks gaan wonen, een tabaksplantage in het zuiden van Virginia. Volgens het artikel zou mevrouw Martha, gezien haar levenslust, de perfecte partner zijn voor deze voorname en avontuurlijke man.

'Ging dat over u?' vroeg ik. Ik vond het moeilijk te geloven dat het lovende artikel, met de verwijzing naar een levenslustige vrouw, over haar ging.

'Ja. Ik was jong en dwaas,' zei ze. 'Ik was nog geen twintig. Ik dacht dat het een avontuur zou zijn. Ik had geen idee wat me hier te wachten stond. Ik zag mezelf als plattelandsdame van goeden huize, met tientallen bedienden die me hielpen wanneer ik een bal organiseerde. Ik stelde me voor dat ik het druk zou hebben met het organiseren van deze evenementen terwijl ik wachtte tot mijn man terugkwam van zijn reizen. Als ik me eenzaam zou voelen, dacht ik, hoefde ik alleen maar naar Philadelphia te gaan of een spannend uitstapje naar Williamsburg te maken om mijn zus te zien. Maar het liep anders.' Ze was weer stil.

'Wat gebeurde er?' Ik kon de vraag niet voor me houden.

'Toen ik hier aankwam en dit huis zag, hoe geïsoleerd het was, wilde ik alleen maar terug naar Philadelphia. Ik dacht dat ik een verkeerde beslissing had genomen, dat ik misschien zelfs met de verkeerde man getrouwd was. Maar James was heel charmant, hij stelde me op mijn gemak en hij beloofde dat hij zijn schip snel zou verkopen en zijn zaken zou regelen zodat hij hier bij mij kon zijn. Maar de jaren zijn voorbijgegaan...' Ze maakte haar zin niet af.

'Hebt u hier geen vrienden?' vroeg ik, in een poging het gesprek een positieve wending te geven.

'De dichtstbijzijnde buurman is een stokoude vrijgezel die op zeer ongepaste wijze samenwoont met... een van zijn bedienden.' Ze schudde haar hoofd alsof ze de gedachte zo kon uitbannen. 'Ik mag niet reizen zonder mannelijke begeleiding, en ik mag niet reizen met een man' – ze aarzelde en keek me toen weer aan – 'die niet blank is. Het is simpelweg niet toegestaan dat een vrouw dat doet. Dat betekent dat alleen onze meneer Rankin als reisgezelschap overblijft en ik denk dat je oud genoeg bent om te weten dat dat geen optie is.'

'U hebt mama Mae en Belle en Dory,' zei ik. 'Dat zijn uw vrienden.'

Ze keek naar de deur en toen weer naar mij. Ze sprak nu op gedempte toon. 'Zij zijn niet mijn vrienden,' zei ze. 'Zij zijn mijn bedienden. Die zorgen voor zichzelf. Mae weet dat haar oudste dochter het met mijn man houdt, maar ze ontkent het. Je bent nog jong, maar je begrijpt het vast wel. Al bijna vanaf het begin weet ik dat er tussen hen iets gaande is.'

Hoewel ik niet wist wat ze bedoelde, wilde ik haar ervan verzekeren dat Belle loyaal was, maar ze viel me snel in de rede. 'Ik wil niets over haar horen!' Ze zag meteen het gevolg van haar uitbarsting en streelde mijn hand. 'Er komt een dag dat je het zult begrijpen, lieverd. Ik weet dat het dwaas van me is om dit met een kind te bespreken, maar ik voel me zo eenzaam dat ik soms denk dat ik eraan zal sterven.'

'Kunt u niet naar uw zus gaan?' vroeg ik.

Ze schudde haar hoofd en zuchtte. 'Ik ben nog niet sterk genoeg. Marshall werd een jaar na ons huwelijk geboren. In de jaren daarna kreeg ik andere baby's die... het niet overleefden. Ik bleef kwakkelen met mijn gezondheid, hoewel ik net begon aan te sterken toen Sally...' Ze trok wit weg toen de herinnering boven kwam en sloot haar ogen alsof ze zo het verdriet kon afweren.

'Moet ik Mama gaan halen?' vroeg ik.

Ze schudde haar hoofd en opende haar ogen.

'Wat deed u allemaal toen u een klein meisje was?' vroeg ik vlug, waarmee ik een van Mama's vele technieken toepaste om het gesprek van een gevaarlijk onderwerp af te leiden.

Zonder iets te zeggen vouwde mevrouw Martha voorzichtig het

krantenartikel op en legde het terug in het boek voordat ze het in de bureaula opborg. Ze maakte een stapeltje van de brieven en deed het lint er weer omheen, en ik vroeg me af of ze mijn vraag had gehoord. 'Kun je hier je vinger op houden?' vroeg ze, en ze wees op de vouw in het lint.

Ik legde mijn duim voorzichtig op de aangegeven plek en ze maakte een prachtige strik. Ze hield het bundeltje op schoot, en terwijl haar vingers met het lint speelden, zei ze: 'Toen ik als klein meisje in Philadelphia woonde, ging ik het allerliefst met mijn zussen naar de markt. Sarah, Isabelle en ik gingen er vaak op uit. Natuurlijk gingen onze dienstmeisjes mee, maar wat beleefden we een avonturen. Het stadsleven was heerlijk, Isabelle. Er waren restaurants!' Ze keek me stralend aan. 'Elke zondagmiddag na de kerkdienst nam onze vader ons mee naar een restaurant. Wat een bekijks trokken we, hoewel wij zusjes natuurlijk al wisten dat we erg mooi waren.' Ze liet de herinnering even op zich inwerken. 'Wat mis ik die zondagen.'

'Waarom?' vroeg ik, bang dat ze zou stoppen met vertellen.

'Er was een kerk, Isabelle, die zo'n hoge toren had dat het gebouw in die tijd volgens mij de belangrijkste trekpleister van Philadelphia was. Elke zondagochtend deden we onze mooiste kleren aan en gingen we naar die anglicaanse kerk. We liepen er altijd samen heen, als gezin. Wat zou ik graag weer zo'n kerkdienst bijwonen.'

'Zijn er hier geen kerken dan?' vroeg ik, ervan overtuigd dat ik Mama over een kerk had horen praten.

'Die is presbyteriaans,' zei ze, alsof haar antwoord geen verdere uitleg behoefde.

Ik zag dat ze moe was, dus vroeg ik haar niet om opheldering.

Nadat het twee dagen lang geregend had, ging mevrouw Martha op een grijze middag zitten aan wat zij een klavecimbel noemde en begon erop te spelen. Toen ze klaar was, keek ze me aan met een verontschuldigende glimlach. 'Ik vrees dat ik niet zo goed kan spelen.'

Ik was diep onder de indruk en verzekerde haar dat de muziek prachtig was.

Haar stemming werd weer ernstig toen ze zei: 'Ik speel niet vaak, want ik voel me er zo eenzaam door.'

Dat begreep ik, want toen ze nog een stuk speelde, voelde ik de eenzaamheid in de echo van iedere toon die door de prachtig gemeubileerde, maar lege kamer trilde.

14

Belle

WE BEDENKEN MET ZIJN ALLEN EEN VERHAAL VOOR DE kap'tein. We herhalen eindeloos wat er gebeurd is, en dan herhalen we eindeloos wat we gaan zeggen dat er gebeurd is. Papa wil de kap'tein de waarheid vertellen, maar Mama zegt dat hij vergeet dat Waters een blanke was, en als we de waarheid vertellen, dan gaan ze Ben zeker ophangen. Voor het eerst maak ik mee dat mama Mae en papa George het niet met elkaar eens zijn.

Iedereen is bang voor Rankin. Sinds hij naar het grote huis is gegaan en mevrouw Martha hem lik op stuk gaf, slaat hij ze volgens Ida harder dan ooit. Hij weet dat er iets met Waters gaande is, maar niemand zegt wat en dat maakt hem woest. Nu zit hij ook achter mij aan sinds de nacht dat ik hem de whisky gaf en hij me niet kreeg. Elke ochtend komt hij hier naar het keukenhuis.

Als ik hem zeg dat de kap'tein volgens mij niet wil dat hij me lastigvalt, schiet er vuur uit zijn ogen. Hij zegt dat hij de boel voor de kap'tein bestiert en Ben en mij in de gaten houdt, in opdracht van de kap'tein. Dan staat hij daar met een glimlach, en kijkt me aan. Ik vraag me steeds maar af hoeveel ruimte er nog in dat privaat is.

En in plaats van dat hij bang is omdat hij Waters heeft afgemaakt, denkt Ben nu dat hij alles maar kan doen. Hij neemt te veel risico. Gisteravond komt hij naar me toe en ik werk in de opslagruimte in de kelder van het grote huis. Ik giet brandewijn op de kerstcakes, en hij glipt naar binnen en doet de deur dicht. Ik zeg: 'Benny, ga weg hier!' Maar hij zegt: 'Rankin slaap van die drank.'

Dan vraagt hij, heel zachtjes: 'Belle, geef jij dan niks nie meer om mij?'

Mijn voeten willen uit zichzelf naar hem toe rennen, maar ik blijf staan.

'Nee, Benny, ik hou nog steeds van je, maar in de zomer neemt de kap'tein me mee naar Philadelphia.'

Ben komt naar me toe. Hij kijkt me recht in de ogen, en ik weet dat ik mezelf niet kan beheersen als hij me aanraakt. 'Belle,' zegt hij, en dan wil hij me kussen, maar oom Jacob kom net op tijd binnen. Oom kijkt me boos aan, maar ik zeg: 'Benny is hier voor te kijken of alles in orde is.' Benny gaat weg en Oom zegt: 'Wil jij die jongen dood?' 'Nee!' zeg ik, maar Oom zegt: 'Dit alles in jouw handen, Belle. Als iets gebeur met Ben, dan geef Mae en George jou die schuld.'

Ik weet dat ik Ben op afstand moet houden, maar ik snij nog liever mijn hand eraf.

15

Lavinia

MEVROUW MARTHA GING DE LAATSTE WEKEN VOOR HET KERST-feest steeds vaker bij het raam staan en keek dan hoopvol uit naar het rijtuig van de kapitein. Elke dag stelde Mama haar gerust. 'Hij bijna thuis. Doe vandaag uw goeie jurk aan, dan ziet u uit als dat mooie meisje van z'n trouwen.'

Op een ochtend, toen Dory boven bij de baby's was en Beattie en ik mevrouw Martha beneden in de salon hielpen de schouw te versieren met hulst en dennentakken, kwam Mama binnengestormd. 'Die patrouillemannen hier en ze neem Jimmy mee!' zei ze buiten adem.

'Mae, hemeltjelief!' riep mevrouw Martha uit. 'Je liet me schrikken.'

'Die patrouillemannen!' herhaalde Mama. 'Hier, beneden bij die stal, en nu gaan ze naar dat keukenhuis. Ze zeg ze ben op zoek naar die man Waters. Ze slaan Jimmy! Ze zeg hij weet wat en ze neem hem mee.' Mama was buiten zinnen. 'Rankin zeg hierna pakken ze Ben!'

Mevrouw Martha liet het groen vallen, riep oom Jacob en liep naar de wapenkast die in de bibliotheek stond. 'Hier, pak aan,' zei ze, waarop ze een pistool aan oom Jacob gaf en er nog een uit de kast pakte. Haar handen trilden toen ze het laadde, maar ze wist duidelijk hoe een wapen werkte. Ze stapte de achterdeur uit, de heldere, koude dag in, met Mama en Oom elk aan een zijde. Niemand had door dat Beattie en ik achter ze aan liepen.

Naast het keukenhuis, waar ons groepje naar op weg was, stonden gezadelde paarden vastgebonden. Papa haalde achter het keukenhuis zijn bijl uit het houtblok.

'Die heb je niet nodig, George. Kom, neem deze maar en blijf bij me,' zei mevrouw Martha, en ze gaf hem het pistool dat Oom bij zich had. Ze liepen gezamenlijk de hoek van het huis om. Jimmy's handen waren aan het zadel van een vos vastgebonden; hij leunde met zijn hoofd tegen de flank van het paard, en ik wendde mijn blik af van zijn bloedende rug.

Toen hij langs hem liep, zei Papa zacht: 'Hou vol, jongen.'

Uit de keuken kwam geschreeuw en gelach, en al snel zagen we waarom. Vier mannen, onder wie Rankin, stonden in een cirkel. Ze gooiden Belle, die om haar as tolde, van de een naar de ander. In een hoek van de keuken rolde Ben heen en weer op zijn buik: zijn handen en voeten waren vastgebonden en er zat een prop in zijn mond. Fanny zat huilend en trillend op haar hurken naast hem.

'Wie gaat er als eerste praten?' vroeg een van de mannen.

Met een gemeen lachje ving Rankin Belle op en hield haar tegen zich aan. 'Wat moeten we met dit meissie doen om die nikker op de grond te laten praten?' Marshall keek met fonkelende ogen toe. In de hoek tegenover die van Ben stond nog een andere man die geen deel uitmaakte van de cirkel. Hij was jonger dan de rest en leek moeite te hebben met het spel.

Het schot uit mevrouw Martha's pistool legde alles stil.

'Heren,' zei ze tegen niemand in het bijzonder, 'nu ik uw aandacht heb, wil ik u ervan verzekeren dat ik een pistool gerichter kan gebruiken dan ik zojuist heb gedaan.' Ze keek even naar het versplinterde plafond. 'Grutjes, ik heb een gat in mijn eigen keuken geschoten!' Ze richtte zich tot Papa en zei: 'George, ik vrees dat ik je extra werk heb bezorgd.' Ze keek weer naar haar verbijsterde publiek, en vroeg: 'Kan iemand mij vertellen wat er hier aan de hand is?'

Rankin stapte trots op haar af. 'Dat zal ik u vertellen, mevrouw Martha. Deze gezagsgetrouwe burgers hier zijn ons komen vertellen dat het paard waarop meneer Waters wegreed in Buckingham County gevonden is. Aangezien meneer Waters nog gevonden moet worden, dachten ze dat er hier wellicht iemand is die informatie achterhoudt.'

Mevrouw Martha keek Rankin koel aan en wendde zich vervolgens tot de andere mannen in de kamer. 'Ik vrees, heren, dat u verkeerd bent ingelicht. De kwestie van meneer Waters' vertrek zal afgehandeld worden wanneer mijn echtgenoot thuiskomt. Meneer Rankin heeft hier niets te zoeken. Het is zijn taak om orde op het veld te houden, waar dit soort methodes wellicht toegepast moeten worden,' en ze keek even naar Ben, 'maar mijn bedienden hoeven dit niet te ondergaan.' Ze keek naar Belle. 'Beseft u dat u met een van de kapiteins meest gewaardeerde bezittingen aan het spelen bent?' Haar woorden bereikten het vriespunt.

'Dat is maar een hoer, moeder,' riep Marshall uit.

Mevrouw Martha was misschien verrast door zijn uitbarsting, maar ze liet er niets van merken. 'Ja, Marshall, dat klopt,' zei mevrouw Martha, 'maar ze is de hoer van je vader, en wee de man die dat vergeet.'

De mannen keken haar aan met ogen als schoteltjes die me deden denken aan de borden met de pauwen erop.

'Heren,' zei ze, 'ik waardeer het dat u allen zulke gezagsgetrouwe burgers bent. Toch wil ik u nu verzoeken om mijn landgoed te verlaten. Ik verwacht dat u die jongen buiten losmaakt en hem aan mij overlaat.'

De jonge man in de hoek stapte naar voren, nam zijn hoed af, en liet zijn hand door zijn donkerbruine, steile haar gaan. 'Onze excuses voor het verstoren van uw dag, mevrouw Pyke. Het lijkt erop dat we verkeerd zijn ingelicht.'

De anderen keken hem woest aan. 'Dit is een zaak voor de rechter,' mompelde een van hen.

'En wat is jouw naam, jongeman?' vroeg mevrouw Martha aan de jonge man die zijn excuses had aangeboden.

'Ik eh... Stephens,' stamelde hij. 'Will Stephens.'

'Stephens?' vroeg ze. 'Die naam komt me bekend voor. Kent de kapitein je vader?'

'Ja, m'vrouw,' antwoordde hij, en zijn vingers speelden met zijn hoed. 'Wij huren het land ten oosten van dat van de kapitein.'

'Dus jij bent het jongetje dat ons hier bij de stallen hielp in het jaar dat Marshall geboren werd?' vroeg ze zangerig.

Hij bloosde. 'Ja, m'vrouw. Dat ben ik.'

'Grutjes! Wat ben je gegroeid,' zei ze. 'Ik voel me al een stuk beter nu ik weet dat jullie vanaf de heuvel een oogje in het zeil houden. En je vertelt je vader wel dat ik dit gezegd heb, toch?'

Dat beloofde hij.

Toen Rankin naar buiten liep, volgden de anderen hem snel.

Papa bleef aan mevrouw Martha's zijde toen zij hen achterna liep. Terwijl de anderen wegreden, ging Rankin op weg naar de hutten.

Mevrouw Martha riep hem na: 'Meneer Rankin.'

Hij draaide zich om.

'U hoeft zich om ons hier geen zorgen te maken,' zei ze. 'Mijn bedienden zullen gewapend zijn.' Ze wees naar Papa die naast haar stond met het pistool. 'Ik vermoed dat ze nerveus zullen zijn door al deze opwinding. Ik hoop van harte dat mijn slaap niet verstoord zal worden door het geluid van schoten, maar ze hebben opdracht hun wapens te gebruiken indien ze een insluiper op het erf van het grote huis vermoeden.'

Rankin liep rood aan, maar hij zei niets en draaide zich weer in de richting van de hutten. Tot mijn verbazing rende Marshall achter hem aan, maar zijn moeder riep hem terug. Het leek er even op dat hij haar niet zou gehoorzamen, maar toen ze nog een keer riep, schopte Marshall in het zand en rende naar het grote huis.

'Ik moet even zitten.' Mevrouw Martha was ineens lijkbleek. Mama pakte haar bij de arm en liep met haar de keuken in, waar Oom Ben hielp opstaan. Eenmaal vrij sprintte Ben de deur uit. Belle leunde op de tafel en sloeg er onophoudelijk op met haar vlakke hand. Van buiten riep Papa naar Mama dat ze moest komen helpen met Jimmy. Oom Jacob hielp mevrouw Martha op een stoel voordat hij naar Belle toe ging.

Hij legde een hand op haar arm en zei gedecideerd: 'Belle, Jimmy daar heb hulp nodig. Kom op.'

'Gelukkig is er niemand gewond geraakt,' zei mevrouw Martha.

Belle draaide zich wild naar haar om, haar ogen schoten vuur.

Oom ging tussenbeide staan. 'Mevrouw Martha, we breng u beter terug naar dat grote huis. Mae en George regel alles hier beneden. Als de kap'tein thuiskom, hij wil dat u daarboven op hem wacht. Kom, ik neem u mee terug.' Hij stak zijn elleboog uit en mevrouw Martha stond op om zijn arm te pakken. Oom gaf me met zijn ogen een teken dat ik mee moest komen. Ik wilde niet weg; ik was bang en wilde bij Belle blijven. Ik vroeg me af waar Ben was en of alles in orde was met hem. De blik die ik op zijn gezicht had gezien toen hij daar vastgebonden lag en Belle niet kon helpen, stond op mijn netvlies gebrand.

Hoewel ik niet mee wilde, gehoorzaamde ik, maar toen we bijna bij het grote huis waren, hoorden we gedempt gerammel achter ons. Het klonk alsof er pannen tegen de keukenmuur werden gesmeten.

16

Belle

IEDEREEN IS BLOEDNERVEUS. AL DAGEN ZITTEN WE MET ZIJN
allen te wachten tot de kap'tein thuiskomt. Sinds Rankin en zijn
mannen hier in het keukenhuis langskwamen, komt Ben niet
meer naar me toe. Het is beter zo, maar ik denk dat hij wegblijft
omdat hij zich schaamt. De dag dat Rankin me heen en weer gooide, rende Ben stinkend als een privaat naar buiten. Het is niet zijn
schuld. Ik weet hoe bang hij moet zijn sinds ze zijn oor hebben af-
gesneden. Die dag hier in het keukenhuis was er niets wat Ben kon
doen, dat weet ik. Maar hij is een man en misschien ziet hij het anders.

Iedereen loopt op eieren. Rankin zoekt iets waarop hij ons kan
pakken.

17

Lavinia

DE DAG VOOR KERSTMIS STOPTE ER EEN WAGEN VOOR HET HUIS en mevrouw rende blij naar de voordeur. Er werden stapels cadeaus en een brief bezorgd, maar de kapitein was er niet. Mevrouw Martha werd lijkbleek toen ze hoorde dat de kapitein niet was gekomen en oom Jacob leidde haar naar een sofa in de salon, waar ze verbijsterd ging zitten met een ongeopende brief in haar handen.

'Hij komt niet,' zei ze tegen zichzelf. 'Lieve hemel, hij komt niet.'

Mama kwam haastig binnen.

'Hij komt niet, Mae.' Mevrouw Martha keek naar Mae in de hoop dat zij het tegendeel kon beweren.

Mama leek er net zo ondersteboven van als mevrouw Martha. Uiteindelijk zei ze: 'Misschien moet u die brief lees.'

'Ja.' Mevrouw Martha keek naar de brief in haar handen. 'De brief.' Het leek alsof ze vergeten was dat ze hem in haar handen had.

Marshall verscheen bij de deur. 'Waar is vader?' Hij keek verwachtingsvol de kamer rond.

'Een ogenblik geduld, Marshall,' antwoordde zijn moeder. 'Ik lees nu net zijn brief.' Haar ogen gleden over de eerste alinea. 'Hij heeft het schip verkocht!' riep ze. 'Maar niet alle zaken zijn nog geregeld. Het spijt hem zeer, maar hij komt pas in de lente thuis.' Ze legde de brief op haar schoot.

Mama liet zich op de dichtstbijzijnde stoel zakken.

Marshall griste de brief van zijn moeders schoot. Het bleef akelig stil toen hij de brief las. 'Hij neemt jou mee naar Philadelphia. Ik moet naar Williamsburg.'

Mevrouw Martha keek op naar haar zoon. 'Wat? Wat zei je?'

'Lees de rest zelf maar.' Marshall gaf de brief terug en wees aan waar ze moest beginnen. Al lezend kwam er weer wat kleur op mevrouw Martha's gezicht.

'Marshall!' zei ze opgewonden. 'Je hebt gelijk! Hij heeft een school voor je gevonden – in Williamsburg! En hij heeft geregeld dat ik mijn vader in Philadelphia kan bezoeken. Ik ga vader weer zien! We zullen de hele zomer blijven!' De tranen stroomden over haar wangen en ik zag ze op het lijfje van haar blauwe brokaten jurk druppen.

Marshall liep meteen de kamer uit, maar Mama bleef zichtbaar gespannen.

Kerstmis werd niet echt gevierd, hoewel er beneden bij de hutten gedanst werd. Ben was de enige die erheen ging en we schrokken wakker toen hij na afloop dronken op de keukendeur stond te bonzen en om Belle riep. Hij maakte zoveel lawaai dat Papa hem kwam halen. Papa sprak Ben streng toe en ik dacht dat ik Ben hoorde huilen toen ze wegliepen. Belle huilde ook, dus klom ik in haar bed en probeerde haar te troosten zoals Mama dat zou doen, maar ik viel in slaap voordat ze ophield met huilen.

Mevrouw wachtte twee lange dagen voordat ze besloot dat ze in de stemming was om haar kerstcadeaus uit te pakken.

'Mogen Beattie en Fanny met mij komen kijken?' vroeg ik.

'Nou, vooruit dan maar,' zei ze met tegenzin. Toen ik ze vlug ging halen, riep ze me na: 'Vraag of Marshall ook komt.'

De tweeling en ik gingen Marshall zoeken, maar Papa, die de stal aan het uitmesten was, zei dat hij met Rankin was gaan paardrijden. Opgewonden renden we terug naar het grote huis, want het grote moment was aangebroken: mevrouw Martha ging haar cadeaus uitpakken. Ik vertelde mevrouw Martha waar Marshall was, en ze trok haar wenkbrauwen op. 'Wat moet hij toch met die man?' vroeg ze. Ik had daar geen antwoord op, maar volgens mij verwachtte ze dat ook niet. 'Ach ja, hij is binnenkort toch weg hier,' antwoordde ze zelf. 'Laten we dan maar beginnen. Hij heeft zijn cadeaus al uitgepakt.'

Beattie, Fanny en ik keken ademloos toe hoe mevrouw Martha haar pakjes op volgorde legde volgens de instructies in het begeleidende briefje. Uit het eerste pakje haalde mevrouw Martha twee poppen. Ze las hardop: 'Mij is verzekerd dat deze sierpoppen de laatste mode uit Londen dragen. Ik laat beide jurken namaken door een excellente kleermaker hier in Williamsburg en in de lente neem ik het eindresultaat voor je mee. Het is mijn grootste wens jou ze in Philadelphia te zien dragen. Veel liefs, je James.'

Wij meisjes hadden nog nooit zoiets prachtigs gezien. Het waren sierpoppen van hout met beschilderde gezichtjes en krullen van echt haar die met zorg waren opgestoken. De jurkjes in empirestijl waren gemaakt van ragfijne stof: bij het blauwe waren lijfje en sleep afgezet met elegant zilveren borduurwerk; het andere was licht crèmekleurig en versierd met witte borduursels en ivoorkleurige linten.

In elk van de volgende twee pakjes zat een paar delicate muiltjes. Het ene paar was gemaakt van blauw satijn versierd met zilveren borduursels en had lage hakjes bedekt met ivoorkleurig satijn. Het andere paar was gemaakt van ivoorkleurige zijde versierd met roze rozetten en de hakjes waren bedekt met roze satijn. Ik kon me gewoonweg niet voorstellen dat zoiets moois aan een voet gedragen zou worden, en dat zei ik tegen mevrouw Martha. Ze lachte en trok de bruine leren schoen die ze aanhad uit, liet haar smalle voet in de blauwe satijnen instapper glijden en hield hem omhoog. Ze draaide haar enkel en strekte haar tenen, en lachte weer toen we in koor riepen dat ze zo perfect pasten.

In de andere pakjes zaten zijden handschoenen tot aan de elleboog en twee paar geborduurde kousen. Mevrouw Martha legde uit dat deze accessoires bij de jurken hoorden.

Ten slotte haalde mevrouw Martha van de bodem van de laatste doos een bruine envelop en bestudeerde deze. Ik was dusdanig vooruitgegaan met lezen dat ik Belles naam in hoofdletters op de envelop herkende. Mevrouw Martha fronste, bekeek hem van alle kanten, en stond toen op. Ze zei tegen ons dat we moesten blijven zitten en bracht de envelop naar de studeerkamer. Ik dacht dat ik de bureaulade hoorde opengaan, en toen ze terugkwam zonder de envelop, ging ik ervan uit dat ze hem bij het bundeltje brieven met het blauwe lint had opgeborgen.

'Was dat voor Belle?'

Ze keek me even geschrokken aan. 'Nee,' zei ze, 'dat moet ik later openmaken.'

Ik begreep uit haar toon dat de zaak daarmee was afgedaan en ik ging ervan uit dat ik Belles naam verkeerd gelezen had. Al snel daarna werd ik door Dory geroepen om voor Campbell te zorgen en vergat ik alles behalve de prachtige cadeaus die ik die dag had gezien.

18

Belle

NOOIT EERDER ZIE IK MAMA MAE ZO NERVEUS ALS NU. RANKIN snuffelt overal rond, en hij zegt steeds dat hij er nog wel achter komt wat er met Waters is gebeurd voordat de kap'tein thuiskomt. En die Rankin loopt ook tegen iedereen op te scheppen dat hij orders van de kap'tein heeft om Ben te verkopen als hij hem met mij ziet flikflooien. Mama Mae blijft maar zeggen dat ik vooral niks nie met Ben moet beginnen, dat ik hem weg moet sturen als hij naar me toe komt. Mama zegt blijf jij maar bidden dat de kap'tein snel thuiskomt.

En dan, je raadt het nooit, laat de kap'tein weten dat hij niet voor de zomer thuiskomt, en hij mevrouw Martha dan pas mee zal nemen naar Philadelphia. Die avond komt Mama me het nieuws brengen en ik vraag haar wat er met me gaat gebeuren als de kap'tein thuiskomt. Neemt hij mij ook mee terug naar Philadelphia? Denkt hij dat hij mevrouw Martha en mij zo lang in hetzelfde rijtuig kan stoppen?

Mama zegt ze weet niet wanneer de kap'tein me meeneemt, maar ik kan hier maar beter zo snel mogelijk weggaan. Als ze dat zegt, spring ik op en krijs: 'Aha! Je geeft dus geen zier om me en Ben is de enige die jou iets kan schelen!'

Mama kijkt me aan alsof ik haar in het gezicht sla. Ze staat op. 'Dat wat jij denk, Belle? Jij denk ik wil jou niet hier?' Haar lippen trillen alsof ze gaat huilen. 'Jij denk ik wil niet dat je blijf? Besef je niet dat als je gaat, dat ben net als mijn eigen kind verliezen?' Dan begint Mama te huilen.

Ik ga naar haar toe, sla mijn arm om haar heen en ga met haar zitten. 'Het spijt me, Mama,' zeg ik. 'Ik weet dat je net zoveel om me geeft als om je eigen gezin. Niet huilen, Mama, alsjeblieft.'

Ze trekt een doek uit haar rok, snuit haar neus en kijkt me aan met angst in haar donkere ogen. 'Belle, je moet hier weg. Die Rankin raak elke dag meer gespannen. Hij kan niet uitstaan dat hij niet achterkom wat met die leraar gebeur. Mijn zenuwen kan dit haast nie aan als ik hem rond zie neuzen. Hij ga door tot hij Ben kan pakken. Ik weet dat.'

'Mama,' zeg ik, en ik weet dat ik deze keer woord moet houden, 'maak je geen zorgen over Ben en mij. Ik heb niks nie meer met hem.'

Als Mama weg is, duurt het even voordat ik rustig ben. Voor het eerst zie ik hoe dit alles haar aangrijpt. Ik zie dat zelfs Mama niet alles aankan.

Nog iets. Papa zegt dat Marshall al zijn tijd met Rankin doorbrengt. Hij laat die jongen sterkedrank drinken en ook al is Marshall nog jong, het smaakt hem nu al goed, zegt Papa. Rankin heeft de pik op mevrouw Martha en hij doet er alles aan voor haar zoon tegen haar op te zetten, zegt Papa.

Ik zie overal niks dan ellende van komen.

19

Lavinia

IN 1793 WERD HET AL VROEG LENTE. DE TWEELING EN IK VIER-
den op een middag begin mei onze negende verjaardag en we zaten buiten bij het keukenhuis kransen van kamperfoelie te maken. Overal hing de bedwelmende geur van de witgele bloesem en
onze gevoelloze vingers bewogen vliegensvlug om als eerste klaar
te kunnen zijn.

'Mama zeg ooit woon jij in een groot huis en misschien heb je
dan zelfs bedienden,' zei Fanny, en ze zette haar voltooide krans op
haar hoofd.

'Nee,' zei ik, want ik was heel blij met de huidige situatie. 'Ik wil
bij Belle blijven.'

'Nee.' Fanny schudde haar hoofd. 'Mama zeg dat mevrouw
Martha jou leer dat blanke meisje te wezen.'

'Ik wil het blanke meisje niet zijn,' zei ik, en ik werd bang. 'Ik wil
met Belle wonen en dan ga ik met Ben trouwen!'

Fanny lag achterover op haar ellebogen geleund en ging nu
rechtop zitten om me aan te kunnen kijken. 'Zet dat nu meteen
maar uit je hoofd,' zei ze. 'Je ga nooit geen kleurling wezen zoals
wij, dus ben je een blank meisje en ga je in een groot huis woon. Je
kan toch niet met Ben trouwen. Hij een kleurling.'

'Fanny heb gelijk,' zei Beattie.

Ik begon te huilen. 'Ik kan met Ben trouwen als ik dat wil. Je kan
me niet dwingen een blank meisje te zijn.' Ik gooide mijn krans
opzij. 'En je kan me niet dwingen in het grote huis te wonen.'

Mama verscheen in de deuropening. 'Abinia, waarvoor huil je? Je ben al negen en je huil nog steeds als een baby?'

'Ze wil met Ben trouwen,' legde Fanny uit. 'Ze wil niet in dat grote huis woon, ze wil geen blank meisje wezen.'

Toen Fanny mijn waarheid sprak, begon ik te brullen.

''Tis niet te geloven!' zei Mama. 'Dit voor het eerst ik hoor zoiets. Kom maar bij me, kind.'

Ik ging hikkend en snikkend naar haar toe. Ze ging op een bank zitten, nam haar pijp uit haar mond en tikte er zachtjes mee op mijn borst. 'Dus jij denk je wil een kleurling wezen?'

Ik knikte.

'Waarvoor dan?'

'Ik wil niet in het grote huis wonen. Ik wil hier bij jou en Belle en Papa blijven.'

Mama zei liefdevol: 'Kind, er ben dingen in deze wereld waar jij nog niks van weet. Wij jouw familie, dat verander nooit. Ook als jij een blanke jongen tegenkom en ga trouw, wij nog steeds jouw familie. Mama altijd jouw mama, Belle altijd jouw Belle.'

Ik stopte met huilen. 'En Papa en Ben dan?' vroeg ik hoopvol.

'Die let op jou net als nu. Abinia' – Mama keek me in de ogen – 'jij aan die winnende kant. Kan wezen op een dag jij let op ons.'

Haar woorden brachten me tot bedaren, maar die dag had ik een nieuw inzicht gekregen en was ik me bewust geworden van een scheidslijn tussen zwart en wit, hoewel ik de verstrekkende gevolgen ervan nog niet kon bevatten.

Die lente bracht Marshall het grootste deel van zijn tijd met Rankin door. Mevrouw was de controle over haar oudste zoon kwijt; hij stond net zo ver van haar af als zij van Campbell.

Mevrouw Martha bleef me betrekken bij veel van haar dagelijkse activiteiten. Ze las elke dag uit de Bijbel en gaf me af en toe uitleg bij bepaalde passages. Ze ging door met de lees- en schrijflessen, en bleef tot mijn grote vreugde klavecimbel spelen. Soms stond ze, op mijn verzoek, toe dat Fanny en Beattie kwamen kijken, maar ze deed dat altijd met enige aarzeling. Op een middag zag mevrouw ons drietjes samen lachen en nam ze me apart. 'Je moet niet zo aardig tegen ze zijn,' zei ze. 'Ze zijn niet zoals wij.'

'Hoezo?' vroeg ik. 'Hoezo zijn ze niet zoals wij?'

'Dat leer je nog wel.' Ze zuchtte diep. 'Als ik terugkom uit Philadelphia, leer ik je nog wel wat jouw plaats is.'

Campbell was mijn alles. 's Ochtends na het voeden pakte Dory hem in en stuurde hem met mij naar mevrouw Martha. In vergelijking met Sukey was Campbell nog steeds een klein schuchter mannetje, maar ik wist hoe ik hem kon laten glimlachen. Mevrouw zag hoe blij hij reageerde op mijn spelletjes, maar ze deed zelden mee.

'Waarom wil ze hem niet?' vroeg ik op een dag aan Dory toen ik hem terugbracht.

Dory's redenering was dat mevrouw bang was om zoveel van een andere baby te houden als ze van Sally had gehouden.

'Houdt ze niet meer van Marshall?' vroeg ik.

'Ik denk ze neem Marshall kwalijk hij duw Sally van die schommel.'

'Maar Marshall wilde Sally geen pijn doen.' Ik was er zeker van.

'Ik weet dat, maar zo te zien weet zijn mama dat niet,' zei ze. 'En nu ga Marshall los, hij praat brutaal tege haar en hij ben al die tijd met Rankin.'

'Waar gaan ze naartoe?'

'Ze doen slechte dinges.'

'Wat voor slechte dingen?' vroeg ik.

'Dat leer je snel genoeg,' zei ze, en dat was het einde van het gesprek.

De tweede week van mei zat ik met mevrouw Martha bij de voordeur te wachten toen de kapitein eindelijk arriveerde. Het herenigde koppel hield elkaar lang vast voor ze naar de salon gingen en de deur achter zich dichtdeden. Het huis bruiste van leven toen we met zijn allen haastig de tafel dekten voor een laat middagmaal in de eetkamer.

Toen de kapitein en zijn vrouw weer verschenen, had mevrouw

Martha's gezicht een roze gloed gekregen waardoor haar stralende groene ogen nog beter uitkwamen. Haar lippen waren rood en vol, en haar haar, dat opgestoken was geweest, hing nu los over haar schouders.

'Mae,' zei de kapitein tegen Mama, 'je hebt me mijn meisje teruggegeven.'

'Ze zeker weer die oude,' zei Mama met een glimlach.

De kapitein keek op zijn vrouw neer. 'Dat is ze zeker.' Mevrouw Martha bloosde en liet haar gezicht op zijn arm rusten. 'Mijn bruid is nog steeds verlegen,' plaagde de kapitein. Hij keek om zich heen. 'En waar zijn mijn zoons? Waar is Marshall? Waar is Campbell?'

Door de sterke band die ik met Campbell had, was ik er trots op dat de kapitein, toen Dory de baby aan hem gaf, opmerkte dat zijn zoon er gezond uitzag. 'Martha,' zei hij trots, 'je hebt me weer een prachtige zoon geschonken.'

'Ja, ja.' Mevrouw Martha gebaarde naar Dory dat ze de baby mee moest nemen. 'Kom, laten we aan tafel gaan zolang het eten nog warm is.'

Ik vond het niet prettig dat mevrouw Martha de aandacht van de kapitein voor zichzelf opeiste. Ik hield Campbell die middag lang in mijn armen, en probeerde te begrijpen hoe ze zo weinig kon geven om het kind dat ik aanbad.

De week daarop werd Marshall op een rijtuig naar Williamsburg gezet. De kapitein had besloten dat hij bij mevrouw Martha's zus en haar man zou wonen zolang hij naar school ging. Marshall vertrok in zijn eentje in het rijtuig, zonder zich om te draaien en naar ons te zwaaien.

Aan het eind van die groene, stralende meimaand arriveerde er een ander rijtuig. Het was groot en glanzend zwart, een verrassing voor mevrouw Martha en nieuw aangeschaft voor de komende reis. Toen het op weg ging naar Philadelphia, nam het mevrouw Martha, de kapitein, Dory en mijn geliefde baby Campbell mee. Sukey, inmiddels acht maanden oud, bleef bij ons. Toen Dory haar kind aan mama Mae gaf, huilde ze zo hard dat ik bang was dat haar hart zou breken. Belle gaf Dory een knuffel. 'Je bent over een paar maanden al terug,' zei ze. 'We zullen allemaal goed voor Sukey zorgen, dat weet je.'

'Abinia.' Dory liet Belle los en pakte me bij mijn schouders vast. 'Jij weet hoe ze ben, wat ze wil. Let op haar voor mij.'

Ik knikte, maar mijn keel deed te zeer om iets te kunnen zeggen.

'Zeg tege Ida ze drink graag voordat ze speel,' instrueerde Dory me, 'en daarna hou jij haar vast. Ze ken jou. Speel met haar.'

Ik knikte opnieuw en het liefst wilde ik wegkijken van de pijn op Dory's gezicht. We keken ze na toen ze wegreden, en deze keer was het Dory die zich, met Campbell in haar armen, niet omdraaide om te zwaaien. Belle had haar arm om mijn schouders geslagen en met mijn hoofd tegen haar aan huilde ik om mijn verlies.

Ida, die zelf net een baby had, kwam bij de hutten vandaan om haar kleinkind Sukey te voeden. Sukey was bijna de hele eerste dag aan het krijsen en ze wilde niet drinken. Tot ieders grote opluchting accepteerde ze uiteindelijk 's avonds Ida's melk. Ze dronk, stopte met huilen en dronk opnieuw. Later nam Mama haar mee naar huis, maar ze kwam al snel daarna terug met het huilende kind. Ik was waarschijnlijk degene die haar het meest vertrouwd was, want toen Sukey mij zag, strekte ze haar mollige armpjes naar me uit en klampte zich aan me vast.

Er werd besloten dat ze onder toeziend oog van Belle naast mij op mijn strozak zou slapen. Toen Sukey 's nachts wakker werd, stak Belle een lamp aan en liep door het donker naar het koelhuis. Terug in het keukenhuis warmde ze een beetje van de melk op die ze had gehaald. We doopten er de punt van een schone doek in, en hoewel het kind protesteerde, slikte ze de warme vloeistof door die haar keel in druppelde.

Het duurde een hele week voordat Sukey gewend was aan de nieuwe situatie en ze 's morgens en 's avonds Ida's borst accepteerde. Belle en ik vulden haar voeding aan met koemelk. Ik voelde me die eerste week het ene moment gevleid door de voorkeur die het kind voor mij had, het andere moment werd ik overweldigd door de verantwoordelijkheid die ik nu droeg. Ik verlangde ernaar

Campbell vast te houden en kon alleen maar hopen dat Dory net zo goed voor hem zorgde als ik voor Sukey.

Voordat hij vertrok, nam de kapitein een besluit waar iedereen van profiteerde. Hij stelde Will Stephens aan, de jongeman die zich afzijdig had gehouden van de patrouillemannen in Belles keuken. Ik wist dat papa George en mama Mae met de kapitein over zijn aanstelling hadden gesproken.

Op een avond voor zijn vertrek had Belle ook een gesprek met de kapitein gehad. Ik was er niet bij, maar de ontmoeting had een ongelukkige uitwerking op Belle. Ondanks de hectiek die het vertrek van de reizigers met zich meebracht, was Belle duidelijk van slag.

Toen ze weg waren, trok ze zich terug totdat Mama na een paar dagen 's avonds bij haar langskwam. Sukey en ik lagen al in bed, maar ik luisterde klaarwakker naar hun gesprek.

Belle ontweek vragen over zichzelf. Ze vroeg aan Mama: 'Dus waarom heeft de kap'tein Will Stephens aangesteld?'

'Hij ga met Rankin werken, maar hij meestal hier als we hem in dat grote huis nodig hebben. Hij ga de kap'tein schrijven en vertellen wat hier gebeur terwijl de kap'tein en mevrouw Martha weg ben.' Mama drong aan. 'Belle, wat zeg de kap'tein over wanneer jij vertrek?'

'Mama, hij heeft een man met wie ik moet trouwen!' Belle begon te huilen. Ik voelde me beter toen haar gesnik gedempt werd, want dat betekende dat Mama haar armen om Belle heen had geslagen.

'Wat vertel hij jou over hem?' vroeg Mama.

'Hij is een vrije zwarte die in Philadelphia woont. Hij is schoenmaker en de kap'tein zegt dat hij een mooi huis voor ons gaat kopen. Hij komt me halen als de kap'tein terug is.'

'We weet altijd dat die dag ga komen, Belle,' zei Mama.

Belle snoot haar neus. 'Hou Ben bij me weg, Mama. De kap'tein zei weer dat Rankin het recht heeft voor hem te verkopen.'

'Papa hou Ben weg.'

'Ik wil niet weg, Mama,' jammerde ze.

'Je moet dit doen, Belle. Je ga vrij wezen,' zei Mama.

'De kap'tein zei dat hij mijn vrijbrief voor kerst heeft gestuurd.'

'Hij hem stuur?' vroeg Mama. 'Waar ben die dan?'

'Ik weet het niet. Hij zegt dat hij hem stuurde met de pakjes van mevrouw Martha.'

'Heb je hem vertel jij krijg die niet van haar?'

'Nee, maar hij moet in het huis zijn.'

'Belle, jij moet die brief vinden!'

'Ik weet het, Mama, maar er is nog wat anders.'

'Wat dan?'

'Ik vroeg of ik Fanny en Beattie mag meenemen, want dan krijgen zij ook hun vrijbrief, maar hij zei nee. Ik moet Lavinia meenemen,' zei Belle.

'Hij laat haar vrij?' vroeg Mama.

'Dat zei hij,' zei Belle.

'Nou, voor mekaar dan.'

Ik zat rechtop in bed, mijn hart klopte in mijn keel. Ik wilde helemaal niet weg. Dit was mijn thuis! Toen Sukey begon te huilen, ging ik weer liggen en ik stelde mezelf gerust door haar mollige handje te strelen tot ik in slaap sukkelde. Maar midden in de nacht werd ik weer wakker, misselijk van angst. Ik had gedroomd dat ik in een groot zwart rijtuig van de plantage wegreed en dat ik helemaal alleen was, net als Marshall.

De volgende ochtend vroeg ik aan Belle of ik met haar mee moest. 'Ik denk van wel,' zei ze, 'maar we zijn nu hier, dus maak je geen zorgen.' Toen ik aandrong op meer informatie, antwoordde ze bits: 'Luister, Lavinia, ik wil hier niet meer over praten. We zullen wel zien als de kap'tein weer thuis is.' De toon waarop ze het zei, betekende einde discussie, dus vertelde ik haar over het pakje dat ik helemaal vergeten was: de envelop die aan haar gericht was, die ik met kerst gezien had. Zij en Mama wilden dat ik haar de bureaula liet zien waarin mevrouw Martha hem volgens mij had gelegd, maar hij lag er niet. Samen zochten ze in het hele huis naar de brief, maar hij was nergens te vinden. Ten slotte gaven ze het allebei op in de wetenschap dat de zaak opgehelderd zou worden zodra de kapitein weer thuis was.

Dankzij de aanwezigheid van Will Stephens hadden we die zomer een gemakkelijk leventje. Als we niet hadden geweten dat Belle en ik weg moesten, was het waarschijnlijk de gelukkigste tijd ooit geweest.

Mama maakte van de gelegenheid gebruik om de tweeling en mij te leren hoe we het grote huis schoon moesten maken. Ze deed ons voor hoe we fijn zand op de gele, grenen vloeren moesten strooien en ze vervolgens schoon moesten vegen met water. Ze legde uit hoe de meubels opgepoetst moesten worden met lijnzaadolie of bijenwas, afhankelijk van het soort hout. En op een dag nam Mama ons mee om de kinderkamer leeg te halen. Voor zijn vertrek had de kapitein Mama gevraagd om Sally's spullen naar zolder te brengen en de kamer klaar te hebben voor Campbell op de dag dat ze thuiskwamen. Mama deed de deur van de kinderkamer open, en eenmaal binnen keken de tweeling en ik onze ogen uit. Er stonden twee bedden, twee ladekasten, en er lag meer speelgoed dan ik me ooit had kunnen voorstellen. Er was een kindertafel gedekt met een linnen kleedje en een miniatuur roze met wit porseleinen theeserviesje. Er stond een grijs met wit hobbelpaard klaar met zwarte manen die naar een kant waren geborsteld, en donkere ogen die ons uitnodigden om hem te berijden. Op een van de kinderstoeltjes zag ik de porseleinen pop van Sally. Alles in de kamer ademde de aanwezigheid van het meisje.

Mama gaf ons met een knikje toestemming om het speelgoed te inspecteren. We aarzelden geen seconde en al snel werden we volledig in beslag genomen door alle schatten die we mochten aanraken. Ik pakte een prentenboek dat ik tot mijn grote vreugde kon lezen. Fanny paste een breedgerande strohoed die op een van de bedden had gelegen en bekeek zichzelf vervolgens in een kleine spiegel die boven een lage kaptafel hing. Beattie zette de pop eerbiedig op haar schoot en streelde de blonde krullen. We deelden onze vondsten met elkaar totdat Mama, die al die tijd niet op haar gemak leek, ons zei dat het tijd was om Sally's spullen in te pakken. Nadat oom Jacob de dozen naar de derde verdieping had gebracht, voelde de kamer vreemd leeg en waren we blij dat we er weggingen.

De dagen daarna moesten we Mama helpen om ook de blauwe kamer op te ruimen. Ik was niet voorbereid op het melancholische gevoel dat Campbells spullen in me opriepen. Ik vroeg me af hoe ik zonder hem moest leven als ik naar Philadelphia ging.

We droegen Campbells wieg en babyspullen naar de kinderkamer, maar nu leek die kamer te donker en te groot voor een baby. Ik bleef het gevoel houden dat we de kamer hadden moeten laten zoals hij was, want nu we juffrouw Sally's spullen hadden opgeborgen, leek het alsof we het beetje roze licht dat er nog van haar over was hadden weggenomen.

Ben verraste iedereen begin juni toen hij bekendmaakte dat hij met een meisje van de hutten over de bezemsteel was gesprongen. Ze werkte op het veld en heette Lucy. Het leek of Mama het liever niet aan Belle wilde vertellen, en toen ze het toch deed, zei Belle weliswaar geen woord, maar in haar ogen viel te lezen dat ze zich verraden en verdrietig voelde.

Het pasgetrouwde stel bracht de nachten daarna in Bens slaapplaats bij de stal door, maar de bruid ging elke ochtend vroeg bij het geluid van de hoorn met de anderen van de hutten op weg naar de velden. Rankin had met het huwelijk ingestemd, onder voorwaarde dat Lucy voor hem bleef werken.

Will Stephens kwam Belle eind juni de eerste brief uit Philadelphia brengen. Het was een knappe man met diepliggende bruine ogen, een sterke kaaklijn en een sympathieke glimlach. Hij had een gemiddelde lengte, was gespierd en kwam zelfverzekerd over. Hij nam altijd zijn hoed af als hij ergens binnenkwam en had de gewoonte om zijn dikke bruine haar naar achteren te strijken voor hij iets zei. Wills directheid was zijn grootste charme. Hij keek je recht in de ogen, en als je terugkeek, wist je dat hij niet in staat was tot bedrog. Toen Will die eerste brief kwam brengen, hoorde ik hem aan Belle zijn excuses aanbieden voor het voorval in de lente waarbij Rankin haar te pakken had genomen. Hij schaamde zich ervoor dat hij haar niet had geholpen en vroeg haar om vergiffenis. Belle was verlegen in zijn bijzijn, maar ze aanvaardde zijn excuus.

Hij vroeg haar vervolgens of hij de brief aan haar moest voorlezen, maar het leek hem niet te verbazen dat Belle zijn aanbod afsloeg en haar hand uitstak. Toen hij weg was, stuurde ze me naar het grote huis om Mama te halen. Terug in het keukenhuis hield ik Sukey vast, terwijl we luisterden naar Belle toen ze de brief voorlas.

Er stond in dat de reizigers goed waren aangekomen, maar er was ook slecht nieuws. Mevrouw Martha's vader was ziek, maar erger nog, de angst bestond dat er in Philadelphia een gelekoortsepidemie heerste. De kapitein gaf te kennen dat hij graag terug naar huis wilde, maar mevrouw Martha weigerde haar zieke vader te verlaten. Hij beloofde binnen twee weken nog een brief te sturen.

Zoals beloofd ontvingen we twee weken later nog een schrijven van de kapitein. Will Stephens kwam de brief weer brengen en deze keer vroeg Belle hem binnen te komen. Ben was toevallig net de ijzeren kraan in de keukenhaard aan het vervangen, en toen hij weer naar binnen liep en hij Belle vrolijk met Will Stephens hoorde praten, haastte hij zich meteen weer naar buiten. Ik vroeg me af waarom hij zo boos keek.

Weer wachtte Belle met het lezen van de brief tot Will Stephens weg was, en moest ik Mama halen. Dit keer was het nieuws akelig. De vader van mevrouw Martha was overleden. De kapitein was nu ziek, en hoewel hij nog steeds in staat was om de brief te dicteren, kon hij niet reizen. Mevrouw Martha, Campbell en Dory maakten het goed – Mama zuchtte van opluchting – maar het was niet waarschijnlijk dat ze in augustus zouden terugkomen, zoals ze van plan waren geweest.

Eind juli kwam Will Stephens naar het keukenhuis met in zijn hand een geopende brief die aan hem was gericht. Mama zag zijn plechtige houding en rende meteen van het kippenhok naar boven.

'Ik heb slecht nieuws,' zei hij, en hij keek eerst naar Belle, en toen naar Mama.

'Het spijt me, maar... Dory is gestorven aan de gele koorts.'

Mama liet zich op een stoel zakken en Belle haastte zich naar haar toe.

'Ik ga George halen,' zei Will Stephens. Toen hij weg was, werd

20

Belle

DE EERSTE PAAR DAGEN NA HET NIEUWS OVER DORY IS MAMA niet zichzelf. Ze loopt naar het grote huis, dan komt ze weer terug bij de keuken, want ze weet niet meer waarom ze naar boven moet. Ze zegt: 'Misschien kom Dory thuis... misschien die maak een vergissing... misschien kom dat rijtuig terug, en kom Dory naar beneden rennen voor haar Sukey te pakken.'

Papa zegt dat Mama gewoon wat tijd nodig heeft. Het is moeilijk voor haar, zegt hij, dat ze het niet met eigen ogen ziet, dat ze Dory hier niet heeft om haar naast baby Henry te begraven. Ik weet dat Dory er niet meer is. Ik voel het als ik Sukey vasthou. Dory is als een zus. Maar ik laat niet zien wat ik voel. Ik moet sterk zijn voor Mama.

Sukey hangt aan Lavinia, die goed voor haar is, maar ik weet dat Lavinia op Campbell wacht. Geen idee waarom ze zoveel om die baby geeft. Ik vraag me af wat er gebeurt als we naar Philadelphia gaan en ze hem moet achterlaten.

Papa kijkt me niet in de ogen als hij me ziet. Ik weet dat hij Ben met Lucy over de bezemsteel heeft laten springen. Als ik denk aan Benny's lippen op die van haar, dan wil ik op het hoofd van dat meisje stampen. Het is maar een lelijkerd van de hutten! Op een nacht ga ik naar Ben z'n huis, gewoon om het zeker te weten. Ik hoor ze samen, en ze klinken als beesten, maar ik blijf luisteren want ik kan me niet bewegen, mijn voeten willen niet. Mijn hart bonkt zo luid dat ik in het hoge gras moet gaan zitten, maakt niet uit dat er slangen zijn. Ik blijf tot Benny snurkt en ga dan naar mijn huis. Ik kan niks zien van de tranen. De volgende dag is Ben hier in mijn keuken aan het werk en komt Will Stephens met een brief. Ik praat met Will alsof ik hem wil vleien. Bens ogen spuwen vuur als hij hier naar buiten rent! Dat voelt goed.

Iedereen denkt dat als ik naar Philadelphia ga, dat ik daar gelukkig word met de schoenenman van de kapitein. Maar ik wil helemaal geen lelijke schoenenman. Ik wil mijn Benny. Als ze Lucy terug in de hutten stoppen en Benny aan mij geven, dan zal ik er niks van zeggen. Ik kan niet slapen, want ik blijf over Lucy malen.

21

Lavinia

DE LAATSTE BLADEREN VIELEN TOEN HET ZWARTE RIJTUIG DIE novembermiddag in 1793 de oprijlaan op rolde. De kapitein en zijn gevolg waren eindelijk thuisgekomen. Fanny en Beattie waren met Mama en oom Jacob in het grote huis voorbereidingen aan het treffen voor de aankomst van de reizigers. Terwijl Sukey een dutje deed, werkte ik samen met Belle in de keuken, waar we net de laatste hand legden aan vruchtencakejes. We maakten ze door bessen en rozijnen toe te voegen aan het recept van een botercake en het deeg vervolgens over kleine blikjes te verdelen. De cakejes waren nog warm van de oven, en voordat Belle me er eentje gaf om van te snoepen, strooide ze een laagje witte suiker over de knapperige bovenkant. Toen ik het rijtuig hoorde aankomen, werkte ik het cakeje in een paar grote happen naar binnen en rende naar het grote huis. Ik was buiten mezelf van opwinding. Campbell was thuis!

Oom Jacob en Mama stonden al bij het rijtuig; Fanny en Beattie stonden naast hen, klaar om te helpen. Mevrouw Martha kwam als eerste naar buiten. De laatste paar zware maanden hadden zichtbaar hun tol geëist. Ik had haar eerder ziek gezien, maar dit was anders. Nu was haar gezicht ingevallen en gerimpeld, en ze kneep haar ogen tot spleetjes toen ze moeizaam uit het rijtuig stapte. Niets, maar dan ook niets, had me voorbereid op de verschijning van de uitgemergelde, oud geworden man die oom Jacob uit het rijtuig hielp. De kapitein had de gele koorts overleefd, maar het leek of hij zijn ziel had verloren. Nadat de kapitein en mevrouw het huis binnen waren geleid, bleef ik in mijn eentje met smart staan wachten tot Campbell en zijn min verschenen. Uiteindelijk kon ik niet langer wachten en liep ik naar het rijtuig.

'Campbell,' zei ik zachtjes, er zeker van dat hij mijn stem zou herkennen.

Binnen in het rijtuig was er verrassend weinig ruimte en het rook er vreselijk naar braaksel. Toen mijn ogen aan het donker gewend waren, zag ik dat het leeg was. Ik rende naar binnen door de voordeur en haalde het groepje in terwijl ze op weg waren naar boven.

'Waar is Campbell?' riep ik hun na.

Mama draaide zich om en schudde haar hoofd als teken dat ik moest zwijgen. 'Hij bij Dory,' zei ze.

Ik bleef zo een poos staan, en probeerde de betekenis van Mama's woorden te vatten. Toen rende ik weer naar buiten om nog een keer in het rijtuig te kijken. Als verdoofd liep ik naar het keukenhuis. Met Sukey in haar armen trof Belle me buiten naast de houtstapel aan, waar ik het vruchtencakeje uitbraakte.

Belles ogen vulden zich met medelijden toen ik genoeg gekalmeerd was om haar over Campbell te vertellen. Sukey strekte haar armen naar me uit, en tot mijn ontzetting sloeg ik haar. Ze schrok ervan, want ze was nog nooit geslagen. Ze wilde dat ik haar vasthield en verward begon ze om me te roepen. Ik kon haar tranen niet verdragen en door mijn wanhoop heen opende ik mijn armen. 'Het spijt me, het spijt me zo,' snikte ik, en ik nam haar in mijn armen. 'Het spijt me, het spijt me zo.'

Belle pakte me bij de kin en draaide mijn gezicht naar haar toe. 'Je moet jezelf niet de schuld geven,' zei ze. 'Je kan er niks aan doen dat die baby doodging.'

Met Sukeys armen stevig om mijn nek geklemd huilde ik. In de weken daarna was het haar behoefte aan mij die me er weer bovenop hielp.

Fanny bleek uiteindelijk de favoriete verpleegster van de kapitein. Haar snelle manier van handelen beviel hem, en met haar grappige observaties ontlokte ze hem vaak een glimlach en zelfs af en toe wat gegrinnik. De dokter kwam regelmatig langs om bloed bij zijn patiënt af te tappen, maar daarna leek de kapitein nog slapper dan ervoor. Mama keek dit een paar weken aan tot ze de kapitein er ten slotte van overtuigde om aderlatingen van de dokter te weigeren. Nadat de kapitein daarmee had ingestemd, deed ze haar uiterste best om zijn eetlust op te wekken. Voor zonsopgang ging Mama met een van haar tweelingdochters naar buiten, en bij het licht van de lantaarn doodde ze een kip. Dan bracht ze de vogel naar de keuken, maakte hem schoon en liet hem zachtjes koken met een handvol verse peterselie uit de tuin, wat tenen knoflook, ui, en een royale hoeveelheid zout. Fanny voerde hem de hele dag lepels bouillon. Kamillethee was een andere vloeistof die Mama de kapitein liet drinken, en 's avonds gaf ze hem een glas gezoete wijn aangelengd met water om hem te laten rusten. Na een aantal dagen vroeg hij om stukjes kip, maar Mama zei nee. In plaats daarvan roerde ze geprakte gekookte wortelen door de bouillon en beloofde hem dat hij snel wat kip mocht. Toen die dag was aangebroken, kwam Fanny, alsof ze zelf alles had opgegeten, trots terug met zijn lege kom, en Mama slaakte een zucht van opluchting. 'Hij kom terug,' zei ze.

Oom Jacob week niet van de kapiteins zijde; hij sliep 's nachts op een strozak op de vloer. Dankzij zijn bemoeienis kon Belle haar vader bezoeken terwijl mevrouw in haar eigen kamer sliep.

Tijdens haar eerste bezoek vertelde de kapitein aan Belle dat de jongeman uit Philadelphia haar uiteindelijk toch niet zou komen halen. Hij zei dat de gele koorts bij hun aankomst net was uitgebroken, en toen de ziekte later besmettelijk bleek te zijn, waren er duizenden doodsbange burgers gevlucht. Die zomer waren zelfs George Washington, de president, en de regering de stad ontvlucht. De kapitein vertelde over de strijd die mevrouw Martha geleverd had: eerst verzorgde ze haar vader, daarna Dory en uiteindelijk hemzelf. Hij zei niets over Campbell, en toen Belle naar hem vroeg, aarzelde de kapitein even, maar hij leek opgelucht iemand in vertrouwen te kunnen nemen.

'Na Dory's overlijden,' zei hij, 'was Martha doodsbang dat ik ook dood zou gaan. Ik was te ziek om te helpen, maar ik wist dat

Martha niet zichzelf was. De baby huilde dagenlang. Op een ochtend hoorde ik zijn gehuil niet meer, en ik stond erop dat ze hem bij me bracht. Maar hij was al dood.' Hij ademde diep in. 'Godzijdank kwam er hulp. Jouw jongeman maakte deel uit van een groep vrijgelaten slaven die ons hielp. Eerst dachten we dat negers geen gele koorts konden krijgen, maar toen Dory stierf, wisten we wel beter. Er was weinig te eten en er kwamen geen boeren meer naar de markten in de stad, maar toen kwam jouw jongeman, hij bracht ons eten en wist wat te doen met... Hij bewees steeds weer dat hij de man was die ik dacht dat hij was. Hij was een goede man voor je geweest, Belle. Ik zou trots geweest zijn als je met hem was getrouwd. Maar ook hij overleed aan de ziekte...' Zijn stem trilde. 'We zijn in de hel geweest, en nu maak ik me zorgen om Martha.'

Net als iedereen. Haar gedrag was volkomen doelloos. Ze zwierf van kamer naar kamer en verplaatste meubels en andere voorwerpen van hier naar daar. Mama bracht me naar haar toe in de veronderstelling dat ik haar zou geven wat ik haar ooit gaf, maar de lege blik in haar ogen joeg me angst aan, en ze reageerde niet zo op me als Mama had gehoopt. De dokter kwam weer langs en schreef laudanum voor. Eerlijk gezegd waren we allemaal opgelucht toen ze weer het medicijn nam dat haar hielp om te slapen.

De dagen daarna was Belle, die dacht dat ze nu hier kon blijven, bijna door het dolle heen van opluchting. Haar enthousiasme werkte aanstekelijk en ook ik kreeg weer hoop op een zekere toekomst hier. Ik was daarentegen wel van plan om naar Philadelphia te gaan als ik ouder was. Mijn kinderhart kon het verlies van Campbell niet accepteren; ik overtuigde mezelf ervan dat er een vergissing was gemaakt. Ik geloofde stellig dat hij nog in leven was en dat er goed voor hem werd gezorgd, en ik besloot hem op een dag te gaan zoeken. Ik was mijn broer nooit vergeten en nam me heilig voor dat ik, als ik oud genoeg was, herenigd zou worden met zowel Cardigan als Campbell.

Sukeys afhankelijkheid heeft me ongetwijfeld gered. Ze bleef bij mij in bed slapen; haar gezicht was het eerste wat ik 's morgens zag en het laatste voordat ik in slaap viel. Ze had me meer dan ooit nodig, en haar eerste woord was Binny, haar versie van mijn naam. 's Nachts hield ik Sukey dicht tegen me aan, vastbesloten haar nooit te verliezen.

Op de koude decemberochtend van de varkensslachtdag kwam Beattie me in opdracht van Mama bij het keukenhuis ophalen. Het gekrijs van de stervende varkens had mevrouw Martha dusdanig van streek gemaakt dat ze om Isabelle vroeg. Beattie en Sukey gingen met me mee en bleven in de blauwe kamer terwijl ik de slaapkamer van mevrouw binnenging. Mevrouw Martha leek helderder dan voorheen, maar toen ze mij zag, stond ze erop dat ik de baby bij haar bracht. Ik wist niet wat ik moest doen totdat ik Sukeys gegiechel uit de blauwe kamer hoorde komen. Ik kreeg een ingeving en keek Mama aan. Ze begreep wat ik van plan was en knikte, dus ging ik Sukey halen. Mevrouw Martha reikte naar het kind alsof het precies de baby was waar ze om had gevraagd. Sukey was een spontaan kind en liet zich zonder protest in de armen van de verloren vrouw plaatsen. Het kind ging achterover zitten om de omgeving in zich op te nemen, en toen mevrouw Martha haar buik kietelde, giechelde ze en klemde haar mollige handjes om die van mevrouw Martha. Toen Sukey de sierpop uit Williamsburg op de kaptafel naast het bed in het oog kreeg, vroeg mevrouw Martha of ik hem voor haar wilde pakken. Sukey bekeek de pop van alle kanten en liet haar vingers geestdriftig over de mooie kleren gaan. Mevrouw Martha keek die dag toe hoe het kind met de pop speelde tot ze allebei in slaap vielen.

Na dat bezoek vroeg mevrouw Martha bijna dagelijks om het kind. Als Sukey langskwam, klaar om met haar geliefde sierpop te spelen, verwelkomde mevrouw Martha haar met open armen en ze was altijd tevreden wanneer Sukey haar gewillig tegemoet kwam.

Beneden bij de hutten nam de onenigheid toe. De kapitein was weer thuis en Will Stephens was naar zijn vaders plantage teruggegaan. Rankin had opnieuw de touwtjes in handen en voelde zich oppermachtig. Volgens Ida reageerde Rankin zijn frustraties op haar zoon af, en Jimmy, wiens woede gevoed werd door het verlies van zijn Dory, dreigde terug te vechten. Ida vreesde voor zijn leven, en uit wanhoop vroeg ze papa George om een beroep op de kapitein te doen.

Beattie en ik waren de meubels op de overloop aan het oppoetsen toen papa George de slaapkamer van de kapitein binnenging. Hij liet de deur op een kier, dus toen Rankin er even later aan kwam, zagen we hem, zonder dat iemand het doorhad, aan de deur staan luisteren. Papa hield zijn pleidooi voor Jimmy, maar de kapitein wilde er niets van weten. Papa werd eraan herinnerd dat Rankin al vijf jaar op de plantage was, en ook al wist de kapitein dat hij geen vriendelijke opzichter was, de plantage liep goed. De kapitein zei dat hij, zolang hij ziek was, Rankin in zijn beslissingen moest steunen.

Toen Papa naar buiten kwam, zag hij Rankin tot zijn schrik in de hal staan. Zonder dat de kapitein het merkte, zette Rankin zijn voet dwars in de deuropening en dwong Papa eroverheen te stappen. Ik vroeg me af waarom Papa de kleinere man niet oppakte en hem opzijzette; in plaats daarvan knikte Papa hem toe. Wat ik wel zag, was dat Papa met krachtige pas en gebalde vuisten wegliep.

Met Kerstmis stuurde de kapitein, die nog steeds niet sterk genoeg was om naar het feest bij de hutten te gaan, Papa en Ben erheen met een kist appels, drie grote hammen en vier kruiken brandewijn. Later hoorden we van Ida dat Rankin twee hammen had verkocht en twee kroezen brandewijn voor zichzelf hield. Het ongenoegen onder de werkers groeide, want Rankin pikte opnieuw de helft van de dagelijkse voedselrantsoenen in en verhandelde de maïs en het rugspek voor drank. De mensen hadden honger, zei ze.

Ben bevestigde de slechte omstandigheden bij de hutten. Hoewel hij Lucy nog steeds van eten wist te voorzien, kon hij niet voorkomen dat ze op het land werd afgebeuld.

Er werden nieuwe stukken land voor de tabaksteelt ontgonnen, en zowel de mannen als de vrouwen moesten het zware lichamelijke werk uitvoeren. Rankin werd steeds brutaler en gevaarlijker, en niemand durfde zijn mond open te doen.

Ben had wat afstand genomen van zijn familie; met name van Belle. 's Avonds haalde hij zijn eten bij Mama op en at hij alleen, of hij wachtte in de stal totdat Lucy bij de hutten vandaan kwam.

Mama probeerde tevergeefs om vriendschap met Bens vrouw te sluiten. Ik begreep toen al hoe vreemd en bevoorrecht ons leven in Lucy's ogen moet zijn geweest. Op kerstdag kwam ze met Ben mee naar Mama's huis, maar ze bleef verlegen bij de deur staan en wilde niet gaan zitten. Het irriteerde Ben en hij werd boos op haar, waarop zij terug naar de stal rende. Ben at zijn maal zwijgend op voordat hij terugging met het kerstdiner dat Mama voor zijn vrouw had klaargezet.

Mama Mae zei dat Lucy altijd al verlegen was geweest. Mama kende Lucy's verleden en vertelde hoe ze, op Sukeys prille leeftijd, bij haar moeder vandaan was gehaald en naar deze plantage was gebracht. Ze werd overgedragen aan de oude vrouw die voor de vele kinderen van de hutten zorgde. De oude vrouw was niet onvriendelijk, zei Mama, maar er waren te veel kinderen om goed voor te zorgen.

'Lucy te vroeg bij haar mama vandaan haal,' zei mama Mae. 'Je haal beesten die zo jong zijn niet weg.'

'Geef haar tijd,' zei Papa, 'ze trek wel bij.'

De toestand van de kapitein bleef de rest van de winter onstabiel. Zodra het iets beter met hem ging, putte hij zichzelf dusdanig uit dat hij weer in bed belandde. Onder protest van Mama kwam de dokter dan weer langs om zijn patiënt te aderlaten en te purgeren. Op die momenten was de kapitein prikkelbaar en veeleisend, maar hij bedaarde weer dankzij Belle, die 's avonds bij hem op bezoek ging, en Fanny, die gevatte opmerkingen maakte.

Mevrouw Martha bleef het grootste deel van de tijd in haar slaapkamer. Maar op een avond trof oom Jacob haar aan bij de wapenkast, die ze van het slot probeerde te krijgen. Ze zei tegen oom Jacob dat ze die hoer ging doodschieten, maar hij haalde haar over weer naar bed te gaan. Vanaf dat moment sliep Beattie in de blauwe kamer.

De lente van 1794 was koud en nat. Sommige veldwerkers hoestten en hadden koorts, maar Rankin hield vol dat ze gezond genoeg waren om de tabaksplanten te poten. Papa George zei dat ze zo ziek waren omdat ze bijna verhongerden. Wanneer ons gezin aanschoof voor het avondeten, viel het niet mee om van het eenvoudige maar overvloedige maal te genieten in de wetenschap dat er zo dichtbij zoveel honger was.

Er viel een koude, aanhoudende motregen de ochtend waarop Ida bij de hutten vandaan kwam gerend en op de keukendeur bonsde. Ze bleef trillend buiten staan, en kon geen woord uitbrengen totdat Belle haar naar binnen trok en een deken om haar bevende schouders sloeg. Toen Ida eindelijk iets kon zeggen, was ze amper te verstaan door haar klapperende tanden.

Tijdens de storm die de avond ervoor woedde, hadden haar oudste zoon Jimmy en zijn jongere broer Eddy in het rookhuis ingebroken om wat te eten te hebben. 'Een heel klein beetje maar,' zei ze, 'voor die kleintjes.' Ze hadden op een bliksemflits gewacht om de spijkers te kunnen zien en wrikten toen de planken los, terwijl de donder het lawaai overstemde. Ze hadden maar een klein stukje spek gepakt toen ze weer naar buiten kwamen en de planken weer op het ritme van het onweer terugplaatsten.

Ze dachten dat Rankin sliep, maar hij rook het kokende vlees. Hij stormde hun hut binnen, trok Jimmy naar buiten en bond hem vast aan een paal in de tuin. Rankin sloeg hem tot Jimmy ten slotte toegaf dat hij het vlees had gepakt. Rankin was door het dolle heen, want hij wist zeker dat Ben ook bij de diefstal betrokken was, maar Jimmy bleef volhouden dat hij het alleen had gedaan. In een poging om Jimmy Ben erbij te laten lappen, bleef Rankin hem slaan. Ida zei: 'Ik wil hem stop, maar hij zeg hij begin met die kleintjes als ik iets uithaal. Ook al ben dat ze kinderen, hij zeg dat ben maar nikkerbaby's en die beteken niks voor hem.' In haar vreselijke machteloosheid sloeg Ida zich op de knieën. 'Hij sla nu mijn Jimmy!'

Belle ging meteen tot actie over. 'Ik ga naar het grote huis, Ida. Jij blijft hier,' zei ze gebiedend, maar zodra Belle weg was, ging Ida terug naar de hutten. Ik weet niet wat Belle heeft gezegd, maar ik weet wel dat de kapitein zich heeft aangekleed en met Ben en papa George naar de hutten is gegaan.

Jimmy zat nog aan de paal vastgebonden; hij was dood. Naast hem zat Ida, die zijn hoofd uit de modder hield en tegen haar zoon praatte alsof hij nog leefde. Mannen en vrouwen van de hutten stonden om de moeder heen, bang om het lichaam van de jongen los te maken.

Rankin was in zijn hut, dronken. De kapitein was woedend en liet hem buiten op zijn paard gooien. Hij kreeg te horen dat hij meteen de gevangenis in zou gaan als hij zich weer durfde te vertonen. Vervolgens stuurde de kapitein Ben op weg om Will Stephens te gaan halen.

De kapitein deed Will Stephens een voorstel. Voor zover Fanny begrepen had (zij was als enige van ons bij het gesprek aanwezig), zou Will Stephens voor een periode van vijf jaar als opzichter aangesteld worden. Elk jaar zou hij twintig hectare verdienen, en aan het eind van de afgesproken periode zou hij vier slaven, twee vrouwelijk en twee mannelijk, naar keuze krijgen om zijn eigen tabaksplantage te beginnen. Will Stephens ging akkoord met het voorstel, waardoor we de jaren daarna een rustig leven hadden.

22

1796

Belle

TELKENS ALS WE DENKEN DAT HET BETER GAAT MET DE kap'tein, wordt hij weer ziek. Het gaat al bijna twee jaar zo op en neer met hem. Wanneer de kap'tein me voor het eerst vertelt dat de schoenenman dood is door de gele koorts, wil ik opspringen en dansen, maar ik vraag heel lief: 'Moet ik nog steeds naar Philadelphia?'

'Ja. Wanneer ik weer beter ben,' zegt de kap'tein. Maar al die tijd, in de twee jaar dat hij ziek is, begint hij er niet over en zeg ik natuurlijk niks.

Als Campbell niet terugkomt, gaat Lavinia verder met Sukey alsof het haar eigen kind is. Je ziet de een nooit zonder de ander. Op een dag wil Lavinia dat ik de kap'tein naar haar broer, Cardigan, vraag, dus ik doe dat. De kap'tein weet niet wat er met de jongen is gebeurd nadat hij hem had verkocht, maar hij denkt dat ze Cardigan misschien mee naar het noorden hebben genomen.

Hij herinnerde zich wel dat Lavinia, toen Cardigan met die man meeging, zo hard schreeuwde dat ze zijn oren pijn deed. Wanneer ik dit aan Lavinia vertel, begint ze te huilen, dus ik zeg niet bang zijn, ik ga altijd voor je zorgen. Ik zeg ik weet hoe het is om alleen te zijn.

Mijn enige probleem is Bens vrouw, Lucy, die mij niet mag. Ze is een dikke meid, verlegen bij iedereen, maar mij bekijkt ze altijd van top tot teen. Ze weet dat Ben nog steeds een oogje op mij heeft, en ik op hem. Eerlijk gezegd wil ik hem nog steeds als geen ander, maar hij sprong met Lucy over de bezemsteel, en daarmee uit. Tenminste, dat zeg ik meestal tegen mezelf.

Will Stephens bestiert de boel hier heel goed, en iedereen is blij met hoe het gaat. Als Will Stephens naar me kijkt, dan weet ik dat hij dat met plezier doet. Ik kijk ook met plezier naar hem. Hij is een knappe man. Niet zo knap als Benny, zeker niet, maar wel met alles erop en eraan. We praten, lachen, en soms zitten we 's avonds met Mama en Papa buiten. Als ik praat en lach met Will, dan wordt Ben heel boos. Op een dag komt Ben langs terwijl ik de kippen aan het voeren ben. 'Wat doe jij met die man?' vraagt hij.

'Wat doe jij met Lucy?' zeg ik. Bens ogen schieten zoveel vuur dat ik moet lachen, dan loop ik heel langzaam weg, zodat hij kan zien wat hij mist.

We gaan twee jaar zo door. Maar goed ook, want hoe meer tijd er voorbijgaat, hoe beter het voor me is. Ik ben al drieëntwintig, dus algauw zal ik te oud zijn en kan de kap'tein geen man meer voor me vinden.

23

1796

Lavinia

IN MEI 1796 VIERDEN DE TWEELING EN IK ONZE TWAALFDE VER-jaardag. We kregen een vrije middag en huppelden vrolijk weg, met tussen ons in de picknickmand die Belle had klaargemaakt. We kletsten onderweg honderduit tot we bij het bos kwamen, waar Fanny wilde eten. Ze was de langste van ons drie en altijd uit-gehongerd. Fanny was een gevatte meid, die er net zo gewoontjes uitzag als ze klonk, en ze moest er regelmatig aan herinnerd wor-den aandacht aan haar uiterlijk te besteden. Scherpzinnig als ze was, sprak ze uit wat de meesten niet eens durfden te denken, en er waren momenten dat haar ongevraagde commentaar geschokte stiltes veroorzaakte, gevolgd door uitgelaten gelach.

In tegenstelling tot haar tweelingzus zou Beattie later onge-twijfeld een schoonheid worden. Het was een bedeesd, lief meisje, en als ze lachte, leken de kuiltjes in haar wangen haar zachtaardige karakter te accentueren. Beattie zag er altijd schoon en verzorgd uit, en ze hield van mooie dingen. Ze deed niets liever dan naaien en borduren, en haar kleren waren altijd versierd. Beattie was altijd dolblij als ze aan de slag kon met de stukjes afgedankte stof die Ma-ma van het grote huis meebracht waarmee ze kleurrijke kragen en zakken op haar kleding kon naaien.

Ik stond qua lengte tussen de tweeling in. Ik was tenger en dun, maar niet zo lang als Fanny. Ik dacht dat ik er vrij gewoontjes uit-zag, hoewel niemand me dat ooit zei. Mijn vuurrode haar kreeg langzaam een donkerder, kastanjebruine kleur, en ik droeg het in lange vlechten. Fanny plaagde me ermee dat mijn neus onder de sproeten zat, totdat Mama zei dat ze daarmee op moest houden.

Dankzij de geborgenheid van de laatste twee jaar was ik zelfverzekerder geworden en beslist een stuk spontaner. Maar er bleef altijd een onderliggende angst aanwezig. Als gevolg daarvan wilde ik het iedereen naar de zin maken en gehoorzaamde ik snel.

Onze dagen waren gevuld met werk. Fanny hielp mee de kapitein te verzorgen, terwijl Beattie en ik met Belle in de keuken werkten of Mama in het grote huis hielpen.

's Ochtends hielp ik Mama onder andere bij de persoonlijke verzorging van mevrouw Martha. Sinds haar terugkeer uit Philadelphia leefde mevrouw Martha in een droomwereld, maar de laudanum maakte haar gedwee, en ik was nu niet bang meer voor haar. Sterker nog, de momenten waarop ik haar voorlas of wol kaardde terwijl ze sliep, deden me goed. In de namiddag, als mevrouw Martha's stemming het toeliet, bracht ik Sukey naar haar toe, aangezien ze een levendige reactie aan haar wist te ontlokken. Mevrouw Martha leefde altijd op als ze het kind zag. Met Sukey dicht tegen haar aangekropen las de vrouw haar voor uit een prentenboek. Met een vreemde eentonige stem herhaalde ze de rijmpjes steeds opnieuw tot ze beiden sliepen.

Op een middag keek Mama even de kamer in en zag dat ze lagen te slapen. 'Dat het enigste moment die vrouw slaap goed,' fluisterde Mama tegen mij, 'maar laat ze nooit alleen samen.'

De kapitein leek maar niet beter te worden. Eerder was hij nog in staat geweest om buiten te wandelen, maar die uitstapjes hielden op doordat hij steeds lustelozer werd. Fanny en oom Jacob bleven voor hem zorgen, maar Fanny was zijn lichtpuntje. De kapitein leerde haar kaartspelletjes, en op de dagen dat ze won, werd ze beloond met munten die ze trots aan haar moeder in bewaring gaf.

Ik kon me goed voorstellen dat Belles avondbezoekjes haar vader opvrolijkten. Ze nam boeken uit de bibliotheek mee en las hem voor, vaak tot laat op de avond. Op een avond werd ik wakker van Belles stem in de keuken. Om Sukey niet wakker te maken sloop ik heel zachtjes naar beneden, en trof Belle aan bij de keukentafel, waar ze in het gedimde lamplicht opengeslagen boeken bestudeerde. Ze legde uit dat ze de stukken die ze de volgende avond zou lezen alvast doornam. De woorden die ze niet kende, zocht ze op in een tweedelig woordenboek, en sprak ze dan uit zoals haar grootmoeder haar geleerd had. Daarna liet ze me op mijn verzoek meedoen, en zo werkten we samen aan onze leesvaardigheid.

Die dag in mei, tijdens de picknick ter ere van onze twaalfde verjaardag, begonnen Fanny, Beattie en ik alle drie over de kerkdag die het weekend daarop zou plaatsvinden. Er stond een viering van het avondmaal op het programma – dus een hele dag weg van huis – waarin niet alleen ruimte zou zijn voor preek en gebed, maar ook voor eten en samenzijn. We praatten vol enthousiasme over Will Stephens, aan wie we dit allemaal te danken hadden.

Door hun leefomstandigheden te verbeteren had Will Stephens de mensen van de hutten voor zich gewonnen. Zijn supervisie zorgde er niet alleen voor dat de plantage goed liep, maar ook dat de opbrengst die van voorgaande jaren overtrof. De voedselrantsoenen werden uitgebreid en zout werd een hoofdbestanddeel. Op zaterdagmiddag en zondag hadden alle werkers nu vrij: ze konden in hun moestuin aan het werk, gaan jagen of vissen, de was doen en bij elkaar op bezoek. Ze kregen ook de optie om op zondag naar de kerk te gaan.

Will Stephens ging als kind al naar de kerk, en elke zondag spande hij een wagen in waarin hij zoveel mogelijk mensen liet meerijden, terwijl anderen er lopend een uur over deden om er te komen. Ik was stikjaloers toen ik er op de eerste zondag achterkwam dat Beattie en Fanny, samen met Ben en Lucy, met de groep van de hutten mee mochten.

'Maar waarom,' klaagde ik tegen Belle, 'waarom mag ik niet mee?'

'Je hoort niet bij hen,' probeerde Belle me uit te leggen.

Ik vraag me nog steeds af hoeveel stennis ik moet hebben gemaakt, dat Will tussenbeide kwam en een goed woordje voor me deed bij Belle. Maar hij deed het, en ik kon mijn oren niet geloven toen hij zei dat hij op mij zou passen als ik mee mocht. 'Waarom ga je ook niet mee?' vroeg hij aan Belle. 'Je kan meerijden op de wagen.'

'Dank je,' zei ze, 'maar ik moet hier blijven om te koken.'

En dus reden we die eerste zondagmorgen weg, de tweeling en ik. Ik was zo blij dat ik mee mocht, dat ik me niet afvroeg waarom ik voorop naast Will Stephens zat en de meisjes achter in de wagen.

De kerk was een groot, rustiek gebouw opgetrokken uit boomstammen, met banken van onbewerkt hout. In dat godshuis werd ik me voor het eerst bewust van het duidelijke onderscheid dat tussen de rassen werd gemaakt. De blanke leden van de kerk zaten vooraan, terwijl er achter in het gebouw staanplaatsen waren gereserveerd voor de zwarte bedienden.

Ik keek om naar de tweeling toen Will mijn hand in de plooi van zijn arm stak en me naar een kerkbank leidde. Beattie zag me het eerst en verborg een verlegen glimlach, maar toen Fanny me zag, zwaaide ze openlijk, waarop Ben haar arm naar beneden trok. Ik bleef staan, omdat ik naar hen terug wilde, maar Ben gaf me met een knikje te kennen dat ik bij Will moest blijven. Tijdens de dienst voelde ik de scheiding tussen ons, en ik vroeg me af of Belle naast Will en mij had kunnen zitten als ze zou zijn gekomen. Na de dienst bleven andere families staan praten, maar ons groepje vertrok, blij dat we naar huis gingen en de ervaring konden delen met de anderen die niet waren gekomen.

De zondagsdienst werd een terugkerend uitstapje. Elke keer dat de tweeling en Will erheen gingen, mocht ik met ze mee. Ik wilde niet meer dat Belle meeging toen ik gevoelens voor Will Stephens kreeg die van mijn kant algauw in een beginnende liefde veranderden. Will, die waarschijnlijk doorhad dat ik waanzinnig verliefd was, plaagde me en maakte er grapjes over. Hij zei dat ik ernstig was en leek het heerlijk te vinden me aan het lachen te maken. Geleidelijk aan maakten onze zondagsritjes van en naar de kerk het mogelijk om openhartiger met elkaar te praten en uiteindelijk won hij mijn vertrouwen. Ik durfde meer te zeggen, en op een dag vroeg ik hoe oud hij was. Zonder te aarzelen vertelde hij dat hij in oktober drieëntwintig zou worden.

'Heb je een meisje?' vroeg ik, en hij schonk me zo'n warme glimlach dat ik zijn arm wilde aanraken, wat ik natuurlijk niet deed.

'Nou, nee,' zei hij. 'Had je iemand in gedachten?'

'Wat dacht je van Belle?' vroeg ik bezorgd.

Hij antwoordde, nu ernstig: 'Zij kan nooit mijn meisje worden.' Voordat ik kon vragen waarom, voegde hij eraan toe: 'We zouden nooit kunnen trouwen. Dat weet je. Het mag niet van de wet.'

Dat hoorde ik voor het eerst en ik begreep het niet, maar ik wilde niet jong en dom lijken, dus zei ik niets.

'Heb je een vrijer?' vroeg hij na een tijdje.

'Ben was mijn vrijer, maar toen ging hij trouwen,' zei ik.

'O.' Zijn mond vormde een glimlach. 'Ik begrijp wel wat je in Ben ziet. Hij is een goede man.'

Opeens trok ik de stoute schoenen aan. 'Je zou op mij kunnen wachten,' zei ik, 'tot ik volwassen ben. Ik zou je meisje kunnen zijn.'

'Verdraaid!' zei hij. 'Dat is een goed idee.'

'Ik ben best slim.' Ik zag mijn kans schoon. 'En ik kan koken en lezen, en Sukey is gek op me.'

'En wie is Sukey?' vroeg hij.

'De baby van Dory, maar toen Dory doodging, wilde Sukey dat ik haar moeder werd.' Ik zuchtte en legde mijn handen in mijn schoot.

'Ben je daar niet een beetje te jong voor?' vroeg hij.

'Ik ben al twaalf,' antwoordde ik verontwaardigd.

'Ach, ja, natuurlijk,' zei hij.

'Belle zegt dat ik later een mooie vrouw word.' Ik keek hem afwachtend aan.

'Volgens mij ben je dat al,' zei hij, en hij gaf me een knipoog.

Ik bloosde, maar ik zette door. 'O ja, en ik weet hoe ik voor de kippen moet zorgen. Ik heb er nog geen geslacht, maar Mama zegt dat die dag eraan zit te komen.' Ik huiverde bij de gedachte.

Will rechtte zijn rug en zei: 'Eens kijken. Een mooie vrouw die kan lezen en kippen slachten. Ik geloof dat ik dit voorstel serieus moet overwegen.'

'Zit je me te plagen?' vroeg ik.

Hij sloeg even met de teugels en keek me aan met een stralende glimlach. 'Ik plaag jou toch nooit?'

'Altijd!' zei ik, en we lachten.

Ik vermoedde dat hij me als een kind zag, maar het kon me niet schelen. Ik was er zeker van dat hij, als ik er iets over te zeggen had, mijn toekomstige echtgenoot zou zijn.

'Abinia, Abinia.' Fanny riep me terug naar onze picknick. 'Waar denk je aan?'

'Nergens aan,' zei ik.

Beattie glimlachte naar me. 'Denk je aan Will?'

'Misschien,' zei ik, en ik beantwoordde haar glimlach.

'Je weet Marshall kom deze week thuis,' opperde Fanny.

Ik rolde op mijn buik en zag het ellendige beeld weer voor me van de verloren jongen die eenzaam in het rijtuig wegreed. 'Ik ben benieuwd hoe hij nu is.'

'Hij kom maar twee weken. Dan hij ga terug voor te studeren. De kap'tein wil zien hoe met hem ga,' zei Fanny.

En inderdaad, Marshall arriveerde tijdens onze picknick die dag.

'Hij zo groei, dit lijk een andere jongen,' vertelde Mama ons. Ze had geen ongelijk. In de namiddag werd ik naar het grote huis gestuurd om bij mevrouw Martha te zitten terwijl ze sliep. Daar, in de kamer van mevrouw, trof ik tot mijn grote schrik Marshall aan; hij zat bij het raam. Hoewel ik van tevoren was gewaarschuwd, herkende ik hem amper. Hij stond op toen hij me zag. Verlegen deed ik een stap terug. Hij was zestien, en had al de lengte van een volwassen man.

'Hallo Lavinia,' zei hij. De monotone stem die hij als kind had gehad, was veranderd in een zelfverzekerde bariton.

'Hallo,' zei ik zachtjes.

'Je bent gegroeid,' zei hij, terwijl hij me van top tot teen bekeek, en voor het eerst in mijn leven was ik me bewust van mijn vale zelfgemaakte kleren. Zijn kleding kon geen groter contrast vormen met de mijne: hij droeg een marineblauwe kniebroek en een ivoorkleurig satijnen vest waarop een schilderachtig tafereel in felle kleuren was gestikt. Ik moest onmiddellijk aan Beattie denken; ze zou gefascineerd zijn door de gedetailleerde borduursels.

'Kom bij me zitten,' zei hij uitnodigend, en hij zette een fauteuil neer naast de zijne bij het raam. Ik wist niet wat ik moest doen, maar ik zag dat zijn moeder sliep, dus deed ik wat hij vroeg. Hij nam zelfverzekerd plaats, en ik ging zitten zoals mevrouw Martha het me had geleerd: met mijn voeten naast elkaar en mijn handen in mijn schoot gevouwen.

Marshall was een buitengewoon aantrekkelijke jongeman geworden. Zijn korte blonde haar krulde losjes in zijn nek, en de blauwe ogen die in mijn herinnering dof waren, straalden nu wanneer hij glimlachte.

'Ik denk vaak aan je,' zei hij, en hij dronk een glas wijn leeg. 'Jij was degene die zo om mijn kleine broertje gaf.' Hij keek uit het raam. Het licht van de ondergaande zon goot zijn gezicht in goud. Ik kon het amper geloven dat hij op deze manier tegen me praatte, en ik kon mijn ogen niet van hem afhouden. 'Ik heb gehoord dat je een grote steun voor mijn moeder bent,' zei hij.

'Ik lees haar voor,' zei ik, trots op mijn prestatie.

'Hou je van lezen?' vroeg hij.

'Ik doe niets liever.'

'Ik moet het met vader over je hebben,' zei hij. 'Ik vraag me af of er al plannen zijn gemaakt.'

Ik hoefde geen antwoord te geven, omdat Mama plotseling de kamer binnenkwam. Ze wierp een blik op ons voordat ze zich tot Marshall richtte. 'U weet de kap'tein wil u zien.'

Marshall liep rood aan. Hij stond op en liep trots naar de blauwe kamer. Daar liep hij naar de bijzettafel waar een karaf wijn op stond en schonk zichzelf nog een glas in. Hij dronk het in een teug leeg en verliet vervolgens de kamer.

Mama schudde haar hoofd en zei: 'Die jongen drink te veel.'

De dagen daarna zag ik Marshall alleen in het voorbijgaan, maar telkens als hij me zag, knikte en glimlachte hij, en groette me bij naam. Ik voelde me gevleid door de aandacht van deze gedistingeerde jongeman.

'Marshall drink die hele tijd,' zei Mama bij het avondeten.

'Ik zeg hem ga niet rijden als hij zo drink,' beaamde Papa, 'maar hij ga toch, elke dag.'

'Waarnaartoe?' vroeg Mama.

'Die buren daar zeg hij Rankin weer gevonden... misschien Rankin hem gevonden, geen idee,' zei Papa. 'Goed die jongen ga weer weg met een paar dagen.'

'Wat gebeur als de kap'tein doodga?' vroeg Fanny. 'Kom Marshall dan terug voor alles hier sturen? Hij ben dan de m'neer?'

Belle antwoordde vlug: 'Het komt allemaal goed met de kap'tein, Fanny! Hij wordt elke dag sterker.'

'Belle, je weet hij ziek. Je moet met hem praat over die vrije brief van jou,' zei papa George tegen Belle.

'Dat doe ik, Papa,' zei Belle. 'Ik zal die brief krijgen, maar ik wil niet dat hij weer begint over mij wegsturen.'

'Zeg hem je heb die brief nodig,' zei Papa streng.

'Ja, ja, doe ik,' antwoordde Belle zichtbaar geïrriteerd.

De zondag van de langverwachte viering van het avondmaal was aangebroken, en de tweeling en ik konden onze opwinding nauwelijks beheersen. Samen met Belle had ik een heerlijk middagmaal klaargemaakt dat we meenamen voor de gezamenlijke picknick bij de kerk. We pakten manden in met versgebakken koekjes en maïsbrood, ingelegde komkommer en gekonfijte perziken, en mijn favoriet, een botercake met een laag dikke aardbeienjam erop.

Buiten mezelf van opwinding smeekte ik Belle om mee te gaan en Sukey mee te nemen. 'Ben en Lucy gaan ook mee,' zei ik om haar over te halen.

'Ik moet van Mama voor het grote huis koken,' zei Belle, 'en ik denk trouwens toch niet dat ik de hele dag wil bidden.'

Ze zwaaide ons uit in het vroege ochtendlicht. Ze had zich moeten haasten om ons op weg te helpen en had niet de tijd genomen om haar haar te doen. Haar dikke vlecht hing los, en toen ze haar arm ophief om te zwaaien, gleed haar hemd omlaag en ontblootte een stukje van haar gladde, gebruinde schouder. Ze trok het snel omhoog en bloosde van schaamte. De bewonderende blik die de Will Stephens haar zond, ontging me niet, en ik was blij dat ze niet mee kon komen.

Ik zwaaide naar haar, maar ik kreeg een vreemd, akelig voorge-voel toen ik Marshall bij een slaapkamerraam zag staan kijken ter-wijl onze wagen wegdenderde.

24

Belle

IK WAS IN MIJN EENTJE IN DE KEUKEN AAN HET VEGEN EN IK hoorde niks tot ik een mes tegen mijn keel kreeg en Rankin in mijn oor zei dat het mes erin ging als ik een kik gaf. Dan valt Marshall, net zo dronken als Rankin, me aan. Ik begin te schoppen, maar Rankin draait mijn arm om en stompt me in mijn buik. Ik begin te schreeuwen, maar Rankin pakt mijn hoofddoek en propt hem in mijn mond. Ik kan niet ademen en ik stik in mijn bloed, maar wanneer ik zie wat Marshall dan gaat doen, word ik wild. Dan slaat Rankin me en ga ik neer. De hele tijd dat Marshall op me beweegt, praat hij, maar ik hoor niet wat hij zegt. Rankin praat ook, maar ik weet alleen, ik ga dood, ik ga dood. Als het voorbij is, als Marshall zijn broek dichtknoopt, beweegt Rankin dat mes heel langzaam over mijn borst en kijkt naar mijn gezicht. 'Wil je dat ik deze af-snij,' zegt hij, 'ze voor mezelf hou?' Mijn hoofd vliegt heen en weer, heen en weer. Ik kan niet ophouden.

Hij zegt als ik het aan iemand vertel, dan komt hij terug en snijdt ze eraf, en daarna maakt hij iedereen af tegen wie ik iets zeg. 'Gewoon zo,' zegt hij, en hij houdt dat mes boven me, stoot het in een flits omlaag, recht in de vloer. Ik word helemaal slap vanbin-nen.

Ze gaan weg, en ik sleep mezelf naar een hoek en blijf daar, en ik probeer alleen maar te ademen. Ik blijf stikken. Ik denk er niet eens aan mijn hoofddoek uit mijn mond te halen. Wanneer oom Jacob me vindt, zegt hij tegen me, volhouden, hij gaat Mama halen.

'Wie dit gedaan?' vraagt Mama, maar ik zeg niks. Mama wast me en geeft me wat perzikenlikeur. Dan vraagt ze me weer: 'Belle, wie dit gedaan?' Ik weet zeker dat die twee luisteren, dus ik zeg niks. Ik weet dat Rankin gaat doen wat hij zegt. 'Papa zeg Rankin en Marshall drinken en mot zoeken. Zij hier gewees?' vraagt Mama. Ik leg vlug mijn hand over haar mond, die te veel praat. Mama stapt naar achteren, kijkt me aan. Dan zegt ze dat ze naar het grote huis gaat en het aan de kap'tein gaat vertellen, en dan begin ik te huilen. 'Nee, Mama, nee.' Ik klamp me aan haar vast, ze mag me niet achterlaten. 'Nee, Mama, nee. Vertel het aan niemand!'

'Sst, kind, ik doe niks geen dingen die jij niet wil.' Ze geeft me nog wat drank voor me te laten ophouden met trillen.

Ik zeg: 'Vertel het aan niemand, Mama, alsjeblieft, vertel het aan niemand!'

Mama zegt: 'Dat kom goed. Ik doe wat jij zeg, Belle.'

Ik drink nog wat meer, en het laatste wat ik me herinner is dat Mama me naar bed brengt.

25

Lavinia

HET WAS EEN ZALIG LANGE EN VERRIJKENDE DAG. OP WEG NAAR huis bleven we de hymnes zingen die we eerder tijdens de kerkdienst hadden gezongen. Lucy had ons allemaal verrast. Ze was een stevige, donkere vrouw, die weinig zei, maar God had haar gezegend met een zangstem die anderen dwong te luisteren. Tijdens de terugrit bleven we aandringen tot ze toegaf en een solo zong. Met haar prachtige stem bracht ze iedereen die in de wagen zat in vervoering.

Toen we bij onze eerste stopplaats, de hutten, aankwamen, klommen Ida en de andere vrouwen uit de wagen, en kwam Ben met een sprong trots naast Lucy zitten. Will sloeg even met de teugels, en de paarden liepen door tot bij het keukenhuis, de laatste stopplaats voor hun eindbestemming, de stal. De tweeling en ik sprongen op de grond, en we waren verbaasd toen we Papa bij de keuken op de bank van onbewerkt grenen zagen zitten. Hij stond op en liep naar ons toe. Mijn ogen waren gewend aan het donker en ik zag dat hij bezorgd uit zijn ogen keek.

'Niks aan de hand,' zei hij in een poging om ons gerust te stellen, 'niks aan de hand.'

'Papa?' Ben stond meteen naast de wagen.

'Belle heb wat problemen, maar dat kom goed met haar,' zei Papa.

Will kwam bij de mannen staan. 'Wat is er hier gebeurd, George?'

Papa ging met de mannen een eindje bij de wagen vandaan staan voordat hij met gedempte stem tegen ze sprak. Hun reactie op zijn vertrouwelijke mededeling was identiek: hun adem stokte en ze wendden hun hoofd af. Ben keek in de richting van het grote huis, en aan het profiel van de ongehavende kant van zijn gezicht kon ik zien dat hij nog nooit zo boos was geweest. Toen hij naar de keukendeur wilde lopen, hield Papa hem tegen.

'Neem Lucy mee naar huis,' zei Papa. 'Ze moet niks geen zorgen hebben, met haar baby onderweg.'

Precies op dat moment kwam Lucy naast Ben staan en probeerde zijn hand te pakken. Hij schudde haar af. 'Ga terug op die wagen!' zei hij, en hij wendde zich af, kwader dan ooit.

Lucy klom niet meer op de wagen; volgens mij voelde ze dat het in de laatste maand van haar zwangerschap niet de moeite waard was om zich omhoog te hijsen. Ze liep in haar eentje in het donker weg, in de richting van haar huis bij de stal. Papa bleef Ben indringend aankijken tot hij zijn vrouw achternaging. Nadat Will met de paarden en de wagen was vertrokken, stuurde Papa Beattie en Fanny naar het grote huis, waar ze samen in de blauwe kamer de nacht moesten doorbrengen. Mama zat daar met Sukey op hen te wachten. Ze liepen hand in hand weg in het donker en ik bleef alleen achter met Papa. Hij keek op me neer alsof hij niet wist wat hij moest zeggen.

'Papa, waar is Belle?' Ik was zo bang dat ik amper kon praten.

'Mama kom zo,' antwoordde hij.

'Papa,' zei ik, en ik durfde het bijna niet te vragen, 'is Belle dood?'

'Nee, kind,' zei Papa. Hij zette me op een bank en ging naast me zitten. 'Het kom goed met Belle.' Hij staarde in de verte en zei: 'Belle heb een slechte dag, dat alles.'

'Wat is er gebeurd, Papa?'

'Een paar mannen kom hier. Zij aan 't drinken en Belle slaan.'

'Waar was Mama?' vroeg ik ongerust.

Papa haalde diep adem. 'Zij en Sukey boven bij mevrouw Martha.'

'Wie waren die mannen?'

'Belle wil dat niemand nie hierover praat,' zei Papa.

'Maar ik wil weten wat er gebeurd is,' zei ik.

'Ze wil zelfs niet dat de kap'tein dit weet,' zei Papa.

'Waarom, Papa?' vroeg ik boos. 'Waarom wil ze het niet aan de kapitein vertellen?'

'Belle bang dat hij haar wegstuur,' zei Papa mat.

Toen Mama hier kwam, bracht ze Sukey en mij naar bed, en waarschuwde ons dat we stil moesten zijn. Belle lag al in onze donkere kamer te slapen, en zodra Mama weg was, viel Sukey in slaap. Ik lag lang in het donker te staren, te bang om naar Belle te gaan, te bang om te gaan slapen.

De zon was al op toen ik de volgende ochtend wakker werd en ik Sukeys vingers zachtjes over mijn gezicht voelde gaan. Ik deed alsof ik sliep terwijl ze mijn ogen aanraakte en mijn wenkbrauwen streelde, wat kietelde. Ik kon een glimlach niet onderdrukken en liet haar schrikken door haar hand te vast te pakken. Ze viel lachend tegen me aan, en terwijl ik haar knuffelde, snoof ik haar heerlijke babygeur op.

Toen ik geluiden van potten en pannen in de keuken hoorde, herinnerde ik me de avond ervoor en kwam ik vlug op mijn elleboog omhoog om te kijken hoe het met Belle was. Haar bed was leeg en ik was opgelucht dat ze beneden het ontbijt aan het klaarmaken was. Ik hield op met spelen, stond op om mijn lange bruine rok over mijn nachthemd aan te trekken, en zei tegen Sukey dat ze moest wachten tot ik terugkwam.

'Belle,' riep ik, en ik leunde halverwege de trap naar beneden. Zonder dat ik het doorhad, was Sukey me gevolgd en had plagend mijn rok gegrepen. Belle was bezig bij de haard, en toen ik haar riep, schrok ze en draaide zich met een ruk om. Bij het zien van haar gehavende gezicht schreeuwde ik haar naam opnieuw. Toen ze mijn ontsteltenis zag, probeerde ze te glimlachen om de schok te verzachten. Het moet haar pijn hebben gedaan, want haar gezicht vertrok en ze hield haar hand tegen haar opgezette lippen. Ik weet niet op welk moment ik haar rok op de gloeiende kolen in de gaten kreeg, maar toen ik zag dat hij begon te smeulen, was ik zo in paniek dat ik niets kon uitbrengen. In plaats daarvan rende ik de trap af met de bedoeling haar bij het vuur vandaan te trekken. Ongewild trok ik Sukey mee, waardoor ze gillend de trap af rolde. Toen Sukey begon te krijsen, bleef ik stokstijf staan, niet zeker wie ik van mijn dierbaren het eerst moest helpen. Ik keek even om naar Sukey en zag toen dat Belle op haar af vloog, zonder te weten dat de achterkant van haar rok vlam had gevat.

Van de schrik kon ik me niet verroeren. Gelukkig verscheen Will Stephens juist op dat moment. Vliegensvlug trok hij Sukey uit Belles armen en gaf het krijsende kind aan mij. Hij duwde Belle op de grond, stampte op haar rok en riep dat ik de wateremmer moest brengen. Ik zette de schreeuwende Sukey op een stoel en haalde vlug de emmer met drinkwater. Will trok hem uit mijn handen en gooide het water over Belle heen om haar rok te blussen. Haar adem stokte toen het koude water haar benen raakte.

'Stop,' zei ze huilend, 'stop.' Ze schudde haar hoofd heen en weer, en hoewel haar ogen open waren, zag ze ons niet.

Will ging naast haar op de aarden vloer zitten en legde haar hoofd op zijn schouder. 'Rustig maar, Belle,' zei hij, 'het is voorbij. Je rok stond in brand en we hebben hem geblust. Rustig maar.'

Sukey bleef krijsen terwijl ik met haar naar Mama rende.

Tegen de tijd dat Ben en Lucy's baby geboren werd, leek Belle weliswaar hersteld van haar lichamelijk letsel, maar ze bleef humeurig en teruggetrokken. Gek genoeg was er geen verklaring voor. Fanny, Beattie en ik probeerden de kleine beetjes informatie die we uit het gefluister van de volwassenen opvingen samen te voegen, maar toen later dat najaar Belles buik begon te groeien, associeerden we Belles zwangerschap niet met wat er gebeurd was.

Toen we hoorden dat ze een baby ging krijgen, gingen wij er alle drie van uit dat Will de vader was, aangezien hij vaak langskwam in de keuken. Ik was er jaloers op dat hij zichtbaar bezorgd was om Belle. Ik zag geen lichamelijk contact tussen hen, maar in mijn kinderhart was ik ervan overtuigd dat ze geliefden waren.

Op een dag kon ik me niet meer inhouden en vroeg ik Belle wie de vader van haar kind was.

'Je weet dat we hier niet over praten,' zei ze koel.

Ik antwoordde niet, maar na haar botte afwijzing werd ik steeds baloriger. Toen ik later die maand van meisje in vrouw veranderde, ging ik naar mama Mae en vroeg haar om mij de persoonlijke verzorging te leren die daarbij hoorde. Na haar uitleg zette Mama me op een stoel in haar kleine huis. 'Waarvoor jij zo boos op Belle?' vroeg ze.

Ik haalde mijn schouders op.

'Ik hoor jou slecht tege haar praat,' voegde ze daaraan toe.

Ik liet mijn hoofd hangen.

'Vrouwen krijg soms zo'n slecht gevoel, en weet niet waarom. Geef niks als je niet weet waarvoor je zo boos ben op Belle, maar ik denk dat heb iets te maak met dat Belle een baby krijg.'

Ik zei niets.

'Belle niet over deze baby besluit. Dit nu aan ons voor haar te helpen. Ze heb jou nodig, net als Sukey jou nodig heb.' Mama trok me tegen zich aan en streelde mijn rug. 'Ik weet je ben een goed meisje, Abinia. Die dag jij hier kom, je breng ons een goeie dag. Nu ben je als Belles eigen kind. Dat verander nooit. Maar je ben bijna volwassen en dit ben een moment ze heb je nodig.' Ze pakte mijn gezicht en hield het omhoog. 'Belle heb iedereen van ons nodig,' zei ze, terwijl ze me in de ogen keek. 'Wij haar familie, en wij help haar. Hoor je bij deze familie?'

Ik rukte me los en keerde haar de rug toe.

'Abinia?' Ze klonk teleurgesteld. 'Hoor je niet bij deze familie?'

'Ik weet het niet!' zei ik stampvoetend. 'Ik weet het niet! Meestal lijkt het of ik bij deze familie hoor, maar in de kerk moet ik vooraan bij de blanke mensen zitten. Ik wil bij de tweeling zitten, en ze kunnen niet met mij mee naar voren, en ik kan niet met hen naar achteren. Jij bent niet mijn echte mama, en Belle ook niet. Waar ga ik naartoe als ik volwassen ben? En ik wil helemaal niet in een groot huis wonen!' Ik begon te huilen en Mama wachtte even voor ze antwoordde.

'Abinia,' zei ze, 'als jij en Beattie en Fanny in die beek speel en het ben diep als na die grote regen en jullie heb allemaal hulp nodig, denk je dan niet ik kom jou helpen, net als de tweeling?'

Ik dacht daar even over na. 'Maar wie van ons zou je er als eerste uit trekken?' vroeg ik, en ik keek haar weer aan.

'Wie er het eerst langs me drijf,' zei Mama vlug. We keken elkaar aan, en moesten toen hard lachen om haar eerlijke antwoord. 'Abinia,' zei ze, 'ik weet dit. Wat die kleur ben, wie de papa, wie de mama, dat beteken niks. Wij familie, wij zorg voor elkaar. Familie maak ons sterk in die moeilijke tijden. Wij blijf bij elkaar, help elkaar. Dat beteken familie zijn. Als je volwassen ben, neem je dat familiegevoel mee.'

'Maar ik wil niet weg –' begon ik.

Mama viel me in de rede. 'Waarvoor denk je nu aan weggaan? Dat nog een hele tijd weg. Kijk naar vandaag, kind. Je zeg: "Dank u, Heer, voor alles wat u me vandaag geef." Dan maak je zorgen over die volgende dag als die volgende dag kom.'

Ik slaakte een zucht van opluchting.

'Dus Abinia, hoor je bij deze familie?' vroeg Mama weer.

Ik knikte.

Ze glimlachte naar me. 'Goed zo. Dan moet we maar weer aan dat werk, want wij ben een familie die werk.' Ze stond op, en met het gevoel dat ik een vrouw was, liep ik achter haar aan de deur uit, het felle zonlicht in.

Die herfst en winter werd Belle dik en gedroeg ze zich vreemd. Met Mama's woorden in mijn achterhoofd probeerde ik haar te helpen wanneer ze het maar toeliet. Ze bleef prikkelbaar, maar de warmte tussen ons was terug, hoewel we beiden met geen woord repten over de baby die ze verwachtte. Fanny vertelde Beattie en mij dat de kapitein, toen hij eindelijk Belles toestand in de gaten kreeg, razend werd en beslist wilde weten wie de vader was. Belle weigerde het erover te hebben en zei dat ze hem niet meer zou bezoeken als hij er weer naar zou vragen. Hij werd woedend en zei dat ze weg moest blijven. En dat deed ze.

Op een koude avond in februari was ik met Belle en Mama in het keukenhuis toen Belles baby geboren werd. De tweeling was in het grote huis, en Papa kwam Sukey halen toen Belles weeën erger werden. Ik wilde met Papa mee, maar Belle hield mijn hand stevig vast en vroeg me te blijven. Ik keek Mama aan, in de hoop dat ze me met Sukey weg zou sturen.

'Abinia blijf hier.' Mama keek me strak aan. 'Abinia kan dit bijna zelf doen,' verzekerde ze Belle nog eens. 'Je weet nog wel hoe ze mij help toen Campbell kom.'

Deze keer was ik ouder en beter voorbereid op een geboorte, maar ik was misselijk van opluchting toen Belle zich eindelijk van het kind verloste. Mama liet me de paarse streng doorknippen en nadat ze het kind gewassen en warm ingepakt had, gaf ze het aan mij. 'Geef hem aan Belle,' droeg ze me op.

Ik keek naar de baby.

'Toe nou.' Mama duwde me in de richting van Belle.

'Belle!' riep ik verrukt. 'Belle! Hij lijkt precies op Campbell!'

Belle liet een schrille kreet horen en wendde haar hoofd af. Haar reactie deed me denken aan mevrouw Martha's afwijzing van Campbell, en ik maakte me zorgen om Belles kind. Ik keek Mama vragend aan en zag tot mijn verbazing dat ze haar eigen tranen droogde. Ik wachtte onzeker af, tot de baby begon te huilen.

Mama kwam naar ons toe. 'Belle,' zei ze, en ze nam de baby van me over, 'toe. Hij jouw baby. Dit kind kom van die Heer. Hij heb dat recht op een mama, en die mama ben jij. Pak hem vast, Belle, en geef hem jouw melk. Hij een goeie baby. Hij ga een lief kind wezen.'

Belle lag met haar rug naar Mama toe, maar Mama trok Belles nachthemd naar beneden en ontblootte een volle borst. Ze legde de baby naast Belle. Hij zocht hongerig naar een tepel en begon te drinken, en Belle kreunde diep toen haar lichaam toegaf aan de behoefte van haar kind. Haar angstige ogen zochten naar Mama, maar haar blik verzachtte op het moment dat ze haar drinkende baby zag. Ze wiegde hem en maakte zachte, kirrende geluidjes terwijl ze zijn blanke gezichtje streelde.

Ik huilde van opluchting en vreugde. Belle pakte mijn hand en trok me naar haar en de baby toe. 'Lavinia,' fluisterde ze, 'hoe gaan we hem noemen?'

26

Belle

EIND MEI 1797 LAAT DE KAP'TEIN WETEN DAT IK MET MIJN BABY, Jamie Pyke, naar het grote huis moet komen. Eerst zeg ik nee, maar Mama zegt: 'Belle, je moet gaan. Die man met de dag zieker. Hij kan bijna niet meer loop nie en hij heb die kleur van een droge, oude perzik. Je moet die vrije brief voor jou en Jamie krijg. Als de kap'tein doodga, wat doe je dan? Blijf je hier als Marshall die plaats van de kap'tein neem? Wil je dat?' Voor het eerst in mijn leven weet ik dat ik die brief moet krijgen. Dus ga ik naar het grote huis en neem mijn vier maanden oude baby mee.

Mama heeft gelijk. Wanneer ik bij de kap'tein ben, zie ik dat hij het niet gaat halen. Mijn benen willen niet bewegen, maar ik loop naar de kap'tein toe en laat hem Jamie zien. Hij kijkt alleen maar naar de grond. Hij vraagt me nog een keer wie de papa is, maar mijn mond werkt niet. Oom Jacob kan er niet meer tegen en doet een stap naar voren. 'Dit toch duidelijk wie de papa ben!' zegt Oom. 'En Belle heb niks over te zeggen. En dat een feit!'

Het lijkt alsof de kap'tein geen lucht kan krijgen. Wanneer hij weer kan praten, zegt hij dat hij de vrijbrief aan Jamie zal geven, maar dan moet ik naar Philadelphia gaan. Ik zeg, goed, ik zal gaan, maar ik zeg hem dat ik mijn eigen brief ook nog nodig heb. Hij denkt dat ik hem heb, maar ik zeg nee, ik heb hem nooit gekregen. 'Kom morgenochtend terug,' zegt hij, 'dan laat ik de advocaat komen om de brief op te stellen.'

Dan komt Mama gisteravond aanrennen om Ben de dokter te

laten halen, maar de kap'tein is al dood voordat ze terugkomen.

Ik heb geen tijd om te huilen, alleen tijd om me af te vragen wat er nu gaat gebeuren. Mama heeft gelijk. Nu wordt Marshall de meneer. Ik en Jamie moeten hier weg. Ik weet niet waar ik naartoe ga, ik weet alleen dat ik weg moet voordat Marshall terugkomt.

Terwijl iedereen in het grote huis druk bezig is met de voorbereidingen voor de kap'tein te begraven, pak ik het beste mes van mijn keukenhuis, wikkel het goed in, en ga dan alles wat ik kan dragen bij elkaar binden. Vanavond neem ik Jamie mee en loop ik weg. Eerst wil ik Lavinia nog meenemen, maar ik weet dat ze niet zonder Sukey gaat.

Ik wacht tot er niemand in de buurt is, en ren dan naar beneden voor mijn bundel achter het koelhuis te verstoppen. Ik zie niet dat Ben me volgt. Wanneer hij de hoek om komt, laat hij me zo schrikken dat ik hem begin te slaan. Hij houdt me tegen, maar dat maakt dat ik hem nog harder sla.

'Niet doen, schat, niet slaan,' zegt hij, en ik zeg: 'Ik ben jouw schat niet,' maar hij zegt: 'Belle, jij altijd mijn schat, dat weet je toch? Ik zorg voor je als voor mijn eigen vrouw.'

Dan word ik woest! Mijn mond is niet te houden. 'Jij voor mij zorgen!' zeg ik. 'Wanneer dan? Die keer dat Rankin en zijn mannen me door de keuken gooiden? Of zorgde je voor me toen Rankin me vasthield en Marshall op me lag? Of... nee... nee! Natuurlijk! Elke nacht dat je op jouw Lucy lag, zorgde je voor me!'

Ben laat me los. Hij kijkt me aan en zijn grote ogen vertellen me dat de woorden die ik gebruik hem door de ziel snijden. Hij stapt naar achteren en gebaart dat ik niks meer moet zeggen. 'Jij gelijk,' zegt hij, 'jij gelijk.' Als hij begint te huilen, gaat alle woede uit me weg.

'O, Benny,' zeg ik, 'het zijn maar woorden. Er is niks van waar.'

Maar hij blijft zijn hoofd schudden en zegt steeds: 'Nee. Nee. Jij gelijk, Belle. Ik help jou niet. Ik help jou nooit.'

Ik ga naar Ben toe, pak mijn rok, en droog het water dat uit zijn ogen komt, maar hij kan niet stoppen met huilen. 'Het spijt me, Benny,' zeg ik, 'het spijt me dat ik dat allemaal zeg.' Ik raak zijn mond met mijn vinger aan. 'Sst,' zeg ik. 'Sst.' Hij kreunt diep en

27

.

Lavinia

DE KAPITEIN WERD BEGRAVEN VOORDAT MEVROUW MARTHA'S
zus en haar man uit Williamsburg aankwamen. Gezien mevrouw
Martha's toestand besloot de dokter op eigen gezag tot een snelle
en simpele begrafenis. Er arriveerden maar een paar rijtuigen uit
andere buitenplaatsen, maar van onze plantage was iedereen aanwezig. Dat wil zeggen iedereen behalve mevrouw Martha en Marshall, die om mij onbekende redenen in Williamsburg bleef.

Na de aankomst van meneer en mevrouw Madden volgde er een
drukke week. Wanneer mevrouw Sarah de kamer van haar zus binnenging, trof ze me daar vaak aan terwijl ik mevrouw Martha verzorgde. Ik herinnerde me haar van haar bezoek met Kerstmis, en
mijn eerste indruk van haar bleef nagenoeg hetzelfde. Het verbaasde me nog steeds hoe anders ze was dan haar zus. Hoewel ze
onder deze omstandigheden ernstig was, behield ze haar levendige, snelle blik. Ze had een rond gezicht en een even rond lichaam,
maar ik ontdekte algauw dat er achter haar zachte verschijning een
kordate dame schuilging.

Toen ze de touwtjes in handen nam, liet ze er geen twijfel over
bestaan dat ze prima in staat was een huishouden te leiden. De eerste dagen observeerde ze ons zwijgend terwijl we bezig waren met
mevrouw Martha's dagelijkse verzorging. Maar op een dag richtte
ze zich tot mij. 'Marshall heeft me verteld hoe goed je voor zijn
moeder bent. Nu zie ik met eigen ogen hoezeer ze op je steunt.'

'Ze vindt het fijn als ik haar voorlees,' zei ik.

'En wie heeft jou leren lezen?' vroeg ze.

Mijn intuïtie zei me dat ik Belle erbuiten moest laten. 'Mevrouw Martha,' zei ik, 'voordat ze ziek werd.'

'En wil je doorgaan met leren?' vroeg ze vriendelijk.

'Ja, graag,' zei ik argeloos.

Later die week vroeg ze of ik haar kon helpen haar zusters kleren uit te zoeken. Ik gaf aan welke jurken en schoenen mevrouw Martha het liefst droeg, waarbij ik wees op de schoenen die knelden. Op een of andere manier had ik niet door dat we voor een aankomend vertrek aan het pakken waren.

Meneer Madden, een advocaat, was de executeur-testamentair van zijn zwager. Papa George en Will Stephens spraken geregeld met meneer Madden, en uiteindelijk werd iedereen van het grote huis op vrijdag in de bibliotheek ontboden. Meneer Madden nam het woord. Meneer Marshall had de plantage en alles wat daarbij hoorde geërfd. Toch was het de uitdrukkelijke wens van de kapitein dat meneer Madden zeggenschap bleef houden tot Marshalls tweeëntwintigste verjaardag. Die, zo informeerde hij ons, was over vijf jaar. Tot die tijd zou meneer Marshall in Williamsburg naar school blijven gaan, waar hij van plan was om aan het College of William and Mary rechten te gaan studeren. Het huidige personeel zou het huis en de plantage onderhouden tot Marshall terugkwam. De leiding kwam in handen van Will Stephens, die nu hoofd plantage was.

Vervolgens nam mevrouw Sarah het woord, en ze vertelde ons dat mevrouw Martha met hen naar Williamsburg zou terugkeren. Daar zou ze in een bekend ziekenhuis worden opgenomen, waar patiënten met aandoeningen zoals die van mevrouw Martha vaak met succes werden behandeld. Mevrouw Sarah was ervan overtuigd dat ze haar zuster konden helpen. Tevens zou het mevrouw Martha goed doen dat ze in Williamsburg in de buurt van haar zoon zou zijn.

Mijn verbazing maakte al snel plaats voor angst toen ik aan het eind van de vergadering werd verzocht te blijven. Ik keek nerveus om naar Mama en Belle toen ze weggingen. Belle keek alsof ze ieder moment kon gaan huilen, maar Mama knikte me geruststellend toe.

Meneer Madden, die net zo rond als zijn vrouw was, zat aan het bureau en tuurde door zijn bril naar de papieren die voor hem lagen. Toen de kamer leeg was, kuchte mevrouw Sarah om de aandacht van haar echtgenoot te trekken. Hij keek op. 'O,' zei hij, alsof hij verbaasd was me te zien. 'Dus jij bent Lavinia? Ik heb eens naar je papieren gekeken. Blijkbaar ga je met ons mee.'

Ik moet geschokt hebben gekeken, want mevrouw Sarah pakte mijn hand en zette me in een fauteuil. Op dat moment begreep ik het verband tussen de woorden van meneer Madden en het gesprek dat ik een paar avonden daarvoor had opgevangen. Die avond was ik wakker geworden van Belles stem beneden in de keuken. Ik keek even of alles goed was met baby James, maar hij lag rustig te slapen in de stevige wieg die papa George voor hem had gemaakt. Sukey lag naast me te slapen, en ik boog me over haar heen om haar bolle gezichtje te kussen terwijl ik opstond. Nog voordat ik bij de onderste traptrede was, zag ik dat de keukendeur openstond. Ik weet niet waarom, maar ik bleef staan toen ik Mama's stem hoorde. Het was eind mei en nog warm buiten; ik stelde me voor hoe fijn het voor haar en Belle moest zijn om van de avondlucht te kunnen genieten.

'Maar stel dat ze niet wil gaan?' zei Belle.

'Dit een goeie kans voor haar,' zei Mama.

Vervolgens hoorde ik Wills stem. 'Het is een prachtige kans, Belle. Het zijn goede mensen en ze zal een behoorlijke opvoeding krijgen.'

Bij het horen van Wills stem rende ik in een vlaag van woede terug de trap op. Ik dacht nog steeds dat Will de vader van baby James was, en ik kon mijn jaloezie bijna niet bedwingen. Maar nu hoorde ik ze voor het eerst 's avonds samen, en ik was zo des duivels dat ik alle belangstelling voor hun gesprek verloor.

Nu, in de bibliotheek met de Maddens, begreep ik dat ze over mij hadden gesproken.

'Lavinia.' Mevrouw Sarah pakte het document aan van haar man. 'Je bent al dertien, en gezien het feit dat je nog maar een paar jaar in dienst van dit huishouden zult zijn, hebben we besloten je mee te nemen.'

Ik knikte, hoewel ik weinig van mijn contractarbeiderschap wist. Er was nooit iets specifieks voor mij vastgelegd, en eerlijk gezegd was het nooit bij me opgekomen om meer duidelijkheid te vragen.

'Ik heb gezien hoe je met mevrouw Martha omgaat en ik zie dat ze veel om je geeft.'

Ik knikte opnieuw, verlamd van angst.

'We willen dat je met ons meegaat naar Williamsburg. Als mevrouw Martha weer beter is, zul je haar dienen. Tot die tijd zul je bij ons wonen. We hebben besloten,' zei ze, en ze keek even om naar haar man voor bevestiging, 'dat je les kunt krijgen van de privéleraar die we voor onze dochter hebben aangesteld.'

Ik zei niets.

'We zijn bereid je in ons huis op te nemen en je alle mogelijkheden te bieden voor een goede toekomst.'

Door het geraas in mijn oren hoorde ik niets meer, en uiteindelijk stuurde mevrouw Sarah me naar boven om mijn taken te hervatten.

Daar wachtte Beattie op me en uit de manier waarop ze naar me keek maakte ik op dat ze al wist van mijn aanstaande vertrek. Het gevoel dat ze me hadden verraden was zo intens dat ik de rest van de dag weigerde tegen haar of wie dan ook te praten. Ik nam me voor om iedereen te mijden tot ik weg moest.

De volgende dag werd mijn woede nog eens aangewakkerd toen Mama me bijna de hele ochtend en daarna tot laat in de middag bij mevrouw Martha liet zitten. Fanny zorgde ervoor dat het meneer Madden en mevrouw Sarah aan niets ontbrak, terwijl Beattie en Mama vreemd genoeg niet in het grote huis waren. Oom Jacob kwam naar me toe terwijl mevrouw Martha sliep, maar ik weigerde met hem te praten. 'Allah met jou zijn,' zei hij nadat ik zijn troostende hand van mijn schouder had geschud. Toen hij weg was, schopte ik in de lucht, zo kwaad was ik op hem en zijn Allah.

Toen mevrouw Martha een vroeg avondmaal op had, kwam mevrouw Sarah naar me toe en gaf me een kleine leren koffer, die ik in het keukenhuis met mijn bezittingen moest vullen.

Ik wist dat er weinig te pakken viel, en toen ik haar zei dat ik niet zo'n grote koffer nodig had, glimlachte ze en zei dat ik hem toch maar mee moest nemen.

Er was niemand in het keukenhuis. Belle had mijn gebruikelijke avondeten niet klaargezet, wat al bijna te veel was om te verdragen. Op dat moment geloofde ik dat ze me al vergeten was. Eenzamer dan ooit ging ik naar boven om te pakken en liet de koffer achter me aan de trap op bonken.

Daar zag ik tot mijn grote verbazing dat er twee van mevrouw Martha's jurken op Belles bed waren gelegd. Toen ik dichterbij kwam om ze beter te kunnen bekijken, sprongen Fanny en Beattie op. 'Wij help Mama die voor jou klaar te maak!' riepen ze. Ze renden samen op me af en kleedden me uit, en ze stonden erop dat ik de nieuwe jurken paste. Terwijl ze daarmee bezig waren, vertelden ze me dat mevrouw Sarah twee van mevrouw Martha's dagjurken aan Mama had gegeven om ze voor mij te vermaken. Fanny, die bijna dezelfde maat had als ik, was voor me ingevallen zodat ze me konden verrassen. Ik stapte in het lichtblauwe katoen, en Fanny maakte de knoopjes aan de voorkant dicht, terwijl Beattie een opgevouwen blauw lint uit haar zak haalde. Ze haalde mijn vlechten uit en borstelde mijn lange haar los, trok toen een paar strengen naar achteren en bond ze samen met het lint. Ze pakten mijn handen en giechelend weigerden ze me te vertellen waarom ze me naar de hutten brachten.

Er brandde een groot vuur. Op geïmproviseerde tafels stond eten klaar voor een groot feestmaal. Er werd geklapt toen ik en de meisjes aankwamen, en op dat moment begreep ik dat het feest voor mij was georganiseerd. Belle kwam me als eerste een knuffel geven, daarna Mama en Papa, gevolgd door Ben en Lucy. Ten slotte kwam Ida, samen met alle volwassenen en kinderen met wie ik naar de kerk was gegaan, naar me toe om me het beste te wensen. Ik keek om me heen, verbaasd dat er zoveel mensen waren die om me gaven. Hoe zou ik ooit zonder ze kunnen?

Toen alles was opgeschept, durfde ik niet te eten uit angst dat ik mijn nieuwe jurk vies zou maken. Ida begreep wat me parten speelde, ging naar haar hut en kwam terug met een schone doek die ze voorzichtig over mijn schoot drapeerde voor ze me mijn kom teruggaf. Haar bezorgdheid ontroerde me, en ik verlangde ernaar dat ze me vasthield en me zou zeggen dat er een vergissing gemaakt was en dat ik niet weg hoefde te gaan. De hele avond moest ik mijn tranen wegslikken. Toen de muziek begon, vroeg Papa mij voor de openingsdans. Terwijl we ronddraaiden, zag ik overal lachende gezichten en ik kon niet geloven dat ik iedereen de volgende morgen zou verlaten. Toen kwam Will me ten dans vragen. Zijn dikke, steile haar viel naar voren toen hij knikte, en hij duwde het naar achteren voordat hij mijn hand pakte. Beattie giechelde en Fanny porde me in de rug toen ik opstond om met hem te dansen. Tijdens het dansen durfde ik hem niet in de ogen te kijken, maar hij begon me te plagen en het duurde niet lang of ik speelde het spel lachend mee. Toen de dans was afgelopen, bracht Will me terug naar Belle en de tweeling. 'Vergeet niet, Lavinia,' zei hij, 'dat je hebt gezegd dat je mijn meisje wordt. Ik zal op je wachten.'

Ik keerde me van hem af, boos dat hij me zo voor gek durfde te zetten waar Belle bij stond. Gelukkig zei Mama toen dat het tijd was om te gaan.

Mijn familie bleek nog een verrassing voor me in petto te hebben; ze kwamen allemaal naar het keukenhuis en ieder van hen gaf me een cadeau. Van Ben kreeg ik een kleine, gesmede onderzetter in de vorm van een vogel. Mama had een mand gevlochten, met daarin Beatties bijdrage: drie slagpennen van een wilde kalkoen, die gekookt waren, ontdaan van hun membraan en geslepen, klaar om mee te schrijven. Er zaten ook een paar zwarte walnoten bij, en Belle legde uit hoe ik ze moest inkoken voor de inkt. Fanny gaf me een buideltje waarin twee munten zaten.

'Fanny krijg die van de kap'tein,' zei Beattie, trots op haar zus.

Belle schonk me haar geliefde zilveren handspiegel, en toen ik hem terug wilde geven, stond ze erop dat ik hem aannam en vroeg me aan haar te denken wanneer ik hem gebruikte. Papa drukte me een door hem zelf uitgesneden houten kuikentje in handen. 'Je weet wat dit beteken,' zei hij, en met een brok in mijn keel herinnerde ik me het gesprek van lang geleden toen hij me had gezegd dat hij mijn papa wilde zijn.

Oom Jacob gaf me een fluitje. Het was een miniatuur, gemaakt van een kleine riethalm, en toen hij me erop liet blazen, kwam er een hoge, grillige toon uit. 'Dat voor mij te roepen,' zei hij. 'Als je een probleem heb, dan pak je dat en blaas erop. Ik luister goed voor dat geluid.'

Ik weet niet of het door de hoge toon van de fluit kwam of door zijn ontroerende woorden, maar ik kon mijn tranen niet meer bedwingen en leunde tegen Belle aan toen ik begon te huilen. Ze sloeg haar armen om me heen terwijl Papa me met onschuldige plagerijtjes probeerde op te vrolijken. Iedereen moest lachen toen hij me zei dat ik het fluitje maar beter niet te vaak kon gebruiken, want oom Jacob kon niet al te best paardrijden. Papa schetste het beeld van oom Jacob die zich op weg naar Williamsburg wanhopig vast moet klampen aan zijn paard en roept dat hij me komt redden.

Het werkte. Ik lachte door mijn tranen heen toen iedereen naar bed ging.

Belle hielp me mijn koffer te pakken. Alles paste erin, behalve mijn verzameling vogelnestjes, dus stelde Belle voor dat ik er maar twee meenam en dat zij de rest veilig zou bewaren. Ik accepteerde haar voorstel met tegenzin, maar ik had weinig keus, want mijn koffer was vol toen Ben hem de volgende ochtend naar het grote huis droeg en hem op het rijtuig bond.

Iedereen kwam ons uitzwaaien. Op het laatste moment besloot mevrouw Martha dat ze niet weg wilde. Na een paar vergeefse pogingen om haar met zachte hand over te halen, gaf meneer Madden Ben opdracht om haar op te tillen en in het rijtuig te zetten.

Ik stapte als laatste in. De paarden stonden te trappelen om te vertrekken en ik was Ben dankbaar toen hij me het trapje van het rijtuig op hielp. Hij kneep stevig in mijn hand, maar ik durfde hem niet aan te kijken. Toen het portier dichtging, zag ik Sukey van het keukenhuis de heuvel op rennen. Ik had 's ochtends vroeg met haar gepraat en haar uitgelegd dat ik een tijdje wegging. Ze had goed naar me geluisterd en leek onaangedaan toen ze de dag begon met haar gebruikelijke bezigheden. Ze moest in alle opwinding door iedereen vergeten zijn, en nu kwam ze aangelopen met haar zware winterschoenen en haar sierpop in de hand. 'Wacht, Binny, ik met jou mee,' riep ze, 'ik met jou mee!' Voordat ze bij het rijtuig was, tilde papa George haar met een zwaai de lucht in.

We waren vertrokken, maar ik keek tegen beter weten in uit het raam terwijl het rijtuig wegreed. Sukey was in paniek, en Papa kon haar met moeite vasthouden terwijl ze schopte en sloeg om zich los te wurmen.

In het rijtuig sprak mevrouw Martha met haar gekrijs namens mij.

28

Belle

IK MIS LAVINIA HEEL ERG. NU ZE WEG IS, MERK IK HOE VRESELIJK ik het vind om alleen te zijn. De nachten zijn het ergst. Hoewel Marshall nog steeds in Williamsburg is en Will Stephens zegt dat Rankin al lang weg is, heb ik toch een grendel op mijn deur laten zetten en slaap ik met een mes naast me. Als een van hen hier komt, is hij er deze keer echt geweest.

Overdag heb ik geen tijd om hier te lang aan te denken. Ook al is iedereen uit het grote huis weg, ik heb mijn handen vol aan de moestuinen en Jamie en Sukey.

Ik vraag me af hoe het met Lavinia gaat zonder haar Sukey. 's Nachts huilde Sukey steeds en hield ze mij en Jamie wakker, tot Mama haar eindelijk weghaalde en bij Beattie legde. Dat helpt wel iets, maar nu wil ze niet eten. Het is alsof die kleine meid twee mama's kwijt is, zegt Mama. Eerst Dory, nu Lavinia.

Eerlijk gezegd, toen Mama Sukey kwam halen, werd het makkelijker voor Ben om bij me te komen. Hij kan niet wegblijven, en dat wil ik ook niet. Maar eerst ga ik bij Ida iets halen voor geen baby te krijgen. Het werkt niet bij iedereen, bij haar werkte het nooit, zei ze, maar tot nu toe werkt het goed bij mij. Mijn Jamie is mijn alles, maar ik wil niks geen baby's meer. Als de dag komt dat ik weg moet lopen, dan is dat ene kind voor mij en Ben genoeg voor te dragen.

Dan heb je Lucy nog. Ik mag haar niet. De gedachte alleen al dat ze daar met Ben woont, maakt me gek, maar Ben wil niet dat ze van ons weet. Als ze ontdekt dat we bij elkaar komen dan zal het haar pijn doen, en ze heeft al genoeg pijn gehad in dit leven, zegt Ben.

We willen ook niet dat Mama en Papa over ons weten. Maar ik ken Mama. Ze komt er snel genoeg achter, en pas dan maar op! Gisteravond moesten we lachen want ik zeg tegen Ben dat er iets niet klopt als we met vierentwintig jaar nog steeds moeten oppassen voor Mama.

29

Lavinia

IN 1797 WAS WILLIAMSBURG NIET LANGER DE HOOFDSTAD, MAAR nog wel befaamd om drie overgebleven instituten. Het eerste, het middelpunt van de stad waar iedereen samenkwam, was de rechtbank. Het was een imposant stenen gebouw, centraal gelegen, dat leek te fungeren als een anker voor de hoofdstraat, de Duke of Gloucester Street. Als jurist kende meneer Madden deze werkplek als geen ander.

Het tweede, ook centraal gelegen, was het College of William and Mary. Sinds de oprichting in 1693 had het een uitstekende reputatie opgebouwd als school voor hoger onderwijs, met name op het gebied van rechten. Aan dit instituut zou Marshall verder studeren.

Het derde, dat uiteindelijk het belangrijkst voor mij zou worden, was het openbare ziekenhuis. Dit mooie gebouw was ook van steen. Het lag echter aan de rand van de stad en was beter bekend als het Hospital for the Insane, het gesticht dat dateerde uit 1773. De reputatie van het ziekenhuis was groeiende, en hier werd mevrouw Martha opgenomen. Het ziekenhuis accepteerde alleen patiënten die gevaarlijk of te genezen waren. Mij is nooit verteld bij welke van de twee categorieën mevrouw Martha werd ingedeeld.

De Maddens hadden een fijn huis. Het was grillig van vorm, had overnaadse planken en lag op loopafstand van de rechtbank, en hoewel het zeker indrukwekkend groot was, had het niet de enorme afmetingen van het huis dat ik had achtergelaten. Het huis had veel kamers, maar de plafonds waren laag, en de kamers waren compacter, intiemer dan die van Tall Oaks. Veel ramen hadden vensterbanken met kussens, en op andere brede raamkozijnen bloeiden kamerplanten, die vaak heerlijk geurden. Hoewel er een bibliotheek was, lagen er ook in andere kamers her en der boeken, wat mijn vermoeden bevestigde dat lezen in dit huishouden iets heel gewoons was. Het interieur was niet zo extravagant als dat van Tall Oaks, maar voor een buitenstaander was het duidelijk dat er een welgestelde familie woonde. In eerste instantie schrokken de warme, levendige kleuren van de kamers me af, maar algauw wende ik aan de opmerkelijke inrichting.

Tot mijn grote verbazing kreeg ik mijn eigen kleine slaapkamer boven. Later hoorde ik dat ik juist daar werd geplaatst omdat de kamer verbonden was met de grotere slaapkamer ernaast, die bedoeld was voor mevrouw Martha als ze uit het ziekenhuis kwam. Desalniettemin was ik stomverbaasd dat ik in het grote huis mocht wonen en dat mijn kamer zo mooi ingericht was. Het felle groen van mijn kamer contrasteerde aangenaam met een witte sprei op het ledikant. Een cirkelvormig gevlochten tapijt bedekte grotendeels de grenen vloer, en aan de rand stond een klein eiken bureau voor een spitsraam.

Ik keek uit op de brede, drukke straat beneden, met zijn hoge iepen en acacia's, waarachter ik andere, vergelijkbare huizen zag liggen. Sommige zagen er een beetje vervallen uit, maar bijna allemaal waren ze omgeven door weelderige tuinen vol met bloemen, kruiden en struiken.

Mijn gastouders hadden maar één kind: hun dochter Meg, op wie ze erg dol waren. Toen ik in Williamsburg aankwam, begroette ze me enthousiast. Ze was twaalf, een jaar jonger dan ik, en hoewel we allebei gegroeid waren sinds onze eerste ontmoeting vier jaar geleden, was ze nu beduidend kleiner dan ik. Het was een slank meisje, dat manker liep dan ik me kon herinneren, maar ze had nog steeds dezelfde bos kroezig, bruin haar, en ik moet bekennen dat ze me op het eerste gezicht een zonderling figuur leek. Ze droeg een ronde bril, maar als ze naar je luisterde, zette ze hem af en keek je recht aan, met grote bruine ogen die je gezicht niet loslieten, bijna alsof ze probeerde uit te vinden waar je gedachten vandaan kwamen.

Die eerste paar weken was ik zo van streek door de abrupte verandering van omgeving, dat ik me afvraag of ik het zonder Meg gered had. Ik vond het vooral heel moeilijk om me neer te leggen bij een leven binnen de grenzen van een stad. De constante bedrijvigheid bracht me van mijn stuk, en ik werd nerveus van het plotselinge gegil van buurtkinderen of het onverwachte geratel van een passerend rijtuig. Overdag, met zoveel mensen om me heen, ervoer ik het leven in de stad als beklemmend, en verlangde ik naar de open velden en bospaden die ik had achtergelaten.

Maar in Megs slaapkamer vond ik troost. Achter de deur lag een wereld vol vogels en plantkunde, de natuurlijke wereld waarvan ik dacht dat ik hem kwijt was. Ik was dolblij dat zij ook vogelnestjes verzamelde, die ze tussen allerlei stenen en bladeren over de vensterbanken verspreid had. Een van de muren hing vol met ingelijste varenvarianten, een andere met prenten van vogels. Ze vertelde dat het allemaal inheemse soorten uit de regio waren.

Terwijl ik de prenten van dichtbij bekeek, schrok ik van een krassende stem die uit de hoek van de kamer kwam. 'Hallo!' Ik draaide me om.

'Sinsin,' zei Meg, en ze liep naar een grote rieten kooi, 'wel lief doen, hè.' Ze opende de deur van de kooi en stak haar hand uit. Een grote zwarte vogel stapte naar buiten, hupte op haar schouder en wreef kirrend zijn snavel tegen haar oor.

'Dit,' zei Meg trots, 'is Sin.'

'Sin?'

'Ja, ik noem hem Sin, Zonde. Moeder heeft hem zijn naam gegeven. Ze is niet zo dol op hem. "Zwart als de zonde," zei ze de dag dat ik hem kreeg.'

'Komt hij ook naar mij toe?'

Meg straalde. 'Natuurlijk.' De vogel kwam gewillig naar me toe en giechelde tegen me terwijl hij mijn haar met zijn snavel doorzocht.

'Wat eet hij?'

'Muizen, kikkers, pinda's, fruit...'

'Wat is het voor een vogel?' Ik streelde zijn iriserende, zwarte veren.

'Hij behoort tot het geslacht Corvus. Een zwarte kraai.' Ze klonk formeel, als een schooljuf. 'Ik heb hem gevonden toen hij nog heel klein was en hij liet een diepe indruk op me achter. Hij is heel slim, en ik heb hem leren praten.' Terwijl ze hem zijn kunstjes liet vertonen, keek ik de kamer rond.

Op haar bureau was een kleine plant met wortels en al overeind gezet, en op een opengeslagen tekenblok zag ik het begin van een schets. Toen ze zag dat ik geïnteresseerd was, haalde Meg nog een geliefd voorwerp tevoorschijn: een langwerpig, ovaal blikje dat lichtblauw geverfd was. Ze legde uit dat ze er plant- en diersoorten in verzamelde. Er zat een leren band aan vast, die ze over haar schouder gooide om te demonstreren hoe ze het deksel met een hand kon openen. Op het handbeschilderde deksel stonden prachtig uitgewerkte witte en roze veldbloemen, hoewel een deel van de afbeelding door het gebruik was weggesleten. Het was een botaniseertrommel, zei ze, en ze rolde haar tong rond het woord alsof het een snoepje was.

Ik keek vol ontzag naar de afgeladen boekenplank. Ze had alle boeken van haar vader gekregen, zei ze, om haar te helpen bij haar studie. Toen Sin naar een zitstok boven het bureau was gefladderd, ging ik in een kleine fauteuil zitten om bij te komen en keek gefascineerd om me heen. Meg was dolblij dat ik in haar wereld geïnteresseerd was, en binnen een paar dagen waren we dikke maatjes.

Er was voor mij besloten dat ik om te beginnen alleen lessen in lezen en schrijven met Meg zou volgen. Ik kreeg een aantal huishoudelijke taken, die mevrouw Sarah mij onder begeleiding van haar zwarte bediende, Nancy, liet uitvoeren. Zonder de familie die ik had moeten achterlaten voelde ik me vreselijk eenzaam, dus probeerde ik vriendschap te sluiten met Nancy en haar dochter Bess.

Nancy woonde samen met haar man en Bess in een klein huisje achter de keuken op het landgoed van de Maddens. De twee vrouwen kookten en hielden samen het huis schoon onder leiding van mevrouw Sarah, en Nancy's man onderhield het terrein en de omvangrijke tuinen.

Bij de uitvoering van mijn taken zocht ik toenadering tot Nancy en haar dochter, maar ze kenden me niet en hielden afstand. Op een middag had ik tijd over en besloot ik het ijs te gaan breken, dus ging ik naar de keuken en vroeg of ik ze kon helpen met koken. Ze keken me aan zonder een spier te vertrekken. Nee, zeiden ze, alles was in orde. Ze hadden mijn hulp niet nodig.

Later die dag kwam mevrouw Sarah naar me toe en vroeg me de bedienden niet meer lastig te vallen. Ze waren erg op zichzelf, zei ze, en ze wilden tijdens het werk niemand erbij hebben. Naïef als ik was, bracht hun afwijzing me in verwarring, maar ik probeerde ze niet meer voor me te winnen.

Aanvankelijk vond ik mevrouw Sarah bazig, maar na verloop van tijd besefte ik dat ze het goed met me voorhad. Ze nam haar huishouden serieus, en hoewel haar gezin haar eerste prioriteit was, waren haar sociale verplichtingen ook van groot belang. Sinds haar jeugd had ze een plaats in de samenleving gehad die luxe en privileges met zich meebracht. Haar moeder had de nadruk gelegd op status en de bijbehorende verplichtingen, en mevrouw Sarah was vastbesloten haar plicht te vervullen. Ik hoorde haar vaak verklaren dat ze zich verplicht voelde om de minderbedeelden te helpen en het liet geen twijfel dat mijn welzijn onder dat levensmotto viel.

Voor mevrouw Sarah waren uiterlijk en decorum uiterst belangrijk, hoewel ze zelf gezet was en haar smaak qua kleding niet bepaald flatteus was te noemen. Ze had een zwak voor zoetigheid, met als gevolg dat haar felgekleurde jurken vaak krapper zaten dan de naaister bedoeld had. Net als Meg had mevrouw Sarah de vreemde gewoonte om wie aan het woord was aan te staren, maar wat ze niet met haar dochter gemeen had, was dat mevrouw Sarah de woorden van de spreker met haar lippen vormde alsof ze ze zo beter kon verwerken.

Meneer Madden was vaak weg, maar als hij niet aan het werk was, tuinierde hij graag. Hij gaf Meg altijd haar zin, dus was het aan mevrouw Sarah om haar dochter een besef van grenzen bij te brengen. Tijdens het diner was ik voor het eerst getuige van de sterke band tussen vader en dochter. Ze hadden allebei een passie voor plantkunde, maar terwijl meneer Madden zich voornamelijk op zijn tuin richtte, probeerde Meg juist te ontdekken wat zich buiten hun aangeplante achtertuin bevond.

Ik stond er versteld van dat het blijkbaar meneer Madden was die meestal voor Sins levende aas zorgde. Tot ongenoegen van mevrouw Sarah was het een onderwerp dat vaak tijdens het eten besproken werd. Op sommige dagen vergat ik zelfs te eten, zo geïntrigeerd luisterde ik naar het ongebruikelijke tafelgesprek. Na verloop van tijd probeerde meneer Madden me bij het gesprek te betrekken, maar ik was zo vreselijk verlegen dat ik bijna niet in staat was om te antwoorden. Het heeft volgens mij bijna een jaar geduurd voordat ik hem aan kon kijken en antwoord op zijn vragen kon geven.

Ook was ik stomverbaasd toen ik de eerste dag hoorde dat ik met de familie zou dineren; nooit eerder had ik aan een formele tafel zoals die van hen gezeten. Mevrouw Sarah begreep dat ik hulp nodig had en stortte zich op de taak om mij erdoorheen te loodsen. Ik wilde me dolgraag bewijzen en richtte me onmiddellijk naar haar voorbeeld.

In de weken daarna stond Meg erop dat haar moeder me van mijn huishoudelijke verplichtingen ontsloeg zodat ik alle lessen met haar kon volgen. Onze privélerares, mevrouw Ames, was een weduwe op leeftijd die weliswaar over voldoende verstand beschikte, maar vaak werd afgeleid en graag roddelde. Behalve op zaterdag en zondag hadden we elke ochtend les in lezen en schoonschrijven. Twee middagen van de week waren gereserveerd voor kunst en muziek en om de dag kregen we dansles. De rest van de tijd konden we vrij besteden aan uitstapjes. Aanvankelijk wilde ik graag naar de winkels in het centrum, om met eigen ogen te kunnen zien waar ik over had gehoord. Maar Meg had geen interesse, dus in onze vrije tijd assisteerde ik Meg bij het verzamelen van nieuwe plantsoorten voor botanisch onderzoek, of hielp ik haar bij de ontwikkeling van nieuwe methodes om vers voedsel voor Sin te vangen.

De maanden gingen voorbij en steeds ontdekte ik weer andere aspecten van een nieuwe, prettige wereld. Maar ook al was ik de meeste dagen opgewekt, onderhuids speelde altijd ergens de gedachte aan een onzekere toekomst. Ik kreeg meer dan eens te horen dat de opvoeding in dit huis mijn kansen zou vergroten, maar er werd mij nooit verteld wat voor kansen dat waren. Uit angst stelde ik verder geen vragen. Ik was niet ondankbaar voor de gelukkige omstandigheden waarin ik mij bevond, maar al die tijd in Williamsburg nam mijn diepe verlangen om terug naar huis te gaan niet af. In het begin overwoog ik, toen ik een brief aan Belle schreef, haar te verzoeken mij ervan te verzekeren dat ik op een dag terug zou keren. Maar bij nader inzien wist ik dat het nutteloos was om haar te vragen te bemiddelen en besloot ik het niet te doen. Door die beslissing voelde ik me echter eenzamer dan ooit.

Ik zag op tegen bedtijd, want dan werd ik overmand door heimwee. 's Avonds voelde mijn prachtige slaapkamer leeg en eenzaam aan. In het donker smachtte ik naar de geur of aanraking van Sukey en miste ik de keukengeluiden van de late avond of de stemmen van Belle of Mama. Voordat ik in slaap viel, kon ik de herinneringen niet tegenhouden. Steeds opnieuw zag ik voor me hoe Sukey naar het rijtuig rende, en als de pijn te groot werd, pakte ik de dekens van mijn bed en schikte ze zo op de grond dat ze op mijn strozak leken. Dan trok ik Mama's mand onder het bed vandaan. Ik haalde alle kostbaarheden er stuk voor stuk uit en gaf me vervolgens machteloos over aan het verdriet dat me overspoelde. Wanneer ik eindelijk in slaap viel, droomde ik vaak dat ik op een schip was. Dan schrok ik uit angst voor de volgende golf met een bonkend hart wakker, de golf die alles wat vertrouwd was zou wegspoelen.

Overdag was het makkelijker, aangezien ik constant werd afgeleid. Ik was in alle lessen geïnteresseerd, maar ik had het meeste plezier in dansles. Die werd gegeven door meneer Degat, en hij werd daarbij op de viool begeleid door zijn oude vriend meneer Alessi. Ze deelden een huis, maar konden elkaar niet uitstaan, en ze corrigeerden maar al te graag elkaars werk. Het gebeurde regelmatig dat onze les gestaakt werd omdat een van beiden de deur uit stormde, en de andere helft van het team in zijn eentje moest doorgaan. Gezien hun onderlinge afhankelijkheid was de eenmanspoging meestal geen succes.

Na een van die episodes bracht Meg tijdens het avondeten verslag uit over het meest recente drama. De mannen waren allebei aan het begin van de les al gespannen. Toen Meg en meneer Degat een misstap maakten, stopte meneer Alessi met spelen en beweerde dat als meneer Degat een stap naar links in plaats van naar rechts had gezet, alles naar behoren zou zijn verlopen. Meneer Degat meende dat als het vioolspel consequenter was geweest, hij niet zo afgeleid zou zijn geweest. Meneer Alessi verklaarde dat er aan zijn vioolspel niets mankeerde en misschien kon meneer Degat zijn excuses aanbieden voor die betichting. Meneer Degat verzekerde hem dat hij dat niet zou doen, waarop meneer Alessi zijn instrument neerlegde en de kamer verliet voor 'wat frisse lucht'. Laaiend van woede liep meneer Degat op de viool af, pakte de strijkstok en brak hem over zijn knie in tweeën. Vervolgens legde hij de stok netjes terug naast de viool. Gekalmeerd kwam hij weer naar ons toe, wierp een nerveuze blik op de deur en klapte in zijn handen. De les ging door, liet hij ons weten. Hij zou de begeleiding voor onze dans neuriën. En dat deed hij, nadat hij mij aan Meg gekoppeld had. We waren nog maar net begonnen met dansen toen meneer Alessi binnenwandelde. Er klonk een schreeuw van woede toen hij zijn gebroken strijkstok ontdekte. Hij liep de deur uit en verkondigde dat meneer Degat een verachtelijk en verdorven man was. Als reactie daarop neuriede meneer Degat nog wat harder en gebaarde ons verder te gaan. Meneer Alessi was nog geen halfuur weg toen meneer Degat een van zijn slopende hoofdpijnen kreeg en de les voortijdig moest afbreken.

Aan het eind van het verhaal vroeg meneer Madden, die zich niet in dat soort zaken mengde, aan mevrouw Sarah of ze wellicht wilde overwegen een andere violist in dienst te nemen. Mevrouw Sarah reageerde verbaasd. Ze vormden een team, zei ze. En besefte hij dan niet dat meneer Degat veruit de beste leraar was in de uiterst moeilijke menuet? En trouwens, zei ze, die twee legden het altijd weer bij. Ik keek naar Meg en zag dat ze net zo opgelucht was als ik toen meneer Madden geen verdere tegenwerpingen had. We beleefden allebei plezier aan de dansles zoals hij was.

Op zaterdagochtend kregen we les in Latijn, en ik ontdekte tot mijn verbazing dat die door niemand minder dan Marshall gegeven werd. Voor hem was het een vrije dag van zijn eigen school, en op basis van een speciale regeling die hij met zijn oom Madden had getroffen, gaf hij les aan Meg in de taal die hij daar studeerde. Hoewel ik weinig interesse in het vak had, leed ik aan heimwee en keek ik ernaar uit Marshall te zien. Bij onze eerste ontmoeting groette hij me vriendelijk en leek hij niet verbaasd over mijn nieuwe plaats in dit huishouden. Ik had hem het jaar daarvoor, toen hij thuis was om zijn vader te bezoeken, weinig gezien, maar ik herinnerde me wel de aandacht die hij me had gegeven. En nu, alleen maar door hem te zien, voelde ik een weldadige verbondenheid met de familie die ik had achtergelaten.

Op zaterdag, na de les, bleef Marshall meestal voor het middageten. Meneer Madden en mevrouw Sarah waren oprecht geïnteresseerd in Marshall en gaven om hem, en doordat ik soortgelijke behoeftes had, begreep ik dat hun aandacht en goedkeuring hem goeddeden.

Marshall was een knappe jongeman; iedereen zei het. Zijn blonde haar was wat donkerder geworden, en als er iets in zijn gezicht opviel, dan was het naar mijn mening wel zijn krachtige kaaklijn en zijn sterke kin met het kuiltje. Hij had volle lippen, rechte witte tanden, en ogen die blauwer dan blauw waren. Hij zag er altijd verzorgd uit, was ruim een meter tachtig lang, had brede schouders en een perfecte lichaamsbouw.

Marshall was een goede leraar, en hoewel hij naar eigen zeggen geen enorme passie voor plantkunde had, gaf het hem blijkbaar voldoening om Meg te helpen met de ontcijfering van de Latijnse terminologie, die in haar ogen zoveel geheimen van de natuur bevatte. Zo kwam het dat ik, gezien het plezier dat ik met Meg aan plantkunde beleefde en de prettige bijkomstigheid van Marshall als leraar, ging uitkijken naar de zaterdagles.

Na een vreselijke aanval van heimwee bedacht ik op een avond een plan. Ik besloot dat mevrouw Martha beter moest worden en ik dan met haar terug naar huis zou gaan als haar gezelschapsdame. Vanaf dat moment werkte ik aan mijn plan om bij haar op bezoek te gaan.

Toen ik die eerste maanden toestemming vroeg om mevrouw Martha te bezoeken, liet mevrouw Sarah duidelijk blijken dat ze het absoluut geen plaats voor iemand van mijn leeftijd vond. Het viel me op dat mevrouw Sarah elke maand minder vaak op bezoek ging, tot ik haar, toen ze laat op een donderdagmiddag thuiskwam, hoorde praten met meneer Madden. Ik bleef ongegeneerd bij de deur van bibliotheek staan luisteren.

'Het is gewoonweg te verschrikkelijk voor woorden! Ik heb hem overgehaald om te komen en dan moet juist dit nu gebeuren!' zei ze.

'Hij is haar zoon,' antwoordde meneer Madden. 'Je had gelijk. Het werd tijd dat hij op bezoek ging.'

'Maar je weet niet...' Ze begon te snikken.

'Toe, zeg het maar, lieverd.'

'Ik weet niet of ik het kan vertellen,' zei ze.

'Het moet. Vertel me maar precies wat er gebeurd is.'

Eenmaal begonnen ratelde mevrouw Sarah het verhaal af. 'Ik zei: "Marshall, het is je moeder. Je bent haar enige hoop. Als ze jou ziet, zal ze zeker reageren." Hij wilde niet mee. We waren nog niet eens bij het ziekenhuis of hij trok al wit weg. In de wachtkamer moest hij gaan zitten, maar ik dacht dat hij voor een doorbraak kon zorgen en moest hem bijkans dwingen om toch naar haar toe te gaan. Toen ze haar cel openmaakten om ons binnen te laten, lag ze te slapen, en ik vermoed dat de bewaker om die reden niet bleef. Marshall ging op een kruk in de hoek zitten, en onmiddellijk, aan de overkant, stak een andere... beklagenswaardige vrouw... haar arm door de tralies en schreeuwde naar hem om hulp. Toen ik zag hoe het hem aangreep, hoe bang hij was, kreeg ik medelijden met hem, en ik wilde net voorstellen om weg te gaan, maar op dat moment werd Martha wakker. Ze bleef rustig tot ze Marshall zag. Voordat we überhaupt konden vermoeden wat ze ging doen, stond ze op van haar strozak en stortte zich op hem. Toen hij zich probeerde te bevrijden, greep ze zijn gezicht en kuste hem op zo'n manier dat... ze moet gedacht hebben dat hij haar man was. Toen ze hem... God sta me bij... begon aan te raken, was hij zo verbluft dat hij zichzelf niet kon beschermen. Pas toen ik de bewakers erbij had geroepen, was hij in staat zichzelf te bevrijden.' Snikkend bedwong mevrouw Sarah haar tranen.

'Ach, mijn lieve schat,' zei meneer Madden.

'Maar dat was nog niet alles,' mompelde ze, en ik boog me dichter naar de deur om het beter te kunnen horen.

'Hoezo? Zeg het nu maar, dan hoeven we er nooit meer over te praten.'

'Voordat we weggingen, voordat we de deur uit konden lopen, tilde ze haar rok op en... urineerde.' Zijn vrouw barstte in snikken uit, en ik stelde me voor dat meneer Madden haar tegen zich aanhield en haar troostte. Toen ze weer rustig was, vroeg hij opnieuw naar Marshall.

'In het rijtuig wilde hij niet tegen me praten. Toen ik zijn bevende hand pakte, trok hij zich los. Ik probeerde mijn excuses aan te bieden, maar hij wilde me niet aankijken. Hoe heb ik hem zo vreselijk in de steek kunnen laten?'

'Je hebt hem niet in de steek gelaten, lieverd. Het was volkomen terecht dat je hem meenam. Natuurlijk veronderstelde je dat zijn aanwezigheid zou kunnen helpen.'

'Maar ik had het kunnen weten. Herinner je je nog het kerstdiner... toen hij te veel gedronken had... hoe hij beweerde dat Martha hem haatte, dat ze hem de schuld gaf van Sally's dood? En weet je nog hoe boos hij werd toen hij over haar extreme laudanumgebruik in zijn jeugd praatte?'

'Maar is laudanum nu geen onderdeel van haar behandeling?' vroeg meneer Madden.

'Nee, ze zijn ermee gestopt.' Het bleef even stil. 'Zoals het er nu naar uitziet, denk ik niet dat ze haar ooit zullen ontslaan. Ze hebben alles al geprobeerd. Ze tappen elke week bloed af, ze purgeren haar, ze hebben intimidatie geprobeerd en daarna de dwangstoel. Ze hebben haar keer op keer in koude baden gezet, maar niets, helemaal niets werkt.'

'Lieverd,' zei meneer Madden, 'waarom blijf je op bezoek gaan? Dat heeft toch helemaal geen nut?'

'Ik kan haar niet aan haar lot overlaten,' zei mevrouw Sarah. 'Ze is mijn verantwoordelijkheid. Ze is dag en nacht alleen in die verschrikkelijke cel. Ze slaapt op een strozak, zelfs zonder de waardigheid van een bed. Ze geven haar geen bestek. Ze moet als een beest met haar handen eten!'

'Weet ze dat jij het bent als je haar bezoekt?' vroeg meneer Madden.

'Soms zijn er momenten, nadat ze wat lichaamsbeweging in de tuin heeft gehad – ze noemen het de gekkentuin – waarop ze iets van herkenning lijkt te vertonen. Maar dan smeekt ze weer om de baby, of om onze zus Isabelle. Ik vind dat ik eerlijk moet zijn, maar het doet haar zo'n verdriet als ik haar vertel dat ze allebei dood zijn.'

Ik kon het niet meer aanhoren en was nu de dupe van mijn eigen gebrek aan fatsoen, dus rende ik naar mijn kamer met informatie die mijn toch al slapeloze nachten nog verder zou verstoren.

De zaterdag na het bezoek aan zijn moeder kwam Marshall niet om ons Latijnse les te geven en verscheen hij ook niet bij het middageten. Op aandringen van mevrouw Sarah ging meneer Madden hem zoeken. De zoektocht eindigde laat op de avond toen hij Marshall dronken in een herberg even buiten de stad aantrof. Meg sliep al, en ik zat met mevrouw Sarah in de salon toen meneer Madden terugkwam met zijn neef. Marshall was zo onder invloed dat we hem met zijn drieën naar een slaapkamer moesten brengen.

Toen we hem op het bed zetten, zagen mevrouw Sarah en ik dat zijn rechterhand zwaar gekneusd was en open lag. We maakten hem samen schoon, en hoewel onze behandeling hem pijn moet hebben gedaan, kon hij alleen maar onsamenhangend gemompel produceren. Toen hij begon te kokhalzen, legden we hem op zijn zij, maar aan zijn kleren te zien had zijn maag alles behalve het bloederige gal dat hij nu uitspuugde al opgegeven. Toen hij sliep, gingen we allemaal naar bed, maar later die nacht werden we gewekt door geschreeuw uit Marshalls kamer. Tegen de tijd dat de

Maddens bij hem waren, ging Marshall met veel kabaal in zijn kamer tekeer.

Meg en ik stonden in de hal, en we troostten elkaar tot mevrouw Sarah eraan kwam en ons terug naar onze kamers stuurde. De nacht verliep onrustig. Ik kon niet slapen, dus kleedde ik me bij zonsopgang aan en ging naar mevrouw Sarah om te vragen of ik haar ergens mee kon helpen. Ze had rode ogen van vermoeidheid. 'Misschien kun je even bij hem gaan zitten, dan kan ik een uurtje slapen,' zei ze. 'Meneer Madden gaat zo weg. Hij moet... de gevolgen... gaan afhandelen.'

Ik ging in een fauteuil naast het bed zitten en drukte mevrouw Sarah op het hart dat ik haar zou roepen als ik haar nodig had. Toen ze weg was, keek ik verlegen naar de slapende Marshall. Daar waar zijn toestand me die nacht nog bang had gemaakt, zag hij er nu bleek en kwetsbaar uit. Het deed me denken aan zijn ergste dagen als kind, aan zijn gekwelde gezicht na de dood van Sally, aan zijn verslagenheid en onmacht toen ik hem in het privaat aantrof, en mijn hart ging voor hem open. Wat leek hij op zijn moeder, dacht ik, en ik zonk pijlsnel weg in verdrietig verlangen naar iedereen op Tall Oaks. Ik kon mijn tranen niet bedwingen en droogde net mijn ogen toen ik besefte dat Marshall wakker was en naar me keek.

'Niet huilen,' zei hij, en hij stak zijn verbonden hand uit naar de mijne. Ik keek met afgrijzen naar zijn gezwollen, paarse vingers.

Toen hij mijn reactie zag, verplaatste hij zijn aandacht naar zijn hand en duwde zich omhoog om de staat ervan beter te kunnen beoordelen. Door die beweging moest hij weer kokhalzen, dus hield ik de bak vast en troostte hem zoals Mama dat gedaan zou hebben. Zijn gezicht was klam van de inspanning, en toen hij in de kussens terugzakte, legde ik een natte doek op zijn voorhoofd. Zijn blauwe ogen vingen mijn blik, en toen hij probeerde te glimlachen, ging er een golf van warmte door me heen die ik alleen bij Sukey en Campbell had gevoeld. Ik wilde hem troosten, hem als een kind in mijn armen houden, maar ik wist dat dat ongepast was en beheerste mezelf. In verwarring gebracht door mijn gevoelens was ik blij dat ik de kamer uit kon toen mevrouw Sarah me kwam aflossen.

Ik zag Marshall pas de volgende dag weer. Hij was nog te ziek om te kunnen eten en kon alleen slokjes water binnenhouden. Mevrouw Sarah week niet van zijn zijde, maar ze kwam uiteindelijk toch naar beneden om met haar gezin te ontbijten.

'Hij zegt dat hij alleen maar trek heeft in Mama's soep,' vertelde mevrouw Sarah aan tafel.

'Ik geloof niet dat verwennerij hem zal helpen,' zei meneer Madden, die nog een wafel nam. 'Wellicht zal een paar dagen zonder eten hem een lesje leren.'

'Hij moet eten!' Ik zei het met zoveel overtuiging dat iedereen aan tafel me aankeek, en ik voelde dat ik rood aanliep. 'Het spijt me.'

Meneer Madden richtte zijn aandacht op zijn eten en mevrouw Sarah zei: 'Natuurlijk zal Marshall te eten krijgen, lieverd.'

Zonder iets te zeggen propte ik de rest van mijn ontbijt naar binnen en vroeg toen of ik van tafel mocht. Terwijl ik de trap op liep, hoorde ik meneer Madden opmerken: 'Trouw meiske. Dat kun je haar niet kwalijk nemen.'

Ik wachtte tot ik mevrouw Sarah later die dag alleen aantrof alvorens haar te vertellen dat ik wist hoe ik mama Mae's soep kon maken. Mocht ik de soep misschien voor Marshall maken? vroeg ik, en ze gaf me toestemming.

Nancy en Bess ontvingen me niet met open armen in hun keuken, maar ze hinderden me ook niet bij mijn werk. Ze keken toe hoe ik een kip ving en slachtte, en daarna de peterselie, uien en tijm fijnhakte. Ik liet de soep precies zo pruttelen als mama Mae me had geleerd en tegen de avond was hij klaar. Mevrouw Sarah kwam net Marshalls kamer uit toen ik een kleine kop met dampende bouillon naar boven bracht. Ze maakte zich zichtbaar zorgen om hem.

'Ik weet het niet,' zei ze, en ze keek naar de kop die ik droeg. 'Ik denk dat hij zelfs dat niet kan verdragen.'

'Mag ik het proberen?' vroeg ik.

'Ga je gang. Weet je zeker dat ik iets kan gaan eten?' vroeg ze, en ik verzekerde haar van wel.

In het licht van de lamp zag ik dat Marshall amper vooruit was gegaan; hij keek me lusteloos aan terwijl ik op de rand van zijn bed ging zitten. 'Ik heb soep voor je gemaakt,' zei ik.

Hij keek me aan. 'Ik wil niet eten, Lavinia.'

'Dit is bouillon. Ik heb hem gemaakt zoals mama Mae het me heeft geleerd,' zei ik, en ik legde een servet op zijn borst. Toen ik hem een lepel soep voorhield, schudde hij zijn hoofd, maar ik bleef aandringen tot hij zijn mond opende en de warme vloeistof doorslikte. 'Goed zo,' zei ik. Ik wachtte even voordat ik hem meer gaf. Marshall bleef me aankijken. Mijn enige doel was dat hij de drank binnenhield, dus haastte ik me niet, en tussen de lepels door keek ik, zonder aandacht te schenken aan zijn blik, naar de flikkerende schaduwen in de donker wordende kamer.

'Het is lekker,' zei hij.

'Weet ik,' zei ik. 'Ik heb er in de keuken wat van geproefd.'

Hij liet een lachje horen.

'Voel je je al wat beter?' vroeg ik.

'Nog niet, maar wel als ik dit binnen kan houden.' Hij ademde diep in. 'Ik hoorde dat je voor me bent opgekomen?'

'Wat bedoel je?'

'Bij het ontbijt.'

'Ik zei alleen dat je moest eten.'

'Is oom Madden boos op me?'

'Ik denk het wel.' Ik wachtte even.

Hij draaide zijn hoofd naar de muur. 'Nou, dat is niet voor het eerst.'

'Wat bedoel je?'

'Hij is tot mijn tweeëntwintigste verantwoordelijk voor me, en hij probeert me constant onder de duim te houden. "Grenzen trekken en normen bepalen," noemt hij dat.'

Daar had ik geen antwoord op en ik liet de lepel in de lege kop rusten. Ik stond op.

'Kun je hier blijven?' vroeg hij.

'Wil je dat ik je voorlees? Ik kan de lamp hoger draaien.'

'Nee. Kom gewoon hier zitten. Praat tegen me.'

Ik vroeg me af hoe ik hem moest vermaken, maar ik was nog niet gaan zitten of zijn ogen vielen al dicht, en even later sliep hij.

's Nachts gaf mevrouw Sarah hem nog een kop bouillon, en de volgende ochtend vroeg hij om meer.

Terwijl Marshall de dagen daarop langzaam herstelde, hielp ik mevrouw Sarah met de verzorging van onze patiënt. Meg wilde daar niets mee te maken hebben, maar ze wierp wel een kritische blik op de wond toen we het verband verwisselden. Ze verklaarde dat de wond niet ontstoken was, en zei toen dat haar moeder en ik door konden gaan met ons werk. Mevrouw Sarah sloeg haar ogen ten hemel en schudde haar hoofd toen Meg de kamer verliet. Even later kwam ze weer terug met Sinsin op haar schouder en had ze speelkaarten bij zich. Die middag en de middagen daarna speelden we een aantal geanimeerde potjes Loo.

Al met al duurde het een week voordat Marshall weer wegging. In de tussentijd had meneer Madden geregeld dat Marshall in de kost zou gaan bij een van de professoren van het College of William and Mary. De professor en zijn vrouw hielden de touwtjes strak in handen en er was een avondklok die streng gehandhaafd werd. Bij het ontslag van onze patiënt liet meneer Madden hem zweren dat hij uit de buurt van alcohol zou blijven en in de toekomst alleen nog wijn bij het avondeten zou drinken.

Nu ik op de hoogte was van mevrouw Martha's trieste omstandigheden en wist dat ze om mij, om Isabelle had gevraagd, voelde ik me verplicht om naar haar toe te gaan. Ik raakte ervan overtuigd dat ze weer beter zou worden als ze mij zag. Een aantal weken na Marshalls ziekbed stelde ik aan Meg voor om onze botanische excursies in de richting van het openbare ziekenhuis te laten voeren. Iedereen kende het. Het ziekenhuis, beter bekend als het gesticht, was het enige gebouw op een stuk grond van bijna twee hectare in een betrekkelijk onontgonnen deel van Williamsburg. Het lag op loopafstand, en zonder blikken of blozen gebruikte ik de ongetemde bossen erachter als lokkertje voor Meg om nieuwe plantsoorten te ontdekken. Hoewel we uitzonderlijk vrij werden gelaten, wist ik dat dit verboden terrein was, aangezien van ons verwacht werd dat we onze botanische excursies beperkten tot het stadspark en de tuinen van buren. Zoals ik al gehoopt had, liet Meg zich geen beperkingen opleggen en zag ze de excursie als een avontuur.

Volgens mij was ons eerste bezoek tegen het einde van oktober, mijn eerste jaar in Williamsburg, want ik kan me herinneren dat Meg en ik opmerkingen maakten over het rood en geel van de herfstbladeren. We bleven aan de rand van het bos dat het ziekenhuis van beschutting voorzag, en terwijl Meg planten verzamelde, vond ik een plek waar ik tussen de hoge planken van de muur rond de gekkentuin door kon kijken. Af en toe klonk er een gil of kreet vanuit deze buitenruimte waar de patiënten hun lichaamsbeweging kregen, en hoewel ik bang was, wilde ik graag zien wat er gebeurde.

Het was een frisse dag, maar de zon baande zich een weg tot binnen de omheining. Mijn nerveuze blik viel op een frêle figuur op een bank tegenover mijn geïmproviseerde raampje. Ik zag hoe ze een zware deken van haar smalle schouders duwde. Eerst herkende ik haar niet, maar toen ze de grijze deken afschudde, hield ze haar hoofd op een manier die me bekend voorkwam. Ik zag geen bewakers en riep haar. 'Mevrouw Martha.' Mijn stem begaf het, maar ik riep nog een keer. 'Mevrouw Martha.'

Ze hoorde me en keek op als een geschrokken vogeltje. Ik trok mijn zakdoek uit mijn zak en zwaaide ermee door de gebroken latten, en riep nog eens. Ze zag de witte flits van mijn doek, en toen ze opstond, viel haar deken op de grond. Ze liep naar me toe als een slaapwandelaar, die traag de ene voet voor de andere laat glijden.

Ik zag dat ze verzorgd werd, hoewel haar eenvoudige kleren van ruwe, bruine stof met een paar steken in elkaar gezet waren. Haar prachtig glanzende rode krullen waren kortgeknipt en niet vastgezet met spelden of kammetjes, waardoor ze als klonten uit haar hoofd staken. Haar diepliggende ogen werden geaccentueerd door donkerblauwe kringen, en aan beide kanten van haar voorhoofd vertoonde haar bleke huid nijdige rode cirkels. Later hoorde ik dat de dokter haar daar met hete, droge kopjes behandelde in een poging de waanzin aan haar hersenen te onttrekken.

Bang om wat ik begonnen was, keek ik toe hoe ze langzaam naderde maar gaf niet toe aan de verleiding om weg te rennen. Toen ze naar buiten keek, kruiste haar vurige blik de mijne. Ik kon amper ademhalen. 'Mevrouw Martha,' zei ik, 'ik ben het, Isabelle.'

Ze greep het hek met een hand vast om haar evenwicht te bewaren, sloot langzaam haar ogen en deed ze weer open. Toen ze haar hand naar buiten stak, raakten haar vingers even mijn gezicht aan. 'Isabelle?' fluisterde ze.

'Ja.'

Ze trok haar breekbare hand terug, stak hem toen weer naar buiten en legde de palm van haar hand zachtjes in mijn nek. Ik wist niets uit te brengen tot ik mezelf spontaan een favoriete passage uit Sukeys verhaaltje voor het slapengaan hoorde opzeggen. Toen ik eindigde met 'en verklaart dat ze in haar eigen koets zal rijden,' begon mevrouw Martha's hand te beven. 'Baby?' vroeg ze.

'Baby is thuis,' zei ik. 'Ze wacht op u.'

Mevrouw Martha keek me even aan, en doorbrak de stilte toen met schril gekrijs, wat een aanstekelijk effect op de anderen had. Ik zette het op een rennen, eerst richting Meg en toen naar huis.

Hoe overstuur mijn bezoek aan mevrouw Martha me ook had gemaakt, ik bleef er, naïef als ik was, toch in geloven dat ze beter zou worden.

Wanneer ik de moed maar bij elkaar kon rapen ging ik in mijn eentje terug naar de gekkentuin, maar ik zag mevrouw Martha pas weer toen de lente aanbrak. Ik riep haar opnieuw, maar deze keer reageerde ze niet.

Geschokt ging ik naar mevrouw Sarah toe, en vroeg haar, zonder opgaaf van reden, toestemming om naar het ziekenhuis te gaan. Mijn verzoek maakte haar echter zo van streek dat ik niet verder aandrong. Toch bleef ik mevrouw Martha in de loop der jaren wanneer ik maar kon in de tuin observeren.

30

Belle

DE EERSTE KEER DAT IK EEN BRIEF VAN LAVINIA KRIJG, WEET IK
dat ze het daar moeilijk heeft. Niet door wat ze zegt, maar door wat
ze niet zegt. Ze vraagt niet naar Sukey, naar Mama, naar de tweeling. In Lavinia's brief staat dat ze een privéleraar heeft en dat ze in
het grote huis woont. Ik kan zien dat haar lessen goed gaan, want
Lavinia schrijft al zo goed als de kap'tein. Eerst denk ik, ik schrijf
niet terug. Ik ben bang dat mijn handschrift niet zo mooi is als dat
van haar, maar Mama zegt: 'Schrijf haar, het enigste wat haar kan
schelen, is dat wij mis haar allemaal.' Dus ik pak mijn woordenboek en schrijf Lavinia. Ik zeg dat Jamie echt de beste baby is en dat
hij groeit als kool. Ik vertel haar niet dat hij er precies zo uitziet als
de blanke jongen en dat ik me zorgen maak voor de waas over zijn
ene oog.

Ik doe Lavinia de groeten van de tweeling en Mama, maar ik zeg
niet dat Mama nu een moeilijke tijd doormaakt, omdat ze zelf net
weer een kind verliest. Op haar leeftijd is ze te oud voor er een te
dragen, zegt ze, en ik denk dat ze gelijk heeft. Volgens mij moet ze
al tegen de vijftig lopen.

Ik vertel Lavinia dat alles hier heel goed gaat – dat Will Stephens
puik werk levert. Ida zegt dat iedereen bij de hutten blij is. Maar we
weten allemaal dat het niet zo blijft als Marshall terugkomt.

Tuurlijk vertel ik Lavinia niet dat Ben en ik bij elkaar komen
wanneer we maar kunnen. En ik vertel haar zeker niet over de keer
dat mama Mae me boos aankeek en zei: 'Weet jij dat Lucy weer een
baby in haar buik heb?'

'Nee. Weet je dat zeker?' vraag ik.

'Als je haar zie, dan jij ook zeker,' zegt Mama.

De volgende keer dat ik Ben zie, duw ik hem weg. 'Al die tijd dat je met mij gaat, duik je nog steeds op Lucy?' vraag ik.

'Belle,' zegt hij, 'je weet je ben die ware voor mij. Maar Lucy ook met mij. Je weet dit.'

'Stuur haar maar terug naar de hutten waar ze thuishoort!' zeg ik.

Maar dan wordt Ben boos. 'Die meid weet van jou, maar ze zeg niks geen woord. Ze heb het al zwaar, ze werk op dat veld. En ze ben een goeie mama voor me zoon. Ik stuur haar niet terug als een stukkie vuil. Ze blijf, punt uit.' Hij wil weglopen.

Ik ben nog steeds boos over Lucy's baby, maar ik weet dat ik Benny moet nemen zoals hij is. 'Kom hier,' zeg ik. Dan kus ik hem goed en zorg ik dat hij me wil als een man die omkomt van de honger.

31

Lavinia

TOEN MEG EN IK WAT OUDER WERDEN, GEBRUIKTE MEVROUW
Sarah onze hechte band om ons de sociale vaardigheden bij te
brengen die van jongedames in Williamsburg verwacht werden.
Mevrouw Sarah rekende op mijn invloed op Meg, die vaak tegen
deze lessen protesteerde, omdat ze ten koste gingen van haar geliefde vogel- en natuurstudie. Ik wist daarentegen dat het in mijn
eigen belang was om mevrouw Sarah tevreden te stellen, dus lette
ik goed op. Dit waren omgangsvormen, zei ze, en ze was er heel
stellig in dat ze niet in onze opvoeding mochten ontbreken. Aanvankelijk bestond mevrouw Sarahs onderricht uit alledaagse dingen als het maken van een reverence of het op gepaste wijze binnengaan en verlaten van een kamer. Geleidelijk aan werden de
lessen echter geraffineerder en moesten we bijvoorbeeld gastvrouw spelen bij een diner.

Hoewel theedrinken nog niet zo'n ritueel was als in latere jaren,
verliep het serveren van thee in een vaste volgorde, en volgens mevrouw Sarah was het een belangrijke sociale vaardigheid die elke
jongedame moest beheersen. Meg vond het hele onderwerp maar
saai, maar mij intrigeerde het gebeuren oprecht en ik moedigde
haar aan mee te doen. Aangezien thee erg duur was, had mevrouw
Sarah haar eigen rozenhouten theedoosje, waarin het kostbare artikel achter slot en grendel werd bewaard. Haar prachtige rood-
wit porseleinen theeservies, dat geïmporteerd was uit China, bestond uit kopjes zonder oren en een lage, plompe theepot die in

niets leek op een hoge koffiepot. Voor de theeceremonie gaf mevrouw Sarah ons precieze aanwijzingen bij alle benodigdheden. Ik was erop gespitst deze taak onder de knie te krijgen, dus wendde mevrouw Sarah mijn enthousiasme aan als voorbeeld: 'Je moet voorzichtiger zijn, Meg. Kijk goed naar Lavinia, let op hoe ze inschenkt.'

Tot wanhoop gedreven door Megs gebrek aan belangstelling ging mevrouw Sarah over op een andere aanpak. Ze greep mijn vijftiende verjaardag als oefensituatie aan, en speelde in op Megs genegenheid voor haar neef door Marshall te laten weten dat Meg op zaterdagmiddag ter ere van mij een theevisite organiseerde. Kon hij aanwezig zijn, en wilde hij mannelijk gezelschap meebrengen?

Meg was van begin af aan prikkelbaar. Na nog geen vijftien minuten had de jongeman die Marshall vergezelde het al verbruid toen hij hooghartig zijn afkeuring liet blijken van vrouwen die Latijn studeerden. Meg antwoordde meteen dat onvolwassen mannen met een uitgesproken mening in haar ogen werkelijk heel saai waren. Er viel een lange stilte waarin mevrouw Sarah Meg strak aankeek. Ik herinnerde me mijn taak en probeerde tevergeefs een geschikt onderwerp te bedenken om onze sprakeloze gasten bezig te houden. Het moment daarop (en ik geloof dat het echt per ongeluk ging) morste Meg bij het aanreiken van een vol kopje wat van de hete vloeistof in de schoot van haar gast.

Het debacle was compleet toen de jongeman een onvriendelijke opmerking maakte en onmiddellijk zijn vertrek aankondigde, waarop Meg in tranen de kamer uit rende. Rood aangelopen nam mevrouw Sarah niet eens de tijd om haar excuses aan te bieden en liep de kamer uit om Meg de les te lezen. Meneer Madden was nog niet thuis van zijn werk en was er dus geen getuige van dat Marshall en ik samen om het fiasco lachten.

Als enig overgebleven gastvrouw besloot ik dat er maar een ding op zat: ik schonk de rest van de thee in en bood Marshall het laatste cakeje aan. Toen het gesprek even stilviel, dacht ik weer aan mijn plicht en vroeg ik mijn gast wat over zichzelf te vertellen. Ik luisterde een hele poos naar Marshall, die maar doorpraatte, en glimlachte inwendig bij de gedachte dat mevrouw Sarah volledig gelijk had gehad toen ze zei dat geen man het kan weerstaan het over zichzelf te hebben. Aan het eind van zijn relaas zei Marshall dat hij, ook al had hij plezier in zijn rechtenstudie, de dagen aftelde.

'Waarom?' vroeg ik.

Mijn vraag leek hem te verbazen. 'Omdat ik naar huis wil.'

'Uiteraard,' zei ik. Ik was zo van slag door zijn verklaring dat ik geen andere vragen meer kon bedenken. Ik keek naar mijn handen en streek nerveus de geborduurde roze bies op de mouw van mijn nieuwe verjaardagsjurk glad.

'En jij?' vroeg hij. 'Wat wil jij in de toekomst?'

Toen ik opkeek, observeerden zijn blauwe ogen me zo aandachtig en was zijn glimlach zo oprecht, dat ik snel weer mijn ogen neersloeg, en ditmaal mijn rok rechttrok. 'Dat weet ik niet precies,' zei ik.

Ik werd gered door de klok in de hal die het uur sloeg. Ik merkte snel op dat het al laat was. Zoals het een heer betaamt, begreep Marshall mijn hint, dus stond hij op en kondigde aan dat het tijd was om te gaan. Terwijl hij zich klaarmaakte om te vertrekken, vroeg hij of Meg nog meer sociale gelegenheden op het programma had staan.

'Geen idee,' zei ik.

'Welnu,' zei hij heel serieus, 'kun je me dan, voordat ik mijn aanwezigheid bevestig, laten weten of de gelegenheid het e vloeistof impliceert?'

We lachten opnieuw. Voordat hij wegging, pakte Marshall mijn hand, maakte een formele buiging en zei met twinkelende ogen dat hij erg van mijn gezelschap had genoten.

'En ik van het jouwe,' antwoordde ik en ik maakte een reverence.

Toen hij weg was bleef ik lang zitten piekeren over mijn verwarde toestand. Sinds Marshalls ongelukkige aanvaring met drank had hij zich voortreffelijk gedragen. Iets in die gebeurtenis leek hem te hebben bevrijd, en hij deed opnieuw zijn uiterste best om de Maddens tevreden te stellen. Marshall intrigeerde me. Hij was ouder en, in mijn ogen, een man van de wereld. Hoewel hij zich altijd gereserveerd opstelde bij anderen, liet hij een heel andere Marshall zien als hij alleen met Meg en mij was. Hij behandelde me als zijn gelijke. En toch – ook al zei niemand daar iets over – vroeg ik me af of ik niet nog steeds als de bediende van zijn familie werd beschouwd.

Ik zette die gedachte van me af toen meneer Madden verscheen. Hij ging zitten en vroeg me hoe de middag verlopen was. Voordat ik kon antwoorden, kwam Meg met roodomrande ogen op een krukje tegen haar vaders knie aan zitten. Ze pakte zijn hand en smeekte hem een goed woordje voor haar bij mevrouw Sarah te doen. Ze kon dit niet haar hele leven verdragen! klaagde ze. Megs woorden hingen nog in de lucht toen mevrouw Sarah binnenkwam, en ik besloot dat het tijd was om naar mijn kamer te gaan.

Meg bleef zich verzetten tegen haar moeders lessen. Wat had het allemaal voor zin? vroeg ze zich af.

Ze joeg haar moeder opnieuw de stuipen op het lijf toen ze verkondigde dat ze niet wilde trouwen en ook niet van plan was om deel te nemen aan het sociale leven, aangezien dat alleen maar ten koste ging van haar studie. Ik voelde zowel mevrouw Sarah als Meg goed aan, waardoor ik in staat was te bemiddelen. Meg hield wel van een grapje, dus zolang ik de lessen luchtig benaderde, deed Meg haar best om zich de basis eigen te maken. En wanneer mevrouw Sarah Megs voortdurende tegenwerking beu was, probeerde ik de aandacht op mezelf te vestigen. Ik stelde vragen en voerde trots uit wat ik geleerd had. Mijn bijdrage ontging mevrouw Sarah niet en ze prees me vaak om mijn goede invloed. Haar aandacht voor mij stoorde Meg totaal niet. Integendeel, Meg liet blijken dat ze me dankbaar was.

Natuurlijk waren er dagen waarop ook ik mijn buik vol had van mevrouw Sarahs kritische blik, maar ik riep mezelf dan snel tot de orde door mezelf eraan te herinneren hoeveel geluk ik had dat me deze kans geboden werd. Ik maakte me steeds meer zorgen om mijn toekomst. Er werd nooit over gesproken, maar ik wist dat mijn tijd hier beperkt was. Mevrouw Sarah had laten doorschemeren dat ik ooit een keer zou trouwen, maar waar ik een echtgenoot moest vinden, geen idee. We ontmoetten weinig mensen, aangezien Meg het gros van de uitnodigingen afsloeg, en hoe ouder ze werd, hoe overtuigder ze haar standpunt verdedigde.

Ik wist niet waar ik met mijn bezorgdheid heen kon. Ik communiceerde niet regelmatig meer met Belle; tot mijn grote verdriet besefte ik dat ik niet naar Tall Oaks terug zou keren. Ik ging nog slechts sporadisch naar mevrouw Martha toe, en dan zag ik dat haar toestand alleen maar leek te verslechteren, waardoor ik betwijfelde of ze ooit weer naar huis zou gaan.

Toen ik vijftien was, begon ik er serieus over na te denken om mijn broer te gaan zoeken. Ik had er altijd van gedroomd hem te vinden.

Afgezien van mijn verlangen om met hem herenigd te worden, nam ik aan dat hij nu de leeftijd had waarop hij wellicht in de positie verkeerde om mij te helpen. Gezien het geluk dat ik met de Maddens had en hun buitengewone vrijgevigheid zag ik ertegen op ze om hulp te vragen. Ik wilde niet dat ze zouden denken dat ik ondankbaar was, of dat ik bij ze weg wilde. Dus zei ik niets over Cardigan totdat zich een onverwachte kans voordeed.

Op zondagochtend gingen we altijd naar de kerk en bleven daarna nog even napraten, waarbij uitnodigingen voor het middageten werden uitgewisseld. Meneer Madden gaf de voorkeur aan vaste vrienden, dus kwamen meneer Boran en zijn jonge dochter op zondagmiddag sinds kort steevast mee-eten. Meneer B., zoals Meg hem noemde, was een zakenpartner van haar vader. Het jaar daarvoor had de arme man zijn vrouw verloren – de moeder van zijn zesjarige dochter – ten gevolge van complicaties bij de bevalling van haar dode kindje. De laatste maanden had mevrouw Sarah zich tot taak gesteld een tweede vrouw voor meneer B. te vinden. Tot nu toe was het mevrouw Sarah niet gelukt, omdat ze snel door al haar mogelijke kandidaten heen was. Dat verbaasde me niets.

Om te beginnen besteedde meneer B. bijzonder weinig aandacht aan zijn uiterlijk, ook al had hij qua postuur schrikbarend veel gemeen met meneer Madden. Meneer B. was ongeveer even oud, zo rond de vijfenveertig, net zo klein, rond en kalend, en hij droeg ook een bril. Maar daar hield de gelijkenis dan ook op. Meneer Madden ging goed gekleed, zag er verzorgd en netjes uit en was het sociale equivalent van zijn vrouw. Hij was zich onder alle omstandigheden bewust van de vereiste etiquette, en hoewel hij liever op zichzelf was, vervulde meneer Madden indien nodig keurig zijn plicht.

Daarentegen zag meneer B. er slordig en onverzorgd uit. Zijn grootste tekortkoming was een verlegenheid die zo diep ging dat hij niet kon converseren zonder te stotteren en over zijn woorden te struikelen. Zijn pogingen tot conversatie waren pijnlijk om te zien en ik schoot hem vaak te hulp. Blijkbaar was hij me daar dankbaar voor, en na het derde of vierde zondagse middagmaal kwam hij naar me toe om daar blijk van te geven.

Overigens was ik enorm gecharmeerd van meneer B.'s beeldige dochter. Ze was ongeveer even oud als ik toen ik wees werd, en om die reden voelde ik me met haar verwant. Ze had goede manieren en een bijzonder karakter, en na het zondagse middagmaal bracht ik vaak tijd met haar door op de canapé. Daar deden we spelletjes terwijl ze me bestookte met vragen over mijn jeugd.

Het sneeuwde op de wintermiddag dat meneer B. me benaderde. Molly en ik deden een spelletje domino en terwijl ik op haar volgende zet wachtte, keek ik op. Met name die dag hing er een intieme sfeer in de kamer, mede dankzij het knapperende haardvuur. Toen ik de kamer rondkeek, zag ik meneer Boran op me af komen. Hij voelde zich zichtbaar ongemakkelijk, dus verzocht ik hem meteen te gaan zitten. Zijn handicap gaf me moed, want normaal gesproken had ik me bij een heer van zijn leeftijd zeker geïntimideerd gevoeld. Mevrouw Sarah, die altijd op mijn manieren lette, gaf me een goedkeurend knikje, maar toen de man ging zitten, wierp Meg me een verwijtende blik toe. Ik glimlachte vluchtig naar haar alvorens mijn aandacht op meneer Boran te richten. Hij ging er goed voor zitten en haakte in op het gesprek dat Molly en ik voerden. Hij wilde blijkbaar net zo graag als zijn dochter meer over mijn verleden weten. Molly had hem al verteld dat ik een wees was, zei hij. Had ik geen andere familie? Alleen een broer, maar ik wist niet waar hij was, zei ik. Hoezo? wilden vader en dochter tegelijk weten.

Toen ik naar de Maddens keek, zag ik dat ze in gesprek waren en dat Meg verdiept was in een boek, dus besloot ik mijn verhaal te vertellen. Aan het eind verraste meneer B. me na een korte stilte door te suggereren dat hij me misschien kon helpen mijn broer te vinden. Ik aarzelde heel even, maar hij begreep waarom en verzekerde me dat hij eerst toestemming aan de Maddens zou vragen. Ik was hem eeuwig dankbaar en zei hem dat meteen. De man bloosde terwijl Molly mijn hand pakte en haar hoofd tegen mijn schouder liet rusten.

Na het avondeten ging Meg vroeg naar haar kamer en wilden de Maddens dat ik bij hen bleef zitten. Ze deelden me mee dat meneer B. hun toestemming had gevraagd om mijn broer te zoeken. Ze lieten hun teleurstelling blijken. Waarom was ik niet naar hen toe gekomen? Ik had het ze alleen maar hoeven vragen, dan waren ze zelf op zoek gegaan.

Ik legde alles uit en ze boden me hun volledige steun aan, maar waarschuwden me meteen dat de zoektocht maanden kon duren. Ze voegden daaraan toe dat dergelijke ondernemingen vaak tot niets leidden, en ik mocht niet vergeten dat mijn broer misschien nooit gevonden zou worden. Hun bezorgdheid in combinatie met mijn opwinding dreigde me tot tranen toe te roeren, maar aangezien mevrouw Sarah Meg vaak de les las over emotionele uitbarstingen, hield ik mezelf onder controle.

Ten slotte zei mevrouw Sarah dat meneer Boran een goede man was en dat ze erg ingenomen was met de manier waarop ik de arme man op zijn gemak had gesteld. Toen ik de kamer verliet, barstte ik bijna uit elkaar van vreugde, maar ik wachtte tot ik bij de trap was voordat ik me liet gaan. Ik sprong met twee treden tegelijk de trap op en vloog gillend Megs kamer binnen.

Meg deelde mijn vreugde niet. In plaats daarvan had ze een naar voorgevoel. 'Dit ziet hij als een kans,' zei ze.

Ik liet me in een fauteuil zakken. 'Een kans waarop?'

'Wist je dat die saaie meneer Boring een vrouw zoekt?' vroeg ze, en ze ging tegenover me op de rand van haar bed zitten.

'Hij heet Boran, Meg.'

'Niet, hij heet Boring!' zei ze. Ze liet zich met een diepe zucht achterover vallen en sloeg toen haar arm voor haar ogen.

Ik lachte.

'Er valt niets te lachen, Vinny,' zei ze, terwijl ze me vanonder haar elleboog aankeek. 'Voor je het weet doet hij je een aanzoek.'

'Meg, alsjeblieft zeg!' Ik kon niet geloven dat ze daar überhaupt aan durfde te denken. 'Ik ben pas vijftien. Hij is even oud als je vader!'

'Dat zou hem niet tegenhouden; en moeder ook niet als ze zou denken dat je er iets mee opschoot,' antwoordde Meg.

Toen ik me die avond klaarmaakte om naar bed te gaan, spookten Megs woorden door mijn hoofd, maar ik zette haar bezorgdheid snel van me af. Ervan overtuigd dat ik met mijn broer herenigd zou worden, wilde ik mijn vreugde door niets laten vergallen. Die avond ging ik aan mijn bureau zitten en schreef voor het eerst sinds tijden een brief aan Belle. Ik vertelde haar over de zoektocht naar Cardigan en dat ik zeker wist dat de sleutel tot mijn toekomst in hem besloten lag. Daarna zette ik mijn plan uiteen. Zodra ik me ergens met hem gevestigd had, zou ik haar en Jamie laten overkomen.

Ik keek altijd uit naar de zaterdag, omdat Marshall dan kwam lesgeven en de dag verder met ons doorbracht. Naarmate we ouder werden, groeide onze vriendschap, die op sommige momenten wel iets weg had van hofmakerij. Ik begon hem steeds aantrekkelijker te vinden en vaak zag ik dat hij me aandachtig observeerde. Af en toe plaagde hij me en ik was erg met mezelf ingenomen als hij hardop om mijn gevatte reactie moest lachen. Wanneer Marshall weer eens een van zijn 'donkere buien' had, zoals Meg ze noemde, voelde ik me gevleid dat ik blijkbaar degene was die hem er het beste uit kon trekken.

Toen gebeurde er iets ernstigers, dat me eigenlijk aan het denken had moeten zetten. Tijdens een van de lessen begonnen Marshall en ik te keten, waarop Meg, in een poging onze pret te drukken, ons zonder iets te zeggen over haar bril heen aankeek. Haar serieuze houding was echter olie op ons vuur, en samen probeerden we haar al plagend bij ons spel te betrekken. Marshall pakte voor de grap haar bril af en zette hem op het puntje van zijn neus. Meg kreeg hem niet te pakken en verliet nijdig de kamer. Ik zag haar terugkomen, maar Marshall, die met zijn rug naar haar toe zat, niet. Ik hield mijn mond toen ze op haar tenen op hem af sloop, vervolgens zijn armen vastgreep en naar mij riep dat ik haar bril van hem af moest pakken. Meg was klein, maar sterk en vastberaden. Ze had het voordeel van de verrassing en heel even moet Marshall zich overmeesterd hebben gevoeld. Hij trok wit weg terwijl hij zich uit haar greep bevrijdde. De kruk waar hij op zat, vloog om en toen hij zich naar haar omdraaide, was ik gedurende een verschrikkelijke seconde bang dat hij haar zou slaan. Hij boog zich over haar heen en schreeuwde: 'Niet doen! Wil je dat nooit meer doen!' Hij zweeg terwijl hij zijn spullen pakte en de kamer verliet, en hij bleef niet eten.

Over die uitbarsting werd met geen woord meer gerept. En er was nog een tweede.

Het gebeurde op een zaterdag tijdens het middageten toen we Marshalls negentiende verjaardag aan het vieren waren. Omdat we gasten hadden, stelde meneer Madden meer dan de gebruikelijke hoeveelheid wijn beschikbaar. Die dag nuttigde Marshall een royale hoeveelheid, en toen hij met dubbele tong begon te praten, zag ik de Maddens een blik uitwisselen. Onmiddellijk verklaarde mevrouw Sarah dat de maaltijd ten einde was en dirigeerde ons snel naar de salon, terwijl meneer Madden naar zijn studeerkamer ging.

Onze gasten, een jong stel dat de Maddens goed kenden, vergezelden ons. De jongedame, juffrouw Carrie Crater, en haar tweelingbroer, jongeheer Henry Crater, hadden het feestelijke middagmaal samen met ons genoten. Daarna zouden we een dansles van meneer Degat krijgen, onder toeziend oog van mevrouw Sarah. De zeventienjarige juffrouw Crater vond Marshall duidelijk aantrekkelijk. Op zoek naar aandacht had ze zich er tijdens het middageten hardop over verbaasd dat ik aan deze tafel mocht zitten, en gezegd dat ik van geluk mocht spreken. Deze opmerking viel zichtbaar niet bij Marshall in de smaak. Aangezien juffrouw Crater een snelle leerling was, zag ze meteen hoe haar opmerking

Marshall had aangegrepen, en tegen de tijd dat we klaarstonden om te gaan dansen, was ze wijselijk van koers veranderd.

Jongeheer Crater, die erop aandrong dat we hem Henry noemden, was een joviaal en sympathiek figuur. Meneer Degat zou ons die dag lesgeven en tevens als mijn danspartner fungeren. Op het laatste moment kon hij toch niet aanwezig zijn, hoewel meneer Alessi er wel was, klaar om viool te spelen. Bij gebrek aan een danspartner moedigde ik de anderen aan om de vloer op te gaan. Henry, die ongetwijfeld graag indruk op mevrouw Sarah wilde maken, stond erop dat ik met hem zou dansen terwijl zijn zuster wachtte. In een poging bij Marshall in een goed blaadje te komen ging juffrouw Crater snel akkoord met zijn voorstel. Ik protesteerde, maar Henry wilde daar niets van weten. Hij kwam me overhalen, waarbij hij speels mijn hand kuste en me theatraal om een dans smeekte. Ook al wist ik dat hij me plaagde, toch voelde ik me opgelaten en liep ik rood aan.

Tot ieders verbazing viel Marshall Henry aan; hij pakte hem bij de kraag en duwde hem tegen de muur. Hij deed dit met zoveel kracht dat de arme Henry door de klap geen lucht meer kreeg. Het ergste was dat Marshall niet ophield. Hij boog zich over Henry heen, die nu op de vloer lag, en schreeuwde: 'Laat haar met rust! Hoor je me? Raak haar niet aan!'

Tegen de tijd dat mevrouw Sarah Henry bereikte, had Marshall de kamer al verlaten. Meneer Alessi, een meester in toneel, begon viool te spelen. Boven de muziek uit probeerde de dappere Henry nog voor een komische noot te zorgen. 'Mevrouw Madden,' vroeg hij, nog steeds uitgestrekt op de vloer, 'kunt u mij misschien adviseren over de gepaste gedragscode?'

Voor deze ene keer had mevrouw Sarah blijkbaar geen antwoord klaar. Hoewel ze zich snel wist te herstellen en deed alsof er niets was gebeurd, zag ik door haar dunne masker heen hoe ze was geschrokken van Marshalls uitbarsting.

Ik begreep weinig van wat er gebeurd was, maar als er ooit over is gepraat, heb ik niet aan het gesprek deelgenomen. Het toeval wilde dat mijn leven een plotselinge wending nam, en dit incident raakte algauw op de achtergrond.

Op een dinsdagavond in de lente van 1800, twee weken voor mijn zestiende verjaardag, kwam meneer B. dineren. Ik was benieuwd of hij nieuws over Cardigan had. Het was ongebruikelijk dat gasten door de week op bezoek kwamen, zeker voor het avondeten, en ook het feit dat de kleine Molly niet met haar vader was meegekomen duidde op iets vreemds. De Maddens waren allebei opvallend stil tijdens de maaltijd, en ikzelf, ongerust als ik was, zei ook niets. Uit het gedrag van meneer B. viel niets af te leiden, omdat hij nooit veel zei.

Dan had je Meg nog, maar aangezien ze die dag eindelijk een langverwacht boek had ontvangen, wilde ze de maaltijd van koude ham en crackers snel naar binnen werken zodat ze meteen naar haar kamer kon. Naarmate de maaltijd vorderde, speelde mijn maag op, en tegen de tijd dat iedereen was uitgegeten, was ik bang dat ik moest overgeven. Ik wilde me net verontschuldigen toen mevrouw Sarah voorstelde dat ik met meneer B. naar de salon zou gaan. Ze zou koffie laten brengen, zei ze. Ik bedwong de misselijkheid terwijl ik hem voorging. Daar aangekomen ging ik op de groene canapé zitten terwijl de nerveuze man de oorfauteuil tegenover me koos. Hij speelde zenuwachtig met zijn jaspanden tot ik het niet meer uithield. 'Alstublieft...' begon ik, maar hij viel me in de rede.

'Ik heb hem gevonden,' zei hij, 'maar hij leeft niet meer.'

Als het een zwaard was geweest dat in me werd gestoten, dan had ik niet zoveel pijn gehad. Ik kan de diepgang van die woorden niet omschrijven, noch hoe diep ze in mijn ziel sneden. Ik sloot mijn ogen en dwong mezelf te blijven ademen terwijl ik de details te horen kreeg. Cardigan was als contractarbeider voor een smid op nog geen acht kilometer van Williamsburg werkzaam geweest. Na drie jaar diensttijd had hij bij het beslaan van een paard een hoofdwond opgelopen en was kort daarna gestorven.

Het zweet brak me uit doordat ik me uit alle macht moest inspannen om mijn avondeten binnen te houden. Mijn toekomst had volledig afgehangen van onze hereniging. Cardigan was mijn laatste echte familielid geweest; hij was mijn enige hoop.

Nu was ik helemaal alleen. Naarmate mijn tijd in Williamsburg verstreek en ik ouder werd, had ik ingezien dat ik onmogelijk naar Tall Oaks kon terugkeren. Ik had moeten aanvaarden dat ik niet met mijn geadopteerde familie herenigd zou worden. En nu kwam er ook een einde aan mijn diepe verlangen om met mijn broer herenigd te worden.

Hoe ik in meneer B.'s armen ben beland, geen idee, maar hij hield me vast terwijl ik mijn tranen de vrije loop liet. Toen ik wat bedaarde, liet ik mijn hoofd achterover leunen, en met een vriendelijk gebaar duwde de man mijn vochtige haar uit mijn gezicht.

'Wat moet ik nu?' fluisterde ik.

Meneer B. knielde voordat ik begreep wat de bedoeling was.

'Trouw met me,' smeekte hij.

32

Belle

IN DE WINTER KRIJG IK EEN BRIEF VAN LAVINIA WAARIN STAAT
dat ze op zoek gaat naar broer, Cardigan. Hij komt haar halen en
dan laat ze mij en Jamie overkomen. Ik pak de brief en ren naar
Benny die beneden de paardenstal aan het uitmesten is.
'Hé schatje!' zegt hij als hij me ziet. Hij kijkt om zich heen, maar
hij weet dat we alleen zijn omdat Papa met oom Jacob in het grote
huis aan het werk is. Hij legt de riek neer, komt heel langzaam op
me af, bekijkt me van top tot teen, pakt mijn arm en trekt me tegen
zich aan. Hij wil me nog steeds als de eerste keer, en hij weet dat ik
het ook zo voel.
Dit keer zeg ik: 'Nee, Ben. Wacht.' Ik zwaai de brief heen en weer
voor zijn neus. 'Lavinia zegt dat ze een broer heeft en dat ze me laten overkomen.'
Benny glimlacht nu niet meer en gaat zitten. Ik zie dat dit moeilijk voor hem is.
'Maar ik ga haar schrijven en zeggen dat jij met me mee moet
komen.'
Ben zegt niks.
'Benny, hoor je me? Ik ga tegen Lavinia zeggen dat je meekomt.'
Hij kijkt weg.
'Ben?'
'Belle,' zegt hij, 'hoe krijg je dat voor elkaar? Koop ze me dan? En
wat met Lucy en die baby's?'
'Wil je hier blijven dan? Je kiest dus voor Lucy?'

'Schatje,' zegt hij, 'we weet allebei deze dag kom. We weet jij moet weg voordat Marshall hier terugkom.'

Ik kan niet geloven dat hij dit zegt. Ik begin te huilen en kan niet stoppen. 'Schatje...' zegt hij, en als hij naar me toe komt, ga ik schreeuwen: 'Noem me geen schatje! Dus je blijft hier? Je kiest voor Lucy? Zo! Dan ben je vast blij dat ik eindelijk wegga! Ik begrijp nu dat je al die tijd al wacht tot ik wegga!'

Die goeie grote ogen van hem lopen over tot het lijkt of er een emmer water van zijn gezicht af komt. Het kan me niks schelen. Ik ren terug naar het keukenhuis. Dan komt hij daarheen, maar ik laat hem niet binnen. Ik zeg hem dat hij weg moet, dat hij me met rust moet laten. Dan komt Mama.

'Je weet jij moet gaan, Belle,' zegt ze. Ik wil een gevat antwoord geven, maar Mama houdt me tegen. 'Belle, je ben bang, ik weet dit, maar nou niet boos wezen op mij. Je weet jij moet hier weg. Dit goed voor jou en Jamie, met Lavinia mee.'

'Maar ik wil Ben bij me hebben!' zeg ik.

'Ik weet dit, Belle,' zegt Mama, 'maar Ben moet blijf. Hij heb niks te zeggen. Waar krijg hij die vrije brief? Dit al moeilijk genoeg voor Lavinia, jou en Jamie kopen. En wat met Lucy en haar jongens?'

Als Mama weg is, kan ik alleen maar zitten en huilen. Ik weet dat ik mezelf en Jamie hier weg moet krijgen. Het is een zegen dat Lavinia me wil, ik weet dit, dus uiteindelijk schrijf ik haar en zeg haar dat ik en Jamie willen komen. Maar ik stuur de brief nog niet. Ik stop hem in de schrijfdoos onder mijn bed. Er is nog tijd.

Voor het avondeten komt Will Stephens praten. Hij blijft buiten staan. Zoals altijd als ik alleen ben, komt hij niet binnen. 'Wat kan ik voor je betekenen, Will?' Hij vraagt of ik buiten op de bank kom zitten, dus doe ik dat. Dan begint hij eindelijk te praten: 'Ik hoor dat je een voorstel van Lavinia hebt gekregen?'

Ik knik, want als ik mijn mond opendoe, dan vrees ik dat ik ga huilen.

'Wil je weg?'

Hij ziet vast dat mijn ogen helemaal dik en rood zijn. Ik schud mijn hoofd.

'Nou,' zegt hij, 'ik zit hier al een tijdje over te denken. Ik heb misschien een ander voorstel voor je.'

Ik kijk hem aan, en vraag me af waar hij het over heeft.

Hij vertelt dat hij in de lente naar Williamsburg moet om meneer Madden en Marshall dingen te vragen en ze wat papieren te laten ondertekenen. Door wat hij daarna zegt val ik bijna van de bank. Hij wil weten of ik met hem mee wil komen naar zijn eigen plantage. In zijn contract staat dat hij wat mensen van hier mag meenemen. Mijn manier van werken bevalt hem, en hij wil dat ik voor hem aan de slag ga. 'Uiteraard,' zegt hij, 'houdt dit in dat ik ook Jamie wil.'

Will weet dat ik zonder Jamie nergens heen ga. Mama zegt altijd dat ik mijn Jamie te dicht bij me hou, dat het niet goed voor hem is. Maar het is een gek kind. Hij wil liever bij mij zijn dan gaan spelen. Het is een mooi jongetje, maar hij heeft een waas voor zijn ene oog, en hij kan er niks mee zien. Misschien wordt het beter als hij ouder wordt, zegt Mama, maar het lijkt juist erger te worden, witter. Maar hij ziet nog goed met het andere oog.

Ik kijk Will Stephens aan en kan geen woorden vinden.

'Ik ben ook van plan om voor Ben en Lucy en hun twee zoons te onderhandelen,' zegt Will Stephens. Hij kijk me niet aan als hij dit zegt, omdat hij inmiddels over Ben en mij weet. Alle anderen weten het natuurlijk al. Niemand doet er niks nie moeilijk meer over. Zelfs Lucy en ik hebben geen ruzie meer.

'Wanneer gaat dit allemaal gebeuren?' is alles wat ik tegen Will Stephens zeg.

'Ik weet het niet zeker,' zegt hij, 'maar Marshall wordt volgend jaar tweeëntwintig. Dan wordt hij hier de baas. Ik weet niet of hij van plan is om terug te komen. Als dat zo is, vermoed ik dat hij dingen wil veranderen, en ook al geloof ik dat Marshall nu wel volwassen geworden is, wil ik toch de papieren geregeld hebben voordat hij er weer is. Ik vermoed dat het makkelijker zakendoen is met meneer Madden.'

Mijn hart gaat tekeer en ik weet niet wat ik moet zeggen, dus zeg ik maar: 'Dank u, meneer Stephens.'

Hij lacht. 'Sinds wanneer noem je mij meneer Stephens?'

Ik kijk naar de grond want ik kan niet ophouden met glimlachen.

'Ik ken jou als Belle, jij kent mij als Will,' zegt hij. 'Dat hoeft niet te veranderen – tenzij je wilt dat ik je juffrouw Pyke noem?'

Voor het eerst in mijn leven noemt iemand me zo. Ik ga trots rechtop zitten. 'Nee, meneer,' zeg ik. 'Belle is prima.'

'Goed, dan houden we het op Belle en Will,' zegt hij, en we lachen. 'Ik wil je nog wel iets vragen,' zegt hij.

'Wat dan?' vraag ik.

Hij neemt zijn hoed af, duwt zijn haar naar achteren, en zet dan zijn hoed weer op. Ik weet dat er iets gaat komen als hij al die tijd met zijn hoed in de weer is.

'Nou, ik vroeg me af of Lavinia... denk je dat ze volwassen is?'

'Ze was al volwassen toen ze klein was,' zeg ik, en ik moet lachen bij de herinnering.

Hij glimlacht. 'Dat was ze zeker. Ze is nu bijna zestien, toch?'

'In mei, ja,' zeg ik.

'Denk je dat ze dan oud genoeg is om haar het hof te maken?'

'Meneer Will Stephens toch!' zeg ik, maar ik probeer niet te lachen. Hij loopt rood aan, dus ik zeg: 'Ze schrijft elke keer dat ze terug naar huis wil komen.'

'Dat zei je al, ja,' zei hij.

Als hij weg is, verscheur ik eerst de oude brief aan Lavinia en schrijf een nieuwe. Ik schrijf dat ik en Jamie hier blijven en dat Will Stephens goed nieuws heeft. Ik ga deze brief aan Will geven als hij vertrekt. Tegen de tijd dat ze hem leest, heeft ze misschien al ja gezegd voor met hem terug te gaan.

Ben gaat alles uit de kast moeten halen om mijn huis weer binnen te komen. Punt is, we weten allebei dat dat vroeg of laat gaat lukken.

33

Lavinia

MIJN VERLOVING MET MENEER BORAN WERD OP MIJN ZESTIEN-
de verjaardag aangekondigd. Overrompeld door zijn plotselinge
aanzoek kon ik die avond geen antwoord geven en zei hem dat ook.
'Ik heb geduld,' zei hij, en hij bood me bedenktijd aan. Ik was niet
van plan om met de man te trouwen, maar toen ik mevrouw Sarah
om advies vroeg, bracht haar zichtbare opluchting me op andere
gedachten.

'O!' riep ze uit, met haar handen tegen haar boezem gedrukt.
'Hier hoopte ik al op.' Ze wist zich in te houden toen mijn blik
mijn gevoelens verried. 'Uiteraard kun jij alleen deze beslissing
nemen, lieverd,' voegde ze eraan toe.

'Ik had er nooit echt bij stilgestaan,' zei ik, en ik wachtte op haar
antwoord. 'Ik bedoel... hij is zo oud. Ik bedoel... voor mij...'

'Ja, ik kan me voorstellen dat je er zo over denkt,' zei ze, 'maar je
moet niet vergeten dat hij vanwege zijn leeftijd een goede reputatie heeft. En je kunt het zo goed met Molly vinden.

En bedenk ook, mijn kind: je zult ongetwijfeld nooit iets te kort
komen. Naar het schijnt was hij een uitermate vrijgevige echtgenoot voor die arme mevrouw Boran. En denk je eens in wat je allemaal aan hem zou kunnen veranderen! Zijn kleding, zijn... hij zal
er onvoorstelbaar op vooruitgaan. Dan is er nog het voordeel dat je
hier in Williamsburg zou kunnen blijven. Je zou geen afscheid van
Meg hoeven nemen, noch van ons. Stel je voor! Je eigen huis, een
positie binnen de hogere kringen – voor je het weet hoor je erbij. Ik

vind dit alles buitengewoon opwindend en gunstig. Maar jij bent degene die moet beslissen.'

Toen ik Meg over zijn aanzoek vertelde, was ze ontzet. 'Hoe kun je het zelfs maar overwegen?' vroeg ze. 'Met die saaie oude man!'

'Ik weet het niet, Meg. Misschien is dit mijn enige kans.'

'Wat bedoel je daar nu mee?'

'Wat moet ik anders?'

'Vinny, in hemelsnaam! Er zijn toch zeker andere mogelijkheden!'

Mijn kwade reactie werd ingegeven door angst. 'Jij hebt makkelijk praten, Meg. Jij hebt dit huis, jij hebt je familie. Jij bent elke dag vrij in de keuzes die je maakt. Die luxe heb ik niet!'

Meg begreep mijn boosheid verkeerd. 'Wil je beweren dat mijn ouders je niet alle kansen hebben gegeven?'

'Ik zeg dat ik overweeg om met meneer Boran te trouwen en ik had gehoopt op jouw steun!'

'Die zul je nooit krijgen!'

Ik vloog Megs kamer uit en rende naar de mijne. Daar deed ik de deur dicht en, te boos om te huilen, besloot ik een brief aan Belle te schrijven. Ik ging aan mijn bureau zitten en stelde me voor dat ze bij me was. Ik zou haar over mijn dilemma vertellen, over de dood van Cardigan, en over het huwelijksaanzoek van meneer Boran.

Toen dacht ik aan mama Mae en wat zij zou zeggen. Ik dacht aan Papa en de tweeling en hoe graag ik ze wilde zien. Zonder dat ik er iets aan kon doen, kwam de meest pijnlijke herinnering naar boven: Sukey, die achter mijn rijtuig aan rende. Het deed nog zo'n pijn haar te hebben verloren dat ik het mezelf zelden toestond eraan te denken. Nu, in de wetenschap dat ik ze allemaal voorgoed kwijt was, kon ik geen woord op papier krijgen. Ik boog me over het blad, en met mijn hoofd in mijn handen liet ik mijn tranen de vrije loop.

De volgende dag sprak ik mevrouw Sarah opnieuw aan en zei haar dat ik had besloten om het aanzoek van meneer Boran te accepteren. Dolblij stelde ze voor dat we de verloving op mijn zestiende verjaardag zouden aankondigen. Toen meneer Madden van deze ontwikkeling op de hoogte werd gesteld, ging hij, weliswaar minder enthousiast dan zijn vrouw, akkoord met het huwelijk, mits ik niet trouwde voor mijn zeventiende verjaardag. Ik haalde opgelucht adem toen ik deze voorwaarde hoorde.

Een maand later, op vijf juni, werd ik 's ochtends naar de salon geroepen. Ik was nieuwsgierig, want dit gebeurde zelden. Aangezien ik mijn ochtendtoilet al had gemaakt, zou ik niet de moeite hebben genomen om mezelf in de grote spiegel te bekijken, maar ik vermoedde dat mevrouw Sarah bezoek had en ik wilde er presentabel uitzien. Ik droeg een eenvoudige jurk van dunne katoen, en de lichtgroene kleur deed mijn ogen volgens Meg goed uitkomen. De zachte stof sloot mooi aan en de rechte lijn van de jurk werd onderbroken door een brede donkergroene band die het moderne empiremodel nog eens benadrukte. Ik bekeek mijn profiel en met een glimlach stelde ik vast dat mijn goed verzorgde figuur vrouwelijke rondingen had gekregen. Ik boog naar voren om mezelf beter te kunnen bekijken en vroeg me opnieuw af of ik de vreemde amberkleur van mijn ogen van mijn moeder of mijn vader had geërfd.

De ovale vorm van mijn gezicht en mijn hoge jukbeenderen stoorden me niet, en ik trok mijn neus naar mezelf op, blij met wie ik was geworden. Mijn sproeten ergerden me nog steeds en ik vond mijn lippen te vol, maar ik was tevreden met mijn witte, rechte tanden. Mijn haar hing los, het kapsel van een schoolmeisje, en terwijl ik het naar achteren gooide, zag ik met enige trots hoe het diepe kastanjebruin het zonlicht weerkaatste. Het was mode om het haar in een knot te dragen met wat loshangende pijpenkrullen om het mogelijk strenge effect te verzachten, maar Meg en ik hadden ons haar liever los, met een paar kammen die het uit ons gezicht hielden. Mevrouw Sarah stemde hiermee in, mits we beloofden dat we het zouden opsteken als de situatie het vereiste.

Klaar om te gaan keek ik de hal in en zag tot mijn verbazing dat Megs deur nog dicht was. Ik wilde mevrouw Sarah niet laten wachten, dus ik ging ik alvast zonder haar.

Ik herkende de stem nog voordat ik de salon binnenging en mijn hart begon sneller te kloppen. Toen ik Will Stephens zag, en mijn ogen de zijne vonden, vergat ik in een klap al mijn aangeleerde gedragsnormen. 'Will!' riep ik uit en ik rende op hem af. 'Will!' Bij het zien van mevrouw Sarahs strenge blik bleef ik stokstijf staan. Ik herinnerde me dat ik moest blijven wachten tot Will naar me toe kwam. Toen hij voor me stond, stak ik mijn hand naar hem uit.

'En wie hebben we hier?' vroeg hij, maar ik zag dat hij me plaagde.

'Will!' was het enige dat ik kon uitbrengen. 'Will!'

'Lavinia, waarom nodig je onze gast niet uit om plaats te nemen?' bracht mevrouw Sarah me in herinnering.

'Och ja, neemt u plaats,' bood ik aan. Will glimlachte breeduit terwijl ik hem voorging naar de canapé. Toen we eenmaal zaten, verontschuldigde mevrouw Sarah zich met de mededeling dat Nancy haar hulp nodig had.

'Will! Wat doe je hier? Sinds wanneer ben je er? Hoe is het met iedereen? Hoelang blijf je? Ben je hier alleen?' Er kwamen wel honderd vragen naar buiten getuimeld.

Will moest lachen en ik was verloren. De verliefdheid uit mijn jeugd kwam razendsnel terug, en doordat ik nu een paar jaar ouder was, ging het gevoel dieper. Wat was hij knap: zijn glimlach, zijn zongebruinde gezicht, zijn donkere, vrolijke ogen. Ik staarde hem aan en genoot van elk woord dat hij zei.

Alles was goed. Hij was hier voor zaken, zei hij, om opnieuw te onderhandelen over zijn contract voor het beheren van de plantage. Hij was van plan om wat dingen te veranderen, en wilde eerst toestemming van zowel meneer Madden als Marshall voordat hij zijn plannen zou uitvoeren. Hij was er trots op dat de plantage goed liep, en terwijl hij me over iedereen vertelde, schoot hem een pakje van Belle te binnen. Ik nam het aan, maar maakte het nog niet open en bleef doorvragen over thuis.

Ben en Lucy hadden er een baby bij. Oom Jacob en Mama en Papa hielden het huis op orde voor de terugkeer van mevrouw Martha en Marshall.

Ik keek hem recht in de ogen. 'Hoe gaat het met Belle?'

'Ze werkt even hard als altijd,' zei hij. 'Ze mist je nog steeds.'

'En Jamie?' Ik bleef hem indringend aankijken.

Will merkte dat ik hem aandachtig opnam, maar in zijn ogen lag geen schaamte en hij antwoordde zonder te aarzelen: 'Goed. Hoe oud was hij toen je wegging?'

'Negen maanden. Hij moet nu zeker drie zijn.'

'Ach, ja, het is nu een ernstig mannetje om te zien, net zoals jij een ernstig vrouwtje was.'

De voorzichtige intimiteit van zijn woorden deed me blozen. 'En de tweeling?' vroeg ik. 'Hoe gaat het met ze?'

Hij lachte. Hij zei dat Fanny een lastpost was geworden. Mama moest haar kort houden sinds zij en Eddy, Ida's zoon, belangstelling voor elkaar hadden gekregen. Fanny alleen, zei hij, was een lastpost, maar Fanny in verliefde staat was een geduchte tegenstander. Beattie, verzekerde hij me, was hetzelfde lieve meisje dat ze altijd was geweest en ze had de zorg voor Sukey overgenomen.

'En Sukey–' Mijn vraag bleef in de lucht hangen door de plotselinge verschijning van meneer Madden. Hij liep op Will af om hem te begroeten, en gaf me vervolgens te kennen dat Meg en de privélerares op me zaten te wachten.

'Meneer Stephens blijft twee dagen,' zei hij vriendelijk toen hij zag dat ik niet weg wilde gaan. 'Je zult hem heus nog wel zien, mijn lieve kind.'

Ik wist dat ik me moest verontschuldigen terwijl meneer Madden wachtte met plaatsnemen.

Het was donderdag, dus was ik verbaasd toen Marshall die middag met ons mee-at. Marshall had niet veel beter dan Meg op de aankondiging van mijn verloving gereageerd, maar zolang ik niets over meneer Boran zei, hield Meg zich rustig. Die avond was ik op weg naar haar kamer toen ik een vreselijke ruzie tussen Marshall en meneer Madden opving. Hun stemmen uit de studeerkamer waren zo luid dat ik ze duidelijk boven aan de trap kon horen.

'Ik zei dat ik haar niet laat gaan! U weet dat ik nog steeds recht op haar heb.'

'Inderdaad, Marshall, het landgoed heeft dat, ja. Maar haar contractarbeiderschap was niet helder gedefinieerd en je zult het toch met me eens zijn dat we haar deze kans moeten gunnen.'

'Kans! Wat heeft hij nou te bieden? Het is gewoon een vieze, oude man!'

'Pas op je woorden, Marshall. Die man is een collega van me.'

'Oom! U kunt niet serieus verwachten dat ze gelukkig wordt!'

'Je tante lijkt daar anders over te denken. Ze vindt hem een goede partij voor Lavinia. En Lavinia is er niet op tegen.'

'Lavinia? Ergens op tegen? Ik ken haar al mijn hele leven. Ze is het zachtaardigste wezen dat ik ken. Is ze ooit ergens op tegen geweest?'

'Het spijt me, Marshall, maar dit huwelijk is wat mevrouw Madden wenst. Ik vrees dat ik je bezwaren in deze zaak terzijde moet schuiven.'

'Ik weiger dit te accepteren! U hebt het recht niet–'

'Je weet dat ik het recht heb, Marshall, en ik zal het gebruiken ook!'

De deur van de studeerkamer knalde dicht, en nadat ik terug naar mijn kamer was geslopen, ging ik aan mijn kleine bureau zitten, te moedeloos om door de hal naar Meg toe te lopen. Ik wilde het huwelijk niet doorzetten, maar ik zag geen uitweg. Wat was het alternatief? En trouwens, ik had mijn woord gegeven.

Er was weinig veranderd sinds de aankondiging van onze verloving. Het zondagse middagmaal bleef hetzelfde, hoewel Meg weigerde deel te nemen aan het gebruikelijke samenzijn erna, waarbij Molly niet van mijn zijde week en meneer Boran zijn ogen niet van me af kon houden. Meneer Boran en ik waren maar een keer met elkaar alleen geweest, op de avond van onze officiële verloving, toen hij me een broche van smaragd gaf. Bij die gebeurtenis merkte hij hakkelend op dat smaragden mijn schoonheid onmogelijk konden vergroten, maar aangezien er geen mooiere bestonden dan deze, zouden ze zich misschien kunnen meten met mijn beminnelijkheid. Ik bedankte hem, speldde het geschenk op mijn jurk en wist ineens absoluut niet meer waar ik het over moest hebben. Voordat ik hem tegen kon houden, zat hij op zijn knieën. Hij pakte mijn onbedekte hand en begon hem te overladen met zulke vurige, vochtige kussen dat ik zijn groeiende hartstocht slechts angstig kon aanzien.

Ik stelde me voor dat Meg haar saaie meneer Boring bezig zag, waardoor ik een plotselinge lach voelde opkomen, maar toen zijn lippen zich richting mijn pols bewogen, trok ik mijn hand terug, stond vlug op en stelde voor om ons bij de anderen te voegen. Meneer Borans ogen glansden van begeerte, en ik kon hem wel slaan toen hij op mijn bevel opsprong. En toch was ik me, terwijl ik de resten van zijn liefdeskussen van mijn hand veegde, voor het eerst in mijn leven bewust van de buitensporige macht van mijn vrouwelijkheid. Ik had het afschuwelijke voorgevoel dat deze man er in de toekomst het slachtoffer van zou worden dat ik ongelukkig was. Ontzet door deze gedachte deed ik de rest van de avond aardiger dan ooit tegen de dwepende meneer B., terwijl mevrouw Sarah niet uitgepraat raakte over mijn nieuwe sieraad.

Marshall deed afstandelijker tegen me na zijn ruzie met meneer Madden. Tijdens de les op zaterdag zat hij me vaak stiekem te observeren, en als ik hem aankeek, wendde hij zijn blik af alsof hij boos was. De weken daarna brak hij onze les vaak zonder reden voortijdig af en vroeg dan aan Meg om tegen mevrouw Sarah te zeggen dat hij niet voor het middageten bleef.

Op de dag dat Will bleef eten, deed Marshall aan het begin van de maaltijd nog redelijk aardig, hoewel hij Will na elk glas wijn op steeds koelere toon uitdaagde.

Ik was zo blij dat Will er was, dat ik me nauwelijks kon beheersen. Zijn elegante houding en goede manieren vervulden met met trots, hoewel ik moet bekennen dat hij, als ik niet zijn aandacht had weten te trekken, misschien wel zijn dessertlepel voor de soep had gebruikt. Maar hij zag mijn teken, gaf me als dank een knipoog, en volgde mijn voorbeeld.

Mevrouw Sarah hield het gesprek gaande. Meg moedigde Will aan om wat over de plantage te vertellen en over de jaren die ik daar had doorgebracht. Hij vertelde een paar verhalen over mijn jeugd die in zijn ogen aantoonden dat ik vroegwijs was. Na een van die verhalen, waar iedereen om moest lachen, zei hij hoe vreselijk ze me op Tall Oaks misten. Ik kon alleen maar breeduit glimlachen toen hij zijn blik op mij liet rusten.

Marshall liet ons allemaal schrikken toen hij opstond en zijn wijnglas hief. Hij was rood aangelopen en sprak luider dan nodig.

'Laten we een toost uitbrengen op Lavinia,' zei hij. 'Ik heb goede hoop dat ze binnenkort met mij naar Tall Oaks zal terugkeren. Maar deze keer onder betere omstandigheden.'

Het bleef stil. Meg gaf me een schop onder tafel. Will verslikte zich en begon te hoesten. Uiteindelijk antwoordde meneer Madden: 'Tja... ach... Marshall, we zullen nooit weten wat... eh... de toekomst zal brengen. Maar,' vervolgde hij, 'wellicht is het gepaster om een toost uit te brengen op Lavinia's aanstaande huwelijk met meneer Boran.'

Hoewel ik niet durfde op te kijken, voelde ik Wills verbaasde blik op mij gericht. Ik was dankbaar toen de toost voorbij was en mevrouw Sarah belde voor het dessert.

Die eerste avond van zijn bezoek vroeg Will na een licht diner toestemming om met mij te wandelen. Mevrouw Sarah stemde daarmee in, mits Meg met ons meeging. Na een klein stukje vertraagde Meg doelbewust haar pas. Zodra Will en ik voorop liepen, verbrak hij de stilte.

'Weet je, Belle had gelijk.'

'Waarin?'

'Jaren geleden, toen we op de wagen naar de kerk reden, vertelde je me dat je volgens Belle later een mooie vrouw zou worden.'

Ik bloosde bij de herinnering. 'Dank je, Will.'

'Is het echt waar, Lavinia? Ga je trouwen?' vroeg hij.

'Het overviel me–' zei ik.

'Is dit wat je echt wilt?'

'Ik, eh–' zei ik aarzelend.

Hij viel me weer in de rede. 'En wat bedoelde Marshall tijdens het eten toen hij zei dat je met hem terug zou gaan?'

'Ik weet het niet,' zei ik. Ik versnelde mijn pas; er sprongen zonder aanleiding tranen in mijn ogen.

Will greep mijn arm en hield me tegen. Hij draaide me naar zich toe. 'Lavinia, misschien is het dwaas van me dat ik dit zeg, maar ik heb je altijd als mijn meisje gezien.'

Mijn borst deed pijn. Zijn woorden klonken oprecht, maar voordat ik antwoord kon geven, voordat ik het over Belle kon hebben en hem naar zijn relatie met haar kon vragen, haalde Meg ons in. 'Moeder zegt dat ik bij jullie moet blijven,' zei ze, en ze rolde met haar ogen.

Galant bood Will Meg zijn arm aan. Tegelijkertijd boog hij zich naar mij toe en fluisterde in mijn oor, en in zijn nabijheid voelde ik mijn knieën knikken. 'We praten later verder,' zei hij, maar tot mijn spijt en frustratie kregen we die avond niet meer de kans om elkaar opnieuw alleen te ontmoeten.

Die avond las ik de brief van Belle. Haar zinnen waren kort en cryptisch.

Aan Lavinia –

Het gaat goed met ons allemaal hier. Ik schrijf dit niet voor te zeggen dat ik naar jou en meneer Cardigan toe kom, omdat dingen hier veranderen. Will gaat je daarover vertellen. Ik zeg verder niks. Ik hoop dat je niet vergeet dat Will Stephens een goede man is. Dat is alles wat ik wil zeggen. We denken hier allemaal elke dag aan je.

Belle Pyke

Onder aan haar brief stond het eerste bericht van Sukey, die nu al zeven was. Er stond: *Binny. Ik weet nog wie jij bent. Weet jij nog wie ik ben.* *Sukey*

Ik brak mijn hoofd over de brief van Belle, maar realiseerde me dat ze niet wist dat Cardigan dood was, noch dat ik verloofd was. Ik dacht aan de brief die ik haar had moeten schrijven. Ik had het uitgesteld, want ik wilde het verlies van mijn broer niet op papier zetten, noch het feit dat ik mijn aanbod om haar te laten overkomen moest intrekken. En mijn verloving met meneer Boran was ook niet bepaald een feit dat ik graag wilde delen. Sukeys bericht raakte me diep, en het zou me veel verdriet hebben bezorgd als ik niet de wetenschap had gehad dat Will Stephens in huis lag te slapen en ik hem de volgende dag zou zien.

Marshall was er 's morgens weer. De drie mannen aten samen in de bibliotheek, en ondanks mijn groeiende ongeduld bleven ze de hele dag praten. Laat op de middag stak ik mijn haar op en trok ik mijn mooiste jurk van zachtgele katoen aan. Ik pakte een boek en ging in de achtertuin onder een prieel in de schaduw van druivenranken zitten.

De tuin was omheind door een laag, houten hek, had een fraaie border van groene tijm, en geurde naar roze rozen. Ik hoopte dat Will me hier zou vinden als het gesprek voorbij was. In plaats daarvan verscheen Marshall. Hij duwde de achterdeur open, sloeg hem met een klap achter zich dicht, en ging toen op het stenen pad lopen ijsberen. Ik riep hem, maar hij hoorde me niet, dus riep ik nog een keer. Hij kwam naar me toe. 'Wat is er?' vroeg hij, zijn ogen donker van woede. Toen ik besefte dat ik misschien het slachtoffer van zijn razernij zou worden, wist ik niet goed wat ik moest antwoorden.

'Nou, wat is er?' herhaalde hij.

'Marshall.' Ik zei het met opzet bedaard en zacht. 'Kom bij me zitten. Wat is er aan de hand?'

'Die schoft!' zei hij, terwijl hij ging zitten en omkeek naar het huis.

Ik raakte zijn hand voorzichtig aan. 'Marshall,' zei ik, 'alsjeblieft. Praat met me. Wat is er aan de hand?'

Hij stond op. 'We hebben het grootste deel van de dag verpest, alleen maar vanwege die hoer!' Toen hij me bij dat woord ineen zag krimpen, ging hij weer zitten. 'Het spijt me, Lavinia, maar je wilde het zelf weten.' Hij boog voorover en wreef ruw in zijn ogen. 'Het is dat mens, Belle! Ze heeft me mijn hele leven lang al ellende bezorgd en er komt maar geen eind aan.'

Ik beet op mijn tong.

'Ze is zo lang ik me kan herinneren de hoer van mijn vader geweest. Mijn moeder heeft haar hele leven geprobeerd om van haar af te komen, maar vader wilde daar niets van weten. Mijn God! Houdt het dan nooit op!'

'Maar ze is helemaal niet–' Ik kon me niet langer inhouden.

'Ik wil geen goed woord over haar horen!' schreeuwde hij furieus. 'Zij is degene die mijn moeder tot waanzin heeft gedreven. En nu! Nu is ze de hoer van die Stephens! Hij wil haar voor zichzelf.

Hij is hier alleen maar naartoe gekomen om haar te kopen, zodat hij met haar kan gaan samenwonen. Hij wil tijdens mijn afwezigheid alleen aanblijven als ik er nu mee instem dat ik haar en hun bastaardkind aan hem verkoop zodra ik terugkom.'

Ik kon amper ademhalen, zo geschokt was ik. 'En ga je daarmee instemmen?'

'Ik heb geen keus. Alleen op die voorwaarde wil hij aanblijven, en trouwens, mijn oom kan er zonder mijn goedkeuring mee instemmen, en hij heeft gezegd dat hij dat ook zal doen.'

'En dat is het enige wat hij vraagt?' vroeg ik.

'Bij lange na niet,' zei Marshall sarcastisch. 'Hij wil ook Ben en zijn vrouw en die twee blagen van ze.'

'Maar waar neemt hij ze mee naartoe?' vroeg ik.

'Mijn vader heeft hem land gegeven dat aan het mijne grenst. Daar wil hij een plantage beginnen.'

Ik voelde dat ik moest overgeven en kon het niet meer aan. Zonder me te verontschuldigen vluchtte ik halsoverkop naar mijn kamer en liet Marshall alleen in de tuin achter.

Die avond wendde ik hoofdpijn voor en kwam Meg me mijn avondeten brengen. Ze stelde geen vragen. Mevrouw Sarah kwam me de volgende ochtend zeggen dat ik op moest schieten, dat Will me nog wilde zien voordat hij wegging. Ik weigerde. Ik had altijd het vermoeden gehad dat er iets tussen Will en Belle speelde, maar het was onverdraaglijk om dat nu bevestigd te zien. Ik liet er geen traan om toen mevrouw Sarah de deur sloot en naar beneden ging om hem te zeggen dat ik nog steeds hoofdpijn had, maar hem een goede thuisreis wenste.

Na Wills bezoek werd ik bevangen door een melancholie die me zo van streek maakte dat mevrouw Sarah naar me toe kwam en haar bezorgdheid liet blijken.

Ik vertelde haar niet dat mijn liefde voor Will weer was opgebloeid, noch dat zijn plan om Belle in huis te nemen me verdriet deed. Ik durfde mevrouw Sarah niet te vertellen dat ik alleen al de gedachte aan het huwelijk met meneer Boran weerzinwekkend vond, en dat ik geen uitweg zag. In plaats daarvan verklaarde ik mijn somberheid door haar slechts een deel van mijn waarheid te vertellen, namelijk dat ik Tall Oaks en de mensen daar zo miste. Mevrouw Sarah vroeg of ik misschien met haar mee op bezoek wilde bij mevrouw Martha in het ziekenhuis. Ze had kort geleden vernomen dat mevrouw Martha's toestand iets verbeterd was.

'Zou het je helpen om over je sombere gevoelens heen te komen als je mevrouw Martha weer zou zien?' vroeg ze.

'Ja,' zei ik, 'ja, dat denk ik wel.'

'Je bent al wat ouder nu,' gaf ze als reden voor haar beslissing. 'Allemachtig, volgend jaar ben je al een getrouwde vrouw.'

Ik was sinds de lente niet meer naar het ziekenhuis gegaan. Nu wilde ik haar dolgraag zien en ik vroeg of we de volgende dag bij haar op bezoek konden. Mevrouw Sarah stemde daarmee in, maar pas nadat ze me had laten beloven dat ik weer de oude, vrolijke Lavinia zou worden.

We gingen laat in de middag naar het ziekenhuis. We waren allebei gespannen toen de voordeur voor ons werd geopend. Binnen werden we begroet door de echo van gerammel en geschreeuw, en ik was opgelucht dat we niet hoefden te wachten maar meteen naar mevrouw Martha's cel werden gebracht. Ze sliep door alle herrie heen. De gouden middagzon scheen door het hoge raam, maar de ijzeren tralies wierpen grijze schaduwen op de gewitte stenen muren en op mevrouw Martha, die opgekruld op haar strozak lag.

De bewaker deelde ons mee dat ze net een grote dosis laudanum had gekregen en waarschijnlijk door het bezoek heen zou slapen. Toen hij wegging, deed hij de deur achter zich op slot. Mevrouw Sarah ging lijkbleek in een hoek op een lage kruk zitten die aan de vloer geketend was.

Ik liep direct naar mevrouw Martha toe, hurkte naast haar neer en zei zachtjes haar naam. Ze werd wakker als een kind; ze wreef in haar ogen en mompelde wat in zichzelf.

'Ik ben het, mevrouw Martha,' fluisterde ik. 'Isabelle.'

Achter me hoorde ik mevrouw Sarah naar adem snakken. 'Isabelle?'

Mevrouw Martha liet haar handen zakken en keek me aan met dikke ogen van de slaap. 'Baby?' vroeg ze.

'Sukey?' zei ik. 'Wilt u Sukey?'

Ze knikte.

'Wie is Sukey?' vroeg mevrouw Sarah, maar ik gaf geen antwoord. Mevrouw Martha had mijn hand gepakt en zei een regel uit Sukey's prentenboek op: '"Geef haar een mooi gouden horloge. Geef haar een mooi gouden horloge."'

'Ja, ja,' suste ik, en ik zei de regel samen met haar op, steeds opnieuw, tot haar ogen, zwaar van het medicijn, weer dichtvielen. Toen ik me naar mevrouw Sarah omdraaide, waren haar ogen vochtig.

'Ik wist niet dat... had ik maar geweten hoeveel troost je haar biedt,' zei ze.

Eenmaal in ons rijtuig vertelde ik mevrouw Sarah hoe dol ik op haar zus was en legde ik uit dat Sukey en haar boek mevrouw Martha tot bedaren brachten.

'Had ik het maar geweten. Ach, had ik het maar geweten,' zei mevrouw Sarah. In een poging haar gerust te stellen, bekende ik uiteindelijk dat ik al eerder op bezoek was geweest. Ik had verwacht dat ze boos zou worden, maar in plaats daarvan prees mevrouw Sarah me om wat ik gedaan had.

Ik vroeg toestemming om vaker op bezoek te gaan, en na die dag werd er meteen een rijtuig voor dit doel beschikbaar gesteld. Mevrouw Martha herkende me bijna altijd, en het werd de bewakers algauw duidelijk dat mijn aanwezigheid de patiënt goeddeed. Het eerste voorwerp dat ze toestonden, was de haarborstel van Belle, en ik gebruikte hem zoals Mama het me had geleerd. Wanneer ik haar fijne haar voorzichtig kamde, ontspande mevrouw Martha onder mijn vertrouwde aanraking. In de weken daarna gaf een dankbare hoofdzuster me toestemming om boeken mee te nemen en mevrouw Martha voor te lezen. Hoewel iedereen me prees om de goede invloed die ik op haar had, wist niemand dat ik net zoveel uit deze bezoeken haalde als mevrouw Martha.

34

Belle

MAMA WAS HIER MET MIJ AAN HET WERK, BONEN AAN HET IN-
leggen, en dan komt Will Stephens terug uit Williamsburg. Ik
weet dat er iets mis is als ik hem met hangende schouders naar het
keukenhuis zie komen.

Ik zeg: 'Kom binnen, Will, ga zitten.' Dan vraagt Mama of hij
iets wil drinken.

'Dat klinkt goed, Mae,' zegt hij. 'Wat water zou fijn zijn.'

'Hoe ging het?' vraag ik, zodra hij het water drinkt. Mama kijkt
me aan met een blik van geef hem de tijd, maar ik kan me niet inhouden.

Hij glimlacht naar Mama, geeft de kop aan haar terug, en zegt:
'Dank je, Mae.' Dan ademt hij diep in voordat hij begint te praten.
'Alles is in orde, Belle. Jij, Jamie, Ben, Lucy en hun jongens komen
met mij mee zodra mijn contract hier afloopt.'

Ik ga zitten en Mama gaat zitten. Als niemand wat zegt, zeg ik:
'Hoe gaat het met Lavinia?'

Will kijkt naar zijn voeten. 'Ze was al verloofd.'

'Wat!' zeg ik.

'Met wie ga ze trouwen?' vraagt Mama.

Will frunnikt aan zijn hoed, en doet alsof het hem niks kan
schelen. 'Ik heb begrepen dat hij een collega van meneer Madden
is. Ik heb hem niet ontmoet.'

'Hoe zit dat met haar broer?' vraagt Mama.

'Die is een paar jaar geleden gestorven.'

'Heeft ze ons een brief gestuurd?' vraag ik.

'Nee,' zegt hij, en ik weet dat er heel veel dingen zijn die hij niet zegt.

'Hoe ziet onze meid eruit?' vraagt Mama. 'Ze helemaal volwassen?'

'Dat is ze, ja.' Will Stephens moet wel glimlachen, of hij wil of niet. 'Ze is vreselijk mooi. Haar haar is nu donkerder, niet zo rood, maar haar ogen... tja, ze kijkt je recht aan, net als eerst.'

'Lijkt ze op Beattie, of meer op Fanny?' vraag ik.

'Ze is zo lang als Fanny, maar ze is niet mager.' Hij wordt rood als hij zichzelf hoort.

'Ze blij voor met die man te trouwen?' vraagt Mama.

Hij haalt zijn schouders op en schudt zijn hoofd. 'Ach, Mae, ik weet niet veel van vrouwen.'

Mama maakt ons aan het lachen: 'Will Stephens, jullie mannen ben allemaal hetzelfde. Jullie hele stelletje weet niet veel van vrouwen.' Will staat op het punt om weg te gaan als Mama vraagt: 'Heb je Marshall zien?'

'Ja,' zegt hij. 'Hij is ook volwassen geworden.'

We kijken hem aan, en hij weet dat we meer willen horen, dus hij zegt: 'Ik vrees dat er niets goeds over hem te zeggen valt.'

Door de manier waarop Will dat zegt, krijg ik het overal koud.

'En mevrouw Martha?' vraagt Mama.

'Ze ligt nog steeds in het ziekenhuis. Meneer Madden denkt niet dat ze ooit nog thuis zal komen.'

Als Will weg is, praten Mama en ik. We weten allebei dat er iets mis is. We verbazen ons over Lavinia, waarom we geen brief krijgen. Waarom schrijft ze niet over de man met wie ze gaat trouwen?

Mama maakt zich zorgen. Wat gebeurt er als Marshall hier de baas wordt? Ze wil haar meiden hier weg krijgen, maar Will Stephens heeft haar al gezegd dat hij het geld niet heeft. En ik weet waar Mama zich het meest zorgen om maakt. Gebeurt er straks met hen hetzelfde als met mij?

Het is goed dat Ben en ik naar Wills plantage gaan, zegt Mama. Ze is bang dat het Benny de kop zal kosten als Marshall weer achter me aan gaat. Maar ik denk: als Marshall me ooit weer te pakken krijgt, dan heb ik Benny niet nodig om hem af te maken.

35

Lavinia

HOEWEL MENEER BORAN METEEN WILDE TROUWEN, HIELD ME-
neer Madden vast aan onze trouwdag in juni, een maand na mijn
zeventiende verjaardag. Na verloop van tijd maakte ik me steeds
meer zorgen om meneer Boran. In het bijzijn van anderen bleef hij
bescheiden en zachtmoedig, maar als er niemand bij was, werd hij
een ander mens. Zodra we alleen waren, deed hij verliefd en vertoonde hij gedrag dat mij angst inboezemde. Het bleef niet meer
bij onschuldige, zij het gepassioneerde handkussen; hij was me
onbehoorlijk gaan betasten, op een manier die bij mijn weten bedoeld was voor echtgenoten. Toch vroeg ik me af of ik, als zijn aanstaande, dit moest toelaten of niet.

Ik wist niet bij wie ik te rade kon gaan. Meg had net zo weinig ervaring als ik, maar belangrijker nog, ze had van begin af aan duidelijk laten merken dat ze het onder geen beding over mijn relatie
met meneer Boran wilde hebben. Ik probeerde een gesprek met
mevrouw Sarah aan te knopen, maar volgens mij dacht ze dat ik
informatie wilde over de huwelijksnacht, wat haar in verlegenheid bracht, en ze kapte het onderwerp af. De volgende dag kwam
ze naar mijn kamer en gaf me een pamflet ter informatie, waarin
werd geïmpliceerd dat de huwelijksgemeenschap uitgevoerd
werd door de man en doorstaan moest worden door de vrouw.

Ondertussen werd meneer Boran er steeds bedrevener in mij
alleen te treffen. Hij had telkens een ander excuus: een brief die
hij aan mij alleen wilde voorlezen, een kleinigheid die hij me wil-

de geven. De Maddens gaven altijd gehoor aan zijn verzoek en 's avonds gingen ze vaak vroeger naar bed om ons wat tijd alleen te gunnen. Ik ontmoedigde zijn avances zo goed als ik kon en probeerde hem af te leiden met conversatie, maar hij werd steeds brutaler en veeleisender. Wanneer hij handtastelijk werd, vocht ik tegen mijn uitgesproken afkeer, en daarna, alleen op mijn kamer, beloofde ik mezelf dat ik een manier zou vinden om van deze overeenkomst af te komen. Op een avond dacht ik in een helder moment aan onze privélerares, mevrouw Ames. Ik zou haar om advies vragen. Zou ik als lerares aan de slag kunnen? Had ik genoeg geleerd om les te geven?

Ze antwoordde zonder te aarzelen: 'Lieve hemel! Waarom zou je dat willen doen?' In de monoloog die daarop volgde, legde ze uit dat lesgeven alleen een acceptabel lot was bij gebrek aan een goed alternatief. Ze somde haar argumenten op. Ten eerste was het een opgave een geschikte betrekking te vinden. Ten tweede was je altijd bang om je baan te verliezen. 'Het zal niet de eerste keer zijn, en waar komt een jonge vrouw dan terecht? Op straat? Nee, nee, en nog eens nee! Een meisje als jij kan beter trouwen.'

Totaal ontmoedigd besloot ik dat lesgeven geen optie was.

Toen kwam er een uitnodiging voor een bal in de Raleigh Tavern, aangeboden door meneer Boran. Meg was ook uitgenodigd. Meneer Boran had inmiddels gemerkt dat Meg het niet eens was met onze verloving, en ik vermoed dat hij haar met deze uitnodiging voor zich wilde winnen. In eerste instantie begreep ik niet waarom ze er gretig op inging, aangezien ze steevast weigerde aan dit soort sociale uitjes deel te nemen. Het verbaasde me nog meer dat ze haar moeder verzocht om voor deze gelegenheid voor ons allebei een nieuwe jurk te laten maken. Dolblij met het vooruitzicht dat haar dochter een sociaal uitstapje wilde gaan maken, liet mevrouw Sarah meteen de volgende dag de kleermaker komen.

Meg was het laatste jaar weliswaar gegroeid, maar op haar vijftiende was ze nog steeds klein en tenger. Ze had amper vrouwelijke rondingen gekregen, maar ze was eigenlijk heel mooi wanneer ze haar bril afzette, waardoor haar sierlijke neus en grote bruine ogen beter tot hun recht kwamen. Het bleef lastig om haar wilde bos haar onder controle te krijgen, want het kroesde meer dan het krulde, en alleen vlechten of stevige kammen konden het in bedwang houden. Van haarspelden kreeg ze hoofdpijn, zei ze, dus de helft van de tijd deed haar haar wat het wou.

Meg wijdde zich nog altijd vol overgave aan haar biologiestudie, maar sinds kort leek haar belangstelling te zijn gewekt door een jongeman in het bijzonder: Henry Crater, de tweelingbroer die een aantal jaar geleden door Marshall was afgeranseld. Meg beweerde dat haar interesse in Henry uitsluitend te maken had met de studie, want Henry studeerde inmiddels ook plantkunde. Maar de laatste tijd viel me op dat Megs haar netjes opgestoken was wanneer hij langskwam om boeken over het onderwerp uit te wisselen.

Op de avond van het bal stak ik mijn haar voordat we ons aankleedden hoog op en versierde het met een mooi wit lint. Toen ze het resultaat zag, gaf Meg me een geel lint en vroeg me hetzelfde bij haar te doen. Ze kletste honderduit terwijl ik daarmee bezig was, en tot mijn grote plezier liet ze zich ontvallen dat ze Henry op het bal hoopte te zien.

Toen we aangekleed waren, bekeken Meg en ik elkaar. We hadden allebei een stijlvolle jurk van wit batist gekozen, met een taille in empirestijl, een lage vierkante hals en kleine pofmouwen. Mijn jurk was afgezet met blauw lint en die van Meg met geel borduurwerk. Onder onze rok droegen we een huidkleurige pantalon met bijpassende zoom. We prezen elkaar de hemel in, en toen ik Meg in de spiegel naar zichzelf zag glimlachen, vermoedde ik dat ze zich voor het eerst in haar leven mooi voelde.

Het was de eerste keer dat ik me met meneer Boran in het openbaar vertoonde, en hoewel ik naar deze nieuwe ervaring uitkeek, wilde ik eerlijk gezegd dat ik in Megs schoenen stond. Vanaf het moment dat meneer Boran in zijn rijtuig arriveerde, wist ik dat de avond een hele opgave zou worden. Op weg naar het bal kon hij zijn ogen niet van me afhouden, en ik geneerde me omdat hij voortdurend naar mijn decolleté zat te gluren. Hij bleef maar zeggen hoe mooi ik was, totdat Meg hem vriendelijk verzocht om van onderwerp te veranderen. Hij zweeg, en ik haalde opgelucht adem toen we onze bestemming bereikten. De Maddens waren er al en kwamen ons begroeten.

Meneer Boran kon niet wachten en sleepte me onmiddellijk de dansvloer op. Hij bewoog zich behendig, maar ik voelde me niet bepaald op mijn gemak, omdat hij bij iedere pas zo naar me loerde dat ik me angstvallig afvroeg hoe de avond zou aflopen. Het was duidelijk dat hij met me wilde pronken, en aangezien dit ons eerste uitstapje in het openbaar was, twijfelde ik er niet aan dat het in de zaal gonsde van de geruchten. Hij wilde de dansvloer niet verlaten tot ik Meg aan de kant zag praten met Henry. Ik eiste een moment van rust, maar zelfs toen liet meneer Boran me tot mijn grote frustratie niet alleen. Ik wilde Meg onder vier ogen spreken, om er zeker van te zijn dat ze met ons mee naar huis zou gaan, maar pas toen ik de ingeving kreeg om hem een drankje te laten halen week meneer Boran met tegenzin van mijn zijde. Natuurlijk stemde Meg juist op dat moment in om met Henry te dansen, en omdat ik wist dat dit voor hem een overwinning was, hield ik ze niet tegen.

Op de dansvloer straalde mevrouw Sarah goedkeuring uit, eerst naar Meg, en toen naar mij. Tot mijn grote opluchting zag ik Marshall mijn richting op komen. Mijn eerste gedachte was er een van veiligheid, en ik was dan ook dolblij dat hij naar me toe kwam. Marshall zag er aantrekkelijk uit in zijn donkergroene fluwelen jasje met bijpassend vest en zijn witte zijden choker. Hij wierp slechts een vluchtige blik op mijn verschijning, maakte een beleefde buiging en ging toen naast me naar de dansvloer staan kijken.

'Je bent mooier dan ooit,' zei hij.

'Marshall...' zei ik aarzelend, maar ik kon de juiste woorden niet vinden.

'Wat is er, Lavinia?' Hij boog zich naar me toe om me beter te kunnen verstaan.

'Ik ben bang,' zei ik.

'Bang? Waarvoor?' Hij keek me recht in de ogen, en ik merkte meteen dat hij bezorgd was.

'Marshall! Wat fijn dat je even op Lavinia wilde letten.' Meneer Boran kwam met hernieuwd zelfvertrouwen op ons af. 'Ik neem haar nu wel over,' zei hij, en hij bood me het drankje aan. Marshall zei niets, en de moed zonk me in de schoenen toen hij vlug een buiging maakte en wegliep.

'Liefste,' zei meneer Boran, 'ik wil je om een gunst vragen.'

'En dat is?'

'Ik heb Molly beloofd dat we vanavond even langs het huis zouden rijden, zodat ze kan zien hoe mooi je bent.'

'Maar mag dat dan–'

'Ik heb al met de Maddens gesproken. Ik heb ze gezegd dat we terugkomen zodra we Molly's verzoek ingewilligd hebben.'

Ik keek naar de overkant van de dansvloer waar de Maddens stonden te lachen met een ander stel, terwijl Meg aan het dansen was met Henry. 'Ik ga even gedag zeggen,' zei ik.

'Nee.' Hij greep mijn elleboog. 'We zijn zo terug. Kom, het rijtuig staat al klaar.'

'Maar ik wil niet weg.'

'Wil je Molly teleurstellen?' vroeg hij.

Ik aarzelde en keek om me heen, op zoek naar een uitweg.

'Nou, ik wil haar niet teleurstellen,' zei hij, waarop zijn vingers zich in mijn arm boorden en hij me door de volle zaal naar buiten leidde.

Op weg naar zijn huis zei ik niets, en ik voelde me enigszins opgelucht toen hij het rijtuig voor de deur liet wachten. Hij nam me mee naar de salon, maar ik zag mijn bange vermoeden bevestigd: Molly was niet thuis. Toen ik me realiseerde dat ook zijn dienstmeid weg was, werd ik pas echt bang. 'Meneer Boran–'

Hij liet er geen gras over groeien. 'Je bent over slechts een paar maanden mijn vrouw,' zei hij, alsof hij zich wilde verontschuldigen voor de aanval die hij inzette. Ik vocht alsof mijn leven afhing van mijn kuisheid, en als hij niet over zijn bretels was gestruikeld toen ik ontsnapte, had ik het gevecht waarschijnlijk verloren. Ik rende het huis uit zonder omslagdoek, maar het kon me niet schelen dat ik halfnaakt was. Toen ik het rijtuig bereikte, greep ik het portier vast en riep huilend aanwijzingen naar de koetsier. Ik gilde van angst toen een paar handen me van achteren te pakken kreeg. De paarden kwamen met een ruk in beweging, maar ik wilde het portier van het rijtuig niet loslaten en werd meegesleept tot ik mijn grip verloor.

'Lavinia! Ik ben het! Ik ben het!'

Pas toen ik loskwam van het rijtuig besefte ik dat Marshall de man was die me vasthield.

Marshall sloeg zijn jasje om me heen en bracht me naar huis. Daar aangekomen wilde hij me alleen laten terwijl hij de Maddens ging halen, maar ik was er zeker van dat meneer Boran weer zou verschijnen, dus smeekte ik hem te blijven. Tot mijn grote opluchting bleef Marshall wachten terwijl ik me boven ging omkleden, en hij beloofde dat hij zou blijven totdat de Maddens thuiskwamen. Toen ik terugkwam, kon ik niet ophouden met beven tot hij een groot glas brandewijn inschonk dat ik in een teug van hem moest leegdrinken. De vloeistof brandde in mijn keel, maar ik werd er wat rustiger door, en aangezien ik geen sterkedrank gewend was, kwam mijn tong algauw los. Ik vertelde Marshall over de vrijheden die meneer Boran zich gepermitteerd had en liet openlijk blijken hoe ik ervan walgde dat ik met hem zou gaan trouwen. Er kwam ineens een vreselijke gedachte in me op. 'Moet ik nog steeds met hem trouwen?' vroeg ik.

'Nee, Lavinia. Dat is nu wel van de baan,' verzekerde Marshall me.

'Maar ik heb ermee ingestemd,' zei ik.

'En ik heb nooit begrepen waarom,' antwoordde hij.

'Ik dacht dat het de enige oplossing was. De Maddens zijn zo goed voor me geweest. Ik kan niet van ze verwachten dat ze nog langer voor me zorgen.'

'Vinny! Vinny!' Meg stormde naar binnen met de Maddens in haar kielzog. Ze vloog op me af, maar bleef toen staan en deed een stap naar achteren om me aan te kunnen kijken. 'Je hebt gedronken!' zei ze. 'Ik ruik het.'

'Ik heb haar wat brandewijn gegeven,' zei Marshall.

'Marshall toch!' zei mevrouw Sarah vermanend.

'Ze had het nodig,' zei hij.

Meg bestookte me met vragen. 'Wat is er in hemelsnaam gebeurd, Vinny? Meneer Boran kwam naar vader toe. Hij zag lijkbleek. Hij zei vreselijke dingen over je.'

Ik wilde hulp bij Marshall zoeken, maar hij liep al met meneer

Madden de kamer uit. Mevrouw Sarah ging tegenover me zitten en wilde het hele verhaal horen. Nadat ik haar alles had verteld, sloeg Meg haar armen om me heen. Toen begon ik te huilen.

De verloving werd verbroken, maar ik vond het vreselijk dat ik de Maddens met mijn mislukking had vernederd. Ik voelde me vooral schuldig omdat ik wist dat meneer Madden een vriend van meneer Boran was; ik wist dat ze naaste collega's waren. Ik kon alleen maar gissen naar de vragen en roddels waaraan mevrouw Sarah blootgesteld werd en wist niet hoe ik haar ooit mijn excuses kon aanbieden. Niemand vertelde me wat die walgelijke man over me rondbazuinde, maar het beetje dat ik te horen kreeg was slecht genoeg om de halve stad te laten twijfelen aan mijn integriteit. Wat had ik er een spijt van dat ik dit gezin in zo'n positie geplaatst had. Ik besefte meer dan ooit dat ik snel op eigen benen moest gaan staan.

Ik besloot te wachten tot mijn zeventiende verjaardag voordat ik nogmaals een beroep op mevrouw Ames zou doen. Ik hoopte dat ze nu zou inzien hoezeer ik haar nodig had en bereid zou zijn mij te helpen een betrekking als privélerares te bemachtigen. Met die gedachte in mijn achterhoofd stortte ik me als nooit tevoren op mijn studie. Marshall repte met geen woord meer over die avond, maar uit schaamte over wat hij had gezien, en al helemaal over mijn halfontklede staat, deed ik afstandelijker tegen hem. Hij pakte de zaterdaglessen weer op en aansluitend at hij opnieuw met ons mee.

Meg stond als altijd voor me klaar. Op een dag, kort na het bal, vroeg meneer Degat hatelijk wat mijn aandeel in de mislukte verloving was geweest. Meg legde hem het zwijgen op door hem te vragen naar een uiterst lelijke roddel die hem aan meneer Alessi koppelde.

Die herfst en winter keek ik uit naar mijn tweewekelijkse bezoek aan mevrouw Martha. Mijn behoeftes waren niets in vergelijking met die van haar, en elke keer dat haar ogen oplichtten als ze me zag, besefte ik dat ik iets te bieden had.

Mevrouw Martha reageerde eindelijk op de behandeling. De

artsen hadden ontdekt dat haar aanvallen bijna verdwenen als ze vier keer per dag laudanum kreeg in plaats van alleen voor het slapengaan. Vanwege deze vooruitgang werden alle andere behandelingen gestaakt, en langzaam maar zeker werd haar gedrag stabiel. Soms, als ik praatte over mijn dagelijkse doen en laten, toonde ze belangstelling en leek ze te begrijpen wat ik zei. Ik liet mijn zorgen achterwege, en vertelde alleen luchtige verhalen die ik samenstelde uit de plaatselijke roddels. Terwijl ze aandachtig naar me zat te luisteren, pakte ze vaak mijn hand en streelde die met iets wat op genegenheid leek.

Op een van die momenten voelde ik zo'n warmte voor haar, dat ik me afvroeg of ik iets soortgelijks voor een moeder zou voelen. Ze leek te merken wat er in me omging, en toen er tranen in mijn ogen opwelden, liet ze me voor het eerst haar gezicht aanraken. Daarna groeide mijn genegenheid voor haar, en ik was vastbesloten haar te blijven bezoeken, waar mijn toekomst me ook mocht brengen.

Het werd mei, en met het ontluiken van het heerlijke groen probeerde ik mezelf ervan te overtuigen dat mijn toekomst niet zo somber was als ik me had voorgesteld. Ik had Belle nog steeds niet geschreven, want het had me diep gekwetst dat ze het niet nodig had geacht mij te vertellen waarom Will op bezoek was gekomen – namelijk omdat hij haar voor zichzelf wilde. Maar naar alle eerlijkheid was dat niet de enige reden dat ik niet schreef. Ik wist dat ik nooit terug zou kunnen gaan naar de familie van wie ik hield, en het deed te veel pijn om contact te houden.

Ik besloot om de dag na mijn zeventiende verjaardag met mevrouw Ames af te spreken. En als zij me niet kon helpen zou ik nog één keer een beroep op de Maddens doen, om samen met mij een familie te vinden die een privélerares nodig had.

Meg was zestien, de leeftijd waarop de vorming van een meisje afgerond geacht werd. Het was gebruikelijk dat een jonge vrouw van haar leeftijd haar tijd besteedde aan sociaal verkeer, maar in het geval van Meg verbaasde het niemand dat ze te kennen gaf haar studie te willen voortzetten. Hoewel we er niet over spraken, nam Meg aan dat ik met haar zou doorgaan, maar ik had al een jaar uitstel gekregen. Het werd tijd dat ik werk vond.

Ongeveer een week voor mijn verjaardag veranderde de stemming in huis. Ik had geen idee waarom, maar de Maddens deden vrolijker tegen me, en zelfs Meg, die zich meestal niet om haar ouders bekommerde, merkte het verschil op. Ik veronderstelde dat ze me dankbaar waren dat ik mevrouw Martha bezocht. Mevrouw Sarah merkte namelijk regelmatig op dat het zo goed ging met haar zus en zei dat het ongetwijfeld aan mij lag.

Sinds de winter kwam Marshall elke woensdagavond langs om met Meg en mij te kaarten. Ik was hem nog steeds erg dankbaar dat hij me gered had, en om die reden had ik vaak romantische dagdromen over hem. Ik schaamde me ervoor, en om te voorkomen dat hij er iets van merkte, deed ik vaak afstandelijker tegen hem dan ik wilde.

Toen Henry vroeg of hij mee mocht doen aan onze kaartavond, werd ik weer wat meer mezelf. Henry begon een voorzichtige flirt met Meg, terwijl Marshall en ik elkaar ongedwongen plaagden.

Ik was in een melancholische bui toen ik op de middag van mijn verjaardag terugkwam van het ziekenhuis. De dag ervoor had mevrouw Sarah gevraagd of er iets speciaals was waarmee ik het wilde vieren. Ik dacht met weemoed terug aan de keren dat de tweeling en ik samen buiten hadden gegeten, dus vroeg ik of ik een eenvoudig middagmaal mocht meenemen voor mevrouw Martha en mij. Mevrouw Sarah leek blij met mijn verzoek, en nadat ze toestemming van het ziekenhuis had gekregen, liet ze Bess een mand klaarmaken.

Toen ik aankwam, had het personeel een kleine tafel klaargezet bij een bank in de gekkentuin, en ik kreeg te horen dat mevrouw Martha en ik de tuin een uur lang voor onszelf hadden. Ze was helderder dan ooit, en keek aandachtig toe terwijl ik de tafel dekte met een wit katoenen kleed, blauw-witte porseleinen borden en zilveren bestek. Ik liet haar naast me op de bank zitten en bedekte onze schoot met een groot linnen servet voordat we begonnen aan het kleine feestmaal van ingelegde asperges, gebraden ham, vers brood en appeltaart met dikke room. Ze wachtte tot ik begon te eten, pakte vervolgens met een sierlijk gebaar haar bestek en proefde van alles wat.

Terwijl we aten, vertelde ik over de keren dat ik op Tall Oaks buiten had gegeten. Vanuit mijn ooghoeken zag ik dat ze luisterde, dus haalde ik mijn hart op en praatte tegen haar alsof ze alles begreep. Ik liet me meevoeren door mijn herinneringen en beleefde opnieuw de vreugde die ik had gevoeld toen de tweeling en ik, verzadigd door het feestmaal, op een bed van zachte dennennaalden waren gaan liggen. Toen ik terugkeerde naar het hier en nu vertelde ik mijn zwijgende tafelgenoot dat ik jarig was. Ik was zeventien, een volwassen vrouw. Mevrouw Martha keek me aan, depte haar mond met haar servet, en voor de eerste keer sinds haar opname sprak ze een volledige zin uit.

'Isabelle, als de kapitein er weer is, gaan we terug naar huis,' zei ze.

Ik keek haar verwachtingsvol aan, maar het leek alsof alleen al het formuleren van de gedachte al haar energie had opgeslokt. Ze keek verward om zich heen. Toen ze van tafel opstond, viel haar servet op de grond en ze pakte het niet meer op voor ze wegliep. Later, toen ik gedag zei, was ze nog steeds ver weg.

Ik wilde direct naar mijn kamer om af te ronden waar ik mee bezig was geweest. Ik was een overzicht van mijn kwalificaties aan het opstellen voor de toekomstige werkgever die ik met hulp van mevrouw Ames hoopte te vinden. Toen ik uit mijn rijtuig stapte, stond Marshall me tot mijn verbazing op te wachten. Hij nam de mand van mijn arm en zette hem neer. 'Stukje wandelen?' vroeg hij.

'Gaat Meg niet mee?' Ik zag haar nergens.

'Nee, vandaag niet.'

'Maar mevrouw Sarah–'

'Ik heb haar toestemming.'

Als hij er niet zo vriendelijk bij had gekeken, was ik waarschijnlijk ongerust geweest. Hij haakte mijn hand in zijn arm en ging zelfverzekerd met mij op weg, het gouden middaglicht tegemoet. Zwijgend liepen we naar het park, waar Marshall me op een bank onder een bloeiende kornoelje liet plaatsnemen. Onzeker keek ik naar hem op.

'Lavinia,' zei hij, 'ik heb vernomen dat je opnieuw je goedheid hebt getoond.'

Ik begreep niet waar hij het over had, en zei het hem ook.

'Ik weet pas sinds kort dat je regelmatig naar het ziekenhuis gaat.'

'O.'

'Wat een goede daad, Lavinia. Je loyaliteit is uitzonderlijk.'

'Zo uitzonderlijk is het niet, Marshall,' zei ik. 'Mevrouw Martha biedt me troost. Ze doet me aan thuis denken – aan Tall Oaks, bedoel ik.'

'En beschouw je Tall Oaks als jouw thuis?'

'Het is het enige thuis dat ik me kan herinneren.'

'En vandaag ben je jarig?'

Ik glimlachte en vroeg me af welke kant dit gesprek opging. 'Ja, ik ben zeventien geworden,' gaf ik toe.

'Dus je realiseert je dat je vanaf vandaag een vrije vrouw bent?'

Ik keek hem verbaasd aan. Ik wist wel dat ik een contractarbeider was, maar ik voelde me al lang nergens meer aan gebonden.

'Ik kan documenten laten opstellen als je dat wilt.'

'Heb ik die nodig?' vroeg ik.

'Nee.' Hij glimlachte. 'Niet als je met mijn plan instemt.'

Ik keek hem vragend aan.

Hij haalde diep adem. 'Lavinia. Ik heb een voorstel.'

Meteen liep ik over van enthousiasme; ik wist wat hij wilde gaan voorstellen. Hij wilde me als gezelschapsdame voor zijn moeder aanstellen! Hij zou ons samen mee terug nemen! Ik probeerde uit alle macht mijn groeiende opwinding te bedwingen.

'Aankomende herfst erf ik het landgoed van vader. Tegen die tijd zal ik afgestudeerd zijn, maar ik ga hier niet als jurist aan de slag. Ik ben van plan om naar Tall Oaks terug te keren om zelf de plantage onder mijn hoede te nemen.' Hij ging naast me zitten. 'Ik geef erg veel om je, Lavinia. Ik wil dat je met me meegaat. Ik wil met je trouwen.'

Ik was met stomheid geslagen.

Hij pakte mijn hand. 'Ik heb het al met oom en tante besproken en ze vinden ons een geschikt paar.'

Ik kon nog steeds niets uitbrengen.

'Lavinia,' zei hij, 'ik wil dat je weet hoeveel je voor me betekent.' Hij vatte mijn sprakeloosheid op als een afwijzing, en vervolgde: 'Neem mijn aanzoek alsjeblieft in overweging.'

'Nou, eh... ja. Ik voel me vereerd,' wist ik uit te brengen. Als antwoord kuste hij mijn bedekte hand en glimlachte naar me. Ik trok voorzichtig een van zijn donkerblonde krullen los die vast was komen te zitten onder de knisperende witte kraag van zijn overhemd.

'We zullen gelukkig worden,' zei hij, en hij trok me dicht tegen zich aan.

Ik ging meteen bij mevrouw Sarah te rade. Hoe keek ze tegen een huwelijk tussen Marshall en mij aan?

'Jullie zijn allebei nog jong,' zei ze, 'maar ik zie dat je een goede invloed op hem hebt. Hij is gelukkig als hij bij je is, Lavinia. Ik geloof dat je het beste in hem naar boven haalt.'

Ik voelde me gevleid door haar woorden.

'Ik weet hoe graag je naar Tall Oaks terug wilt,' vervolgde ze, 'en je bent je ongetwijfeld bewust van de bevoorrechte positie die dit huwelijk je zal bieden.' Ze zweeg, bestudeerde haar handen en keek me toen weer aan. 'Geef je om Marshall?'

'Ja,' antwoordde ik oprecht, 'heel veel.'

'In dat geval,' zei ze, 'geven we je graag onze zegen.'

Diezelfde avond verbrak ik mijn stilte en schreef Belle wat een geluk ik had. Ik was in de wolken! Ik kwam naar huis! Ik vertelde hoe gelukkig ik me voelde en hoe dankbaar ik Marshall was dat hij me van een onzekere toekomst gered had.

Wat ik me allemaal bij mijn thuiskomst verbeeldde! Als echtgenote van Marshall zou ik in de positie verkeren om de familie die op me wachtte te ondersteunen, en ik zat uren te dagdromen over hoe we hun leefomstandigheden konden verbeteren en hun werk konden verlichten. Ik ging zo ver in mijn fantasie dat ik zelfs geloofde dat Marshall ze ooit hun vrijheid zou schenken, zoals ik de mijne had gekregen.

Hij had wel trekjes die me zorgen baarden, maar dat hield ik voor me. Het was duidelijk dat hij mij als geen ander vertrouwde, waardoor ik zijn kwetsbaarheid zag – iets wat hij goed verborgen hield voor anderen. Hij hield rekening met me, maar als ik hem tegensprak, als ik een andere mening had dan hij, dan voelde hij zich aangevallen en zonderde hij zich kwaad af. Als gevolg daarvan leerde ik algauw om hem overal gelijk in te geven. Gelukkig was volgzaamheid mij niet vreemd, aangezien ik me al bijna mijn hele leven naar anderen had geschikt.

Waar ik me iets minder zorgen om maakte, maar wat me wel opviel, was het feit dat Marshall geen fysieke toenadering zocht. We gingen zelden uit, hoewel hij me twee keer naar een theatervoorstelling heeft begeleid. Hij was zichtbaar trots met mij aan zijn arm, maar we bleven niet napraten. Sterker nog, we gingen meteen naar huis, en zodra hij me veilig had afgezet, kondigde Marshall aan dat hij weg moest. Aangezien hij zijn studie aan het afronden was, had hij meer tijd nodig om te studeren, dus vervielen de lessen op zaterdag. Hij kwam nog wel elke woensdagavond langs, want dan zaten Meg en Henry altijd klaar om te kaarten, maar hij bleef nooit lang, noch wilde hij alleen met me zijn. Eerlijk gezegd was het, na meneer Borans gedrag, een opluchting voor me, maar ik vroeg me wel af waarom Marshall me niet eens probeerde te kussen. De manier waarop hij me behandelde deed me in meerdere opzichten denken aan hoe ik omging met de pop die mama Mae me als kind had gegeven. Ik was er zo aan gehecht dat ik mezelf niet het plezier gunde ermee te spelen en er alleen liefdevol naar durfde te kijken. Maar zo ontzegde ik mezelf juist dat waar de pop voor bedoeld was.

Hoewel Meg en ik dikke maatjes bleven, zei ze verrassend weinig over mijn relatie met Marshall. Ik merkte dat ze het er liever niet over wilde hebben, dus bracht ik mijn zorgen niet ter sprake.

In de laatste week van augustus, toen mij drie jurken werden aangemeten – een cadeau voor mijn aanstaande huwelijk, aangeboden door de Maddens – bracht de kleermaker het schokkende nieuws dat meneer Boran dood was. Het gonsde van de geruchten in de stad. De arme man was in het bos aangetroffen, dicht bij een herberg, langs de kant van de weg op een paar kilometer afstand van de stad. Deze herberg, zo ging het gerucht, bood onderdak aan vrouwen, die, in de woorden van mevrouw Sarah 'in de behoeftes van een bepaald type man voorzagen'. Het vreemde aan het verhaal was dat meneer Boran, en dat was algemeen bekend, nooit dronk. Naar het schijnt had hij op de avond van zijn overlijden echter zo diep in het glaasje gekeken dat hij van zijn paard was gevallen en met zijn hoofd een dodelijke smak tegen een rots had gemaakt.

Mijn eerste zorg ging uit naar zijn dochter, Molly, tot ik me herinnerde dat ze een tante had die veel om haar gaf. Ik was niet bepaald rouwig om zijn dood, aangezien ik nog steeds bang voor de man was. Ik had de Maddens er weliswaar niets over gezegd, maar aan Marshall had ik wel toevertrouwd dat ik hem zeker een aantal keren 's avonds op straat onder mijn raam had zien staan. Mevrouw Sarah, Meg en ik roddelden er die dag op los, maar tijdens het middagmaal hielden we ons in. Per slot van rekening was meneer Boran een vriend van meneer Madden geweest. Ik bood hem mijn innige deelneming aan, waarvoor hij me bedankte, maar hij keek bezorgd.

Ik kon niet wachten tot ik het nieuws met Marshall kon bespreken, dus was ik teleurgesteld toen hij zich schriftelijk verontschuldigde en die week niet op bezoek kwam. De eerstvolgende keer dat ik hem zag en het onderwerp van meneer Boran aansneed, wees hij het meteen van de hand. Hij was het beu om het over de dood van die ellendeling te hebben, zei hij, en uit zijn reactie begreep ik dat ik de zaak beter kon laten rusten.

Die zomer bleef ik bij mevrouw Martha op bezoek gaan. Zij en ik hadden geen gesprekken zoals anderen die wellicht kenden, maar ze leek altijd geïnteresseerd in wat ik te zeggen had. Als een bepaald onderwerp haar erg aansprak, herhaalde ze vaak een of twee woorden. Dat was voor mij een teken om uit te wijden, om meer details te geven.

Ik had haar niets over Marshall gezegd, noch over onze relatie, maar aangezien onze trouwdag naderde, wist ik dat het tijd was. De dag waarop ik besloot het haar te vertellen, zaten we buiten in de schaduw van de gekkentuin. Het was laat in de middag en de hete augustuszon scheen genadeloos op iedereen binnen de omheining, maar buiten konden we ongestoord praten.

'Ik ga met Marshall trouwen,' zei ik ronduit.

Ze gaf geen antwoord.

'Mevrouw Martha,' zei ik, en om een of andere reden wilde ik huilen, 'begrijpt u wat ik zeg? Ik ga met Marshall trouwen, met uw zoon.'

Ze begon aan de mouw van mijn jurk te plukken. 'Marshall trouwen,' zei ze monotoon, 'Marshall trouwen.'

Ik viel haar in de rede zoals ik geleerd had. 'Ja,' zei ik. 'In september gaan we trouwen en dan gaan we terug naar Tall Oaks.'

'Tall Oaks,' fluisterde ze, 'Tall Oaks.' Ze keek op en staarde in de verte alsof ze door de muur heen kon kijken.

'Wat vindt u ervan?' vroeg ik.

Ze draaide haar hoofd weer naar me toe en glimlachte, iets wat ik haar in de laatste vijf jaar niet had zien doen. Het raakte me zo dat ik moest huilen.

Mevrouw Martha's glimlach gaf me de moed om bij Marshall voor haar te pleiten. Voor zover ik had begrepen, had hij haar niet gezien sinds het ongelukkige bezoek met mevrouw Sarah jaren geleden. Ik vertelde hem niet dat ik daarvan wist, maar vroeg hem of hij de volgende keer dat ik zijn moeder ging bezoeken met me meekwam.

'Dat kan ik niet!'

Ik hoorde het verdriet in zijn stem en drong niet verder aan. In plaats daarvan vroeg ik hem of ze met ons mee naar huis kon komen. Ik beloofde dat ik de verantwoordelijkheid voor haar verzorging op me zou nemen.

In eerste instantie zei hij nee, maar ik zag dat hij even aarzelde, en het eerstvolgende geschikte moment somde ik de voordelen op die mevrouw Martha's eigen huis haar zouden bieden: mama Mae en de tweeling zouden voor haar zorgen en goed eten zou haar eetlust stimuleren. Ik was optimistisch en zei dat ik het mogelijk achtte dat ze volledig zou herstellen. Ik benutte zijn verlangen om mij tevreden te stellen, en een paar weken voor ons huwelijk wist ik hem over te halen.

Onze huwelijksceremonie vond in de namiddag van zes oktober 1801 plaats. We wilden de ceremonie eigenlijk in de salon houden, maar het was zulk mooi weer, de tuin lag er nog zo prachtig bij en ons gezelschap was zo klein, dat we op het allerlaatste moment besloten om ons plan te wijzigen. Meg en Henry stonden naast ons toen we omringd door vogelgezang en de geur van laatbloeiende kamperfoelie onze trouwbeloftes uitspraken. Ik droeg een ivoorkleurige satijnen jurk, met hoge taille en mouwen tot aan de elleboog, en aan mijn voeten zaten de meest beeldige muiltjes ooit gemaakt. Meg had mijn haar kunstig opgestoken met parelmoeren speldjes en rozetjes van ivoorkleurig satijn.

Ongeveer een maand voor de bruiloft, op een van de zeldzame momenten dat we alleen waren, vertelde Marshall me dat er een rekening op mijn naam was geopend. Meneer Madden beheerde de rekening, maar ik mocht het geld geheel en al aanwenden om in mijn behoeftes te voorzien. Toen Marshall het bedrag noemde, zei ik beduusd dat ik zoveel niet nodig had. Hij lachte. 'Je zult het allemaal nodig hebben en nog meer zelfs! Ik wil dat je een nieuwe garderobe aanschaft.'

'Maar ik hoef geen–'

'Het gaat hier niet om behoeftes, Lavinia. Je wordt mijn vrouw en ik wil dat je goed gekleed gaat. En nogmaals, als dit bedrag ontoereikend is, dan hoef je het maar te vragen.'

'Mag ik een deel gebruiken om cadeaus te kopen?'

Weer lachte hij. 'Je mag het overal voor gebruiken, maar ik wil in ieder geval een nieuwe garderobe zien. En vergeet je trouwjurk niet.'

Op onze trouwdag leidde meneer Madden me over het stenen pad in de richting van mijn aanstaande, en toen ik opkeek en Marshalls goedkeurende glimlach zag, liep ik over van dankbaarheid.

Dankzij hem was mijn toekomst veiliggesteld en ging ik naar huis. Na de korte ceremonie werden er drankjes ingeschonken, en samen met onze gasten – onder wie meneer Degat, meneer Alessi en mevrouw Ames – dronken we op een lang en gelukkig huwelijk. Daarna volgde er nog een ronde waarbij ieder voor zich een toost uitbracht, en waar we allemaal uiteraard erg vrolijk van werden. Na zonsondergang gingen we naar de salon, waar alle meubels uit gehaald waren. Meneer Alessi speelde samen met een groep muzikanten muziek die niemand kon weerstaan, en al snel waren we allemaal vrolijk aan het dansen. Ik was blij dat Marshall de alcohol net zo goed als de anderen scheen te kunnen hanteren. Sterker nog, hij werd er net als ik ontspannen van, en we lachten en plaagden elkaar als kinderen.

Later die avond ontbood mevrouw Sarah ons in de eetkamer, waar we een feestmaal genoten dat Nancy en Bess de dagen voorafgaand aan de bruiloft hadden bereid. Tegen elf uur was iedereen weg. Marshall en ik brachten de nacht bij de Maddens door, en al gauw gingen we allemaal naar bed, ieder van ons naar zijn eigen kamer. Marshall en ik sliepen apart; hij had voorgesteld om goed uit te rusten voor we de volgende ochtend vertrokken.

Toen ik eindelijk in bed lag, dacht ik terug aan de heerlijke dag en kon ik de slaap niet vatten. Bovendien zag ik met spanning uit naar de terugreis.

We vertrokken 's morgens vroeg, ons rijtuig zwaar beladen. Meg en ik vielen elkaar in de armen en lieten elkaar niet meer los totdat Marshall me begon te plagen en zei dat hij zonder mij zou gaan. Meg rende het huis in toen ik het rijtuig in klom, en ik keek niet uit het raampje om te zwaaien want ik wilde niet huilen. Toen we bij het ziekenhuis stopten, stond er een ander rijtuig klaar, waar mevrouw Martha al in zat. Er reisden twee bewakers met haar mee, die naar Williamsburg zouden terugkeren zodra we op Tall Oaks aankwamen en hun patiënt geïnstalleerd was.

Woorden schoten tekort voor wat er die ochtend door me heen ging. Het andere rijtuig ging voorop, en toen het wegreed, steigerden onze vurige paarden. In mijn verstrooidheid vloog ik van de bank. Als Marshall me niet snel had opgevangen, was ik vrijwel ze-

36

Belle

WE HOREN LANG NIKS VAN LAVINIA TOT ZE SCHRIJFT DAT ZE NU met Marshall gaat trouwen. Ik schrijf niet terug. Wat moet ik zeggen? Wat is er met de andere man gebeurd? Hoezo ben je nu met Marshall samen? Weet je zeker dat je met Marshall wil trouwen?

Ik zeg tegen Mama misschien pakt het goed uit, maar Mama is er niet blij mee. 'Hier kom niks goeds van,' zegt ze. 'Die jongen trek problemen aan, en ik wil niet dat Lavinia in die puree kom.'

Ik ben bang dat Marshall me weer gaat grijpen, maar Will Stephens zegt dat ik nu van hem ben, en dat Marshall niets over me te zeggen heeft. Hij moet de plantage nog een jaar beheren, zegt Will, en dan gaan we naar zijn plantage aan de overkant van de beek, op ruim een kilometer van de hutten. Ik weet dat het gaat lukken met zijn plantage, want Ben en Papa zeggen dat alles beter loopt dan ooit sinds Will hier is.

Een dag na de komst van Lavinia's brief sturen de Maddens een kar vol kratten uit Williamsburg. Will Stephens brengt ze naar het grote huis, en we zijn er allemaal bij als hij ze openmaakt. We doen een stap naar achteren, en niemand zegt iets als hij het rood-witte behang voor de muren pakt. Papa helpt hem twee nieuwe, rode fauteuils uitpakken en daarna de rollen stof met de kleur van verse room en zo zacht als mijn eigen huid. Als ze klaar zijn, leest Will ons de brief van mevrouw Madden voor waarin staat dat we alles in een slaapkamer voor Lavinia moeten zetten.

Fanny vraagt zich af of Lavinia om deze reden met Marshall gaat trouwen, omdat ze al deze mooie dingen wil hebben. 'Als ze daarom met hem gaat trouwen,' zeg ik, 'dan is ze zeker veranderd. De enige keer dat Lavinia in mijn herinnering iets voor zichzelf wilde was de keer dat ze Beatties pop pakte. En dat was alleen maar omdat ze iets zocht voor lief te hebben.'

Will zegt dat hij opdracht heeft om Marshalls slaapkamer naar de goede salon beneden te verhuizen. We stellen geen vragen, we werken alleen maar hard om alles klaar te krijgen zoals het in de brief staat. Het grote huis ziet er zo mooi uit als toen mevrouw Martha wegging, en we vragen ons allemaal af of ze terugkomt. Haar kamer is klaar voor het geval dat.

Iedereen weet dat er een grote verandering aan zit te komen. Fanny, Beattie, Sukey, ze kijken allemaal elke dag uit naar het rijtuig. Ik ook. Maar Ben zegt als Marshall me nog een keer aanraakt, dan is hij er geweest.

Ik heb Mama nog nooit zo stil meegemaakt.

37

Lavinia

DE REIS NAAR HUIS WAS LANG. ONDANKS DE AANWEZIGHEID VAN de ervaren bewakers moest ik lange etappes in mevrouw Martha's rijtuig meereizen. Ik merkte algauw dat Marshall weinig geduld had met zijn moeder, hoewel het me wel opviel dat hij van tevoren veel voor haar had geregeld. Bij elke herberg waar we onderweg stopten, werd ze onmiddellijk naar haar kamer gebracht en zorgden de bewakers tot het begin van de ochtend voor haar. Kosten noch moeite werden gespaard om mij mijn eigen kamer te geven. Ik vond het wel vreemd dat Marshall niet bij me sliep; ik wist dat hij de nacht vaak in een gemeenschappelijke kamer met andere reizigers doorbracht.

Voor mevrouw Martha werd het met de dag moeilijker. Op onze laatste reisdag wist ik dat het voor haar het makkelijkst zou zijn als ik de hele dag bij haar in het rijtuig zou blijven, dus die ochtend drong ik er bij Marshall op aan om zijn eigen paard op te zadelen en vooruit te rijden. Ik zag dat mijn voorstel een opluchting voor hem was en hij ging er zonder te aarzelen op in.

Laat in de middag, toen mevrouw Martha eindelijk sliep, reden we de lange oprijlaan van Tall Oaks op. Het groene palmhout aan weerszijden van het kronkelende pad was hoog geworden, en toen het grote huis in het zicht kwam, glinsterde het van een verse laag witkalk. Toen we tot stilstand kwamen, zag ik rook uit het keukenhuis opstijgen en kon ik me haast niet bedwingen om naar buiten te springen. Ik was er zeker van dat iedereen bij het grote huis op me zou staan wachten en was teleurgesteld toen ik alleen Papa voor het huis zag staan. Toen hij de deur van het rijtuig opende en me hielp uitstappen, wilde ik hem omhelzen, maar hij deinsde behendig terug. Hij moet gemerkt hebben hoe het me kwetste, want hij hield mijn bedekte hand stevig vast en maakte een kleine formele buiging. Hij deed alsof hij het rijtuig in keek en vroeg: 'Heb u mevrouw Abinia gezien? Ze zeggen dat ze thuiskom.'

'Papa toch,' lachte ik, 'je weet dat ik het ben.'

'Mijn hemel.' Hij bekeek me en schudde zijn hoofd. 'Mevrouw Abinia kom bij ons terug en nu ben ze een echte dame.'

'Papa, ik ben nog steeds dezelfde, hoor.' Ik keek om me heen. 'Waar is iedereen?'

Voordat hij kon antwoorden, kwam mama Mae de voordeur uit. Ik vergat mevrouw Sarahs etiquette ter plekke en riep Mama terwijl ik de trap oprende om haar te begroeten. Ik sloeg mijn armen om haar heen, en hoewel ze me niet tegenhield, beantwoordde ze mijn omhelzing niet. Haar houding zou me zeker zorgen hebben gebaard als ik op dat moment niet een ander paar stralende ogen over mama Mae's schouder had zien kijken.

Ik vraag me af of ik Fanny zonder haar vertrouwde oogopslag herkend had. Ze was zeventien, en met haar brede voorhoofd en vooruitstekende tanden zag ze er heel gewoontjes uit.

Ze was lang geworden en erg mager, maar ze zag er vooral anders uit door de hoofddoek die ze nu droeg. Ik was gewend dat haar zwarte haar, meestal in een vlecht, haar gezicht omlijstte. De donkerblauwe sjaal deed haar diepbruine kleur niet bepaald goed uitkomen. 'Fanny!' riep ik uit toen ik de drempel over stapte en naar haar toe liep. Uit mijn ooghoeken zag ik Mama naar Fanny knikken.

Fanny zette een stap achterwaarts om een rare poging tot een reverence te doen. 'Mevrouw Abinia, dit heel goed u weer bij ons thuis te hebben.'

Ik dacht dat haar formele begroeting een grapje was en zou zeker hebben gelachen, ware het niet dat op dat moment de bewakers met mevrouw Martha verschenen. Hun patiënt was in de war en van streek, en tot mijn grote teleurstelling herkende ze haar huis niet. Mama, Fanny en ik brachten mevrouw Martha naar haar kamer. Ik diende haar een nieuwe dosis laudanum toe en terwijl het middel begon te werken, maakten Mama en Fanny haar klaar om naar bed te gaan. Toen ze in bed lag, keek ik om me heen en zag hoe alles glansde. Ik complimenteerde Mama en Fanny met hun goede zorg voor het huis.

Mama glimlachte. 'U ben straks de goeie jonge mevrouw hier,' zei ze.

'Mama, toch,' zei ik, 'zo noem je me toch niet!'

'Dat wie u nu ben,' zei ze. 'M'neer Marshall kom vanmorgen thuis, en hij maak duidelijk wij noem u mevrouw.'

Uit schaamte wist ik niet wat ik moest antwoorden. Mijn gezicht gloeide.

'Abinia,' zei Mama zachtjes tegen me, 'die naam beteken helemaal niks. Iedereen hier weet wie je voor ze ben, maak je daarom geen zorgen.' Fanny knikte instemmend.

Toen mevrouw Martha sliep, zei Mama dat ik naar beneden moest, omdat Marshall in de eetkamer op me wachtte. Ik had geen trek, ook al was het inmiddels etenstijd. Toen ik de eetkamer binnenkwam, zat Marshall al aan tafel. Ik zag dat oom Jacob naast de tafel wachtte.

'Oom!' Ik vloog blij op hem af, tot ik Marshalls blik opving. De manier waarop hij keek deed me verstijven en ik vertraagde mijn pas. Ik ging zitten en richtte me tot Oom. 'Hoe gaat het, oom Jacob?' vroeg ik.

'Met mij goed hoor, mevrouw Abinia,' zei hij. Hij keek me niet aan, en ik herinnerde me de afstandelijkheid van de bedienden bij mevrouw Sarah thuis. Voordat ik een poging kon doen om het gesprek voort te zetten, begon Marshall over de plantage en zijn plannen voor de toekomst te praten. Aan het eind van de maaltijd kwam Beattie de tafel afruimen. Hoewel ook zij nu een hoofddoek droeg, had die van haar een mooie gele kleur en had ik haar waar dan ook herkend. Ze was kleiner dan Fanny, maar ze had een voluptueuzer figuur. Haar zachte, bruine ogen schitterden, en toen ze glimlachte, was ze precies zo mooi als ik me herinnerde. Ik wilde naar haar toe gaan, maar Marshall greep mijn hand en trok zijn wenkbrauwen op. Tegen mijn zin ging ik weer zitten. 'Beattie!' zei ik. 'Hoe gaat het met je?'

'Met mij goed hoor, Abinia.' Ze wierp een blik op Marshall en corrigeerde zichzelf. 'Mevrouw Abinia.'

Marshall liet Oom meer wijn brengen, en Beattie benutte dat moment van afleiding om me nog een glimlach te schenken. Ik volgde haar met mijn ogen terwijl ze de eetkamer uit liep, en toen de deur openging, ving ik een glimp op van een ander jong meisje dat naar binnen keek. Ditmaal kon ik mezelf niet beheersen. Ik duwde mijn stoel naar achteren, rende naar de deur en deed hem open. Het kind had vlechtjes en droeg geen hoofddoek. Ze had volle, roze lippen, een rond gezicht en grote, ernstige ogen. Ze frunnikte aan de roze borduursels die de kraag van haar bruine, zelfgemaakte hemd versierden, ongetwijfeld het resultaat van Beatties handwerk. Ik liep de deur uit en liet hem dichtvallen.

'Sukey?' vroeg ik, en ik stond er niet bij stil dat ik in mijn mooiste reisjurk knielde. 'Sukey, ben jij het?'

Ze knikte verlegen.

'Weet je niet meer wie ik ben?"

'U mijn Binny,' zei ze, en de wereld stond stil toen ik haar omhelsde.

Marshall rukte de deur zo hard open dat we elkaar geschrokken loslieten. Hij keek me vreemd aan, en knikte toen naar Sukey. 'Wie is dat?' vroeg hij.

'Dit is Sukey.' Ik stond op en sloeg mijn arm om haar schouders. 'Ik ken haar sinds haar geboorte.'

'Lavinia,' zei Marshall, 'ik heb er genoeg van. We hebben een lange reis achter de rug. Kunnen we dooreten zonder verdere toestanden?'

Ik liet Sukey gehoorzaam gaan, maar voordat ik achter Marshall aan de eetkamer in liep, fluisterde ik in haar oor: 'We zien elkaar straks.' De eerste maaltijd die mijn kersverse echtgenoot en ik thuis genoten eindigde in een ongemakkelijke stilte.

Marshall hoefde me niet aan te sporen om vroeg naar bed te gaan. Ik kreeg te horen dat de kamer die voorheen van de privéleraar was geweest, tegenover de kinderkamer, nu de mijne was geworden. De kamer was in mijn herinnering donker en griezelig, en hoewel Mama merkte hoe bang ik was, bracht ze me er toch naartoe. Toen ze de deur opende, wist ik niet wat ik zag: de kamer was volledig veranderd.

De muren waren bedekt met toile in rood en ivoor, en er hingen ivoorkleurige damasten gordijnen naast de twee hoge ramen en om het hemelbed. Voor de open haard was een knusse zithoek gecreëerd met twee kleine oorfauteuils bekleed met rode zijde. Er brandde een klein vuur, en aan de andere kant van de kamer, op een secretaire, flakkerde een olielamp die twee van Megs botanische prenten verlichtte.

Mama keek me hoopvol aan. 'Het is prachtig geworden, Mama,' zei ik, erop gebrand om mijn waardering te laten blijken. Maar het voelde allemaal verkeerd. Sinds mijn aankomst had ik een groeiend gevoel van onbehagen, en op een of andere manier werd mijn onrust belichaamd door deze kamer. Het voelde niet als thuis. Toegegeven, het was een mooie kamer, maar het voelde niet als het thuis van mijn herinnering, het thuis dat ik voor ogen had gehad. Mijn thuiskomst was helemaal niet waar ik op gehoopt had.

Mama glimlachte naar me alsof ze daarmee wilde verzachten wat ze ging zeggen. 'U moet me geen Mama niet meer noemen. U kan me beter Mae noemen. M'neer Marshall zeg hij wil dit zo.' Ik keek bedenkelijk. Mama zei zachtjes: 'U moet even aan dit alles wennen, maar u weet we ben hier allemaal voor u.'

Fanny kwam Mama vragen om haar te helpen met mevrouw Martha. Ik wilde met ze meegaan, maar Mama zei nee. 'Vanavond wij zorg voor haar,' zei ze. 'U blijf hier.'

Fanny wierp even een blik naar binnen voordat ze wegging. 'Abinia, hoe beval die nieuwe kamer? Wij allemaal hard werk voor die kamer in orde krijg.'

'Fanny, de kamer is prachtig,' zei ik zo oprecht als ik kon.

Toen ze de deur had dichtgedaan, liep ik de kamer rond en ging op de rand van het bed zitten. Ik bleef daar een hele tijd zitten tot ik me zo eenzaam voelde dat ik naar het raam liep. Mijn kamer lag naast die van mevrouw Martha, en toen ik uitkeek over de vertrouwde achtertuin zag ik in het maanlicht het keukenhuis en het pad dat naar de hut van Mama en Papa leidde. Ik kon de stallen onderscheiden, en toen ik rook uit een schoorsteen bij de hutten dacht te zien kringelen, ademde ik diep in. 'Ik ben thuis,' fluisterde ik, en ik omarmde mezelf. 'Ik ben thuis.'

Later die avond, toen ik al in bed lag, kwam Marshall naar mijn kamer. Hij had sinds het avondeten zitten drinken, en het was duidelijk dat hij te veel op had. Hij kwam mijn kamer binnen met een halfvolle beker brandewijn in zijn hand en op weg naar mijn bed struikelde hij en morste een flinke hoeveelheid ervan op een van de rode zijden fauteuils. Ik wilde vlug gaan schoonmaken, maar iets zei me dat ik het beter zo kon laten.

Ik was gespannen, want we waren nog niet intiem geweest. Ik vroeg me af of hij zo maagdelijk als ik was, maar toen hij zijn kleren uittrok en me naar zich toe trok, wist ik meteen het antwoord. De daad was snel en ruw en hij deed niet lief tegen me, maar toen het klaar was en ik mijn nachtpon naar beneden trok, ging hij met zijn hoofd op mijn buik liggen en smeekte me dronken om vergiffenis. Ik plukte aan zijn krullen en sussend streelde ik zijn haar tot hij sliep. Ik wilde met heel mijn hart wegglippen en naar het keukenhuis rennen om Belle te zien, maar ik deed het niet. Natuurlijk was ik bang om mijn echtgenoot wakker te maken, maar er was nog een andere reden, eentje die me het hele afgelopen jaar dwars had gezeten. Ik zou het niet kunnen aanzien dat Will Stephens bij Belle woonde.

Ik was wakker en keek naar het vuur van de open haard dat langzaam doofde. Omgeven door het donker besefte ik dat het idee dat dit huwelijk me terug bij mijn familie zou brengen weleens een vreselijke misvatting geweest zou kunnen zijn.

Toen ik de volgende ochtend laat wakker werd, zag ik dat Marshall een briefje had achtergelaten waarop stond dat hij en Will Stephens een ronde langs de plantage waren gaan maken. Hij zou weer terug zijn voor het middageten van twee uur.

Ik kleedde me snel aan en ging direct naar de kamer van mevrouw Martha. In de blauwe kamer zei Mama betuttelend dat ik beneden wat moest eten, of wilde ik misschien boven ontbijten?

'Mama, hou alsjeblieft op,' zei ik. 'Doe voor mij alsjeblieft geen moeite. Je weet dat ik voor mezelf kan zorgen.'

'U moet mij Mae noemen,' zei ze standvastig.

Ik gaf geen antwoord. 'Hoe gaat het met mevrouw Martha?' vroeg ik.

'Kom zelf maar kijken,' zei Mama.

Mevrouw Martha zat al in een fauteuil en Sukey kamde haar haar. Het blad met ontbijt was opzij geschoven en het leek erop dat de patiënt goed had ontbeten.

'Isabelle,' zei mevrouw Martha toen ze me zag, en ik was dolblij toen ik zag hoe helder en gelukkig ze eruitzag.

Ik ging naar haar toe en knuffelde haar. Toen sloeg ik mijn arm om Sukeys schouders. 'Hallo kindje,' zei ik, en we lachten terwijl we elkaar knuffelden. 'Mama,' vroeg ik, 'is het goed als we even naar het keukenhuis gaan?'

Mama gaf geen antwoord.

'Mama?' vroeg ik weer.

'Mevrouw Abinia,' zei Mama, 'u moet mij Mae noemen.'

Ik hield vol. 'Nee, Mama,' zei ik, 'dat weiger ik.' Ik had haar nog nooit tegengesproken, en we keken elkaar verbaasd aan.

Mama draaide zich om en liep de blauwe kamer in; ik ging haar achterna, en liet Sukey en mevrouw Martha in de slaapkamer achter. 'Noem mij Mae,' zei ze.

'Nee,' zei ik.

'Kind, ik breng jou groot en ik zeg je moet me Mae noemen!'

'Nee, Mama, alsjeblieft,' smeekte ik.

Mama ging op een houten stoel zitten en zweeg. Na een tijdje keek ze me aan en zei: 'Kind, waarvoor doe je me dit aan?'

'Omdat jij Mama bent.' Ik begon te huilen; alle spanning van de afgelopen dag en nacht kwam eruit. Mama stond op en sloot me in haar armen. 'Alles is anders, Mama!' snikte ik. 'Alles is anders!'

Ze haalde een ruwe zakdoek uit haar zak en droogde mijn tranen. 'Dit kom allemaal goed,' zei ze. 'Dit heb tijd nodig, da's alles.

Ga nou maar. Jij neem Sukey mee naar die keuken en ik blijf hier. Daarbeneden zit iemand op jou te wachten.'

Belle kwam uit de boomgaard met een grote mand appels op haar schouder. Een jongetje van vier of vijf liep rondjes om haar heen en gooide een appel in de lucht. Ik aarzelde even, maar versnelde toen mijn pas. Toen Belle me in het oog kreeg, zette ze de mand op de grond, riep mijn naam en rende naar me toe om me te begroeten. We omhelsden elkaar tot Belle me van zich af hield om te zien hoe ik gegroeid was. Sukey bracht het jongetje bij me.

'Ken u Jamie?' vroeg ze, en duwde hem naar voren.

'Ja, natuurlijk ken ik hem.' Ik had hem alleen als baby meegemaakt, maar toen ik op mijn hurken ging zitten, kon ik amper geloven wat ik zag. Hij had licht krullend donkerblond haar en blauwe ogen en zijn gezicht had dat van Campbell kunnen zijn. Toch zag ik meteen dat hij een waas voor zijn linkeroog had, en uit de manier waarop hij zijn hoofd hield om me aan te kijken bleek duidelijk dat hij slecht zag.

'Hallo Jamie.' Ik pakte zijn hand. 'De laatste keer dat ik je zag, was je nog maar een kleintje.'

Hij trok zich los en rende naar Belle. Ze streelde zijn haar. 'Hij heeft nog nooit geen dame gezien.' Ze stuurde hem vooruit met Sukey en haakte haar arm in de mijne terwijl we naar de keuken liepen. Daar was Beattie het middageten aan het klaarmaken. Ze ging door met koken toen we binnenkwamen, maar toen ik mijn hulp aanbood, nodigde ze me uit om te gaan zitten. Even later kwam Fanny uit het grote huis, waar Mama haar had afgelost zodat ze bij ons kon zijn. Sukey zat naast me en ik sloeg mijn arm om haar schouder toen zij de hare om mijn middel sloeg. Ik voelde een genegenheid voor haar die ik voor mijn eigen kind had kunnen voelen.

Het duurde niet lang voor we allemaal tegelijk begonnen te praten, en algauw schudde de keuken van ons gelach. Daar, in het keukenhuis, kwam er eindelijk iets terug van het gevoel waar ik zo naar had verlangd. Maar het was van korte duur.

Mama was buiten adem toen ze in de deur verscheen. 'Kom.' Ze gebaarde dat we moesten komen, terwijl ze omkeek naar de stallen. 'Ze ben weer terug, en m'neer Marshall kom zo meteen naar boven.'

De angst in haar stem kon ons onmogelijk ontgaan, en we kwamen allemaal tegelijk in actie. Beattie en Belle gingen weer aan het werk in de keuken, terwijl Fanny, Sukey en ik snel achter Mama aan naar het grote huis liepen.

38

Belle

TOEN LAVINIA EEN KIND WAS, JE HOEFT JE MAAR OM TE DRAAIEN en ze is al ziek. Iemand kijkt verkeerd naar haar en ze geeft over. Mama en ik denken de hele tijd dat ze niet lang zal leven. Dit meisje komt nu terug en ze ziet er zo goed uit, geen idee hoe dat kan. Ze is nu groter dan ik. Ze loopt rechtop en beweegt alsof haar voeten de grond niet raken. Haar botten lijken nog steeds breekbaar, maar ze is genoeg gevuld voor er als een vrouw uit te zien. Ze heeft donker haar, maar het is nog steeds rood – zonder twijfel. Ze praat als altijd, rustig en zacht, maar door de manier waarop ze dingen zegt, weet je dat ze een dame is. Mama zegt het is bijna niet te geloven, maar als je haar naast mevrouw Martha ziet staan, zijn ze, op de ogen na, als twee druppels water.

De eerste keer dat ik Marshall zie, is hij op weg naar de stallen, en ik ga snel naar binnen zodat hij me niet ziet. Sukey en Jamie zijn buiten aan het spelen, en Marshall loopt recht op ze af. Hij zegt niks, maar blijft gewoon naar Jamie kijken alsof hij niet gelooft wat hij ziet. Ik weet dat het lijkt of hij zichzelf ziet. Ik ga naar buiten en roep naar Jamie dat hij naar het keukenhuis moet komen. Marshall kijkt op en ziet Jamie naar me toe rennen. Mijn handen trillen zo erg dat ze de deur bijna niet dicht kunnen doen. Dan moet ik gaan zitten. Zo bang maakt die man me.

Ik weet dat ik straks naar Wills plantage ga, maar totdat ik daar ben, slaap ik met een oog open en het keukenmes onder mijn bed. Ik weet dat Mama en Papa willen dat ik en Ben hier weg zijn voordat er iets gebeurt. Ben denkt niet als Papa. Papa zegt dat Ben zijn plaats moet weten, maar Ben zegt dat hij zijn plaats maar al te goed weet, en dat is niet onder een blanke man die hem slecht behandelt.

Marshall is nog maar een paar dagen thuis, maar iedereen is nu al nerveus. Het is alsof je weet dat er een storm aan komt en de bliksem elk moment kan inslaan.

39

Lavinia

OP ONZE TWEEDE DAG SCHROK IK TIJDENS HET MIDDAGETEN van het slechte humeur van mijn man. Terwijl Oom kalm de heerlijke maaltijd opdiende die Belle en Beattie hadden klaargemaakt, probeerde ik te eten. Toen mijn maag even later in opstand kwam, legde ik mijn bestek neer en streek ik nerveus het dikke linnen servet op mijn schoot glad, terwijl ik steeds ongeruster naar het getier van mijn jonge echtgenoot luisterde. Will Stephens had een puinhoop van de plantage gemaakt, zei hij. Stephens kon het allemaal mooi verwoorden, dat zeker, en hij had oom Madden in Williamsburg mooi voor de gek gehouden, maar je kon met eigen ogen zien dat de plantage niet in goede handen was geweest. Marshall onderbrak zijn monoloog maar een keer. 'Jacob,' commandeerde hij, 'breng ons nog een fles wijn.'

Ik zag een kortstondige blik van verbazing in oom Jacobs ogen. Ik pakte Marshalls hand. 'Kan dat wellicht wachten tot het avondeten?' vroeg ik, maar toen Marshall vlug zijn hand wegtrok, wist ik dat ik een fout had gemaakt.

Toen Oom naar de kelder ging, keek Marshall me strak aan. 'Waag het niet me ooit nog tegen te spreken, Lavinia,' zei hij.

'Marshall, ik wilde je niet–'

'Het kan me niet schelen wat je wilde,' viel hij me in de rede, 'je bent mijn vrouw. Je mag nooit aan me twijfelen.'

Hij was des duivels en ik kon aan zijn gezicht zien dat hij niet voor rede vatbaar was. Toen oom Jacob terugkwam en de wijn inschonk, stond Marshall erop dat mijn glas ook bijgevuld werd. Hij dronk snel twee glazen wijn leeg, en nadat hij Oom zijn glas voor de derde keer had laten vullen, ging hij achterover zitten en bekeek me aandachtig. Ik durfde geen nieuw onderwerp aan te snijden, en deed een poging om door te eten. Toen mijn bestek per ongeluk over het porselein kraste, keek ik verontschuldigend op en zag verbaasd dat de stemming van mijn man was omgeslagen. Hij schonk me een vriendelijke glimlach, hief zijn glas en knikte uitnodigend naar me. 'Laten we een toost uitbrengen, Lavinia,' zei hij.

Ik wist een glimlach te produceren terwijl ik mijn glas tegen het zijne hield.

'Op ons, Lavinia,' zei hij. 'Dat we altijd zo gelukkig mogen zijn.'

Marshall kwam die avond niet naar mijn kamer, maar de avond erop wel, en weer was hij dronken. Hij deed het ruw, en ik vond het verre van prettig. Maar ik wist wat mijn taak was en kon het hem niet weigeren.

Sterker nog, ik had gehoopt dat ons samenzijn onze band zou versterken. Ik kwam er echter al snel achter dat het voor Marshall niets met intimiteit te maken had. Nee, voor hem was het een taak die hij moest uitvoeren wanneer hij dronken was. De weken daarna bleef hij, als hij al langskwam, niet slapen, maar ging snel weg wanneer hij klaar was. Alleen in bed lag ik dan wakker, en vroeg me af wat er met de Marshall gebeurd was die ik in Williamsburg had gekend.

's Ochtends was Marshall op zijn best. Hij stond vroeg op, met veel zin om de dag te beginnen, maar bij het middageten begon hij te drinken en dan sloeg zijn stemming meestal om. Hij werd zelden boos op mij, want ik wist precies waar hij behoefte aan had en ik schikte me altijd indien nodig. Zijn woede richtte zich na verloop van tijd echter meer en meer op Will Stephens.

Ik begon op te zien tegen ons dagelijkse middagmaal, want dan begonnen zijn tirades tegen Will. Ik putte troost uit oom Jacobs vertrouwde aanwezigheid in de eetkamer, en uit Beattie, die het eten opdiende. Als ze een bord oppakte of neerzette, raakte ze vaak even mijn hand aan of ving mijn blik, en dan besefte ik dat ik niet alleen was.

Een paar weken na onze thuiskomst droeg Beattie de gouden hanger die ik voor haar als cadeau uit Williamsburg had meegebracht. Marshall zag hem en vroeg haar na een paar glazen wijn van wie ze hem had gekregen.

'Van mevrouw Lavinia,' zei ze trots.

'Van mevrouw Lavinia?' vroeg hij, terwijl hij zich naar me omdraaide. 'En waar heeft jouw mevrouw dat schitterende cadeau van kunnen betalen?'

'Van jouw geld, Marshall.' Ik glimlachte naar hem. 'Van het geld dat je me in Williamsburg gaf. Je zei dat ik cadeaus mocht kopen als ik dat wilde.'

Zijn blik verstarde. 'Uiteraard ben ik ervan uitgegaan dat je oom, tante of Meg bedoelde.'

'Maar je zei–'

'En wie in dit huishouden heeft er nog meer van mijn vrijgevigheid geprofiteerd?'

'Marshall, alsjeblieft, je brengt me in verlegenheid.'

'Wie nog meer?'

Ik schudde mijn hoofd en weigerde antwoord te geven.

'Geef hier,' beval hij Beattie, die haar cadeau met trillende vingers losmaakte. Hij liet het in zijn vestzak glijden en ging staan om me nog een laatste preek te geven. 'Ik wil niet meer hebben dat je zonder mijn toestemming cadeaus voor de bedienden koopt. Het zijn je bedienden! Probeer je in godsnaam eindelijk eens als een dame te gedragen, Lavinia!'

Toen hij weg was, keken Beattie en ik elkaar geschrokken aan.

'Het spijt me,' zei ik tegen Beattie.

'Geen zorgen, mevrouw Abinia,' zei ze terwijl ze de tafel afruimde, en verliet toen de kamer. Alleen aan tafel herinnerde ik me de dag waarop mevrouw Martha voor het eerst klavecimbel voor me had gespeeld. Ze had het over eenzaamheid, en nu kon ik me beter dan ooit in haar positie verplaatsen. Die herinnering deed me besluiten om mijn relatie met Marshall koste wat kost te verbeteren en de vriendschap terug te vinden die we ooit in Williamsburg hadden gehad. En dan zou ik een goed woordje voor mijn familie doen.

Mama Mae hielp me om me de rol van mevrouw eigen te maken. Het was haar idee om tijd te reserveren voor de inventaris van het huis, om alle kamers door te gaan, en elke kast, kist, lade en lakenpers leeg te halen, en een volledige lijst van alle bezittingen te maken. Mama raadde me aan om Marshall van onze onderneming op de hoogte te stellen, om hem te laten zien hoe ik mijn tijd besteedde. Dat deed ik, en toen ik zijn goedkeurende blik zag, besefte ik dat Mama mijn rol, en misschien zelfs mijn man, beter begreep dan ikzelf. Algauw bracht ik het grootste deel van mijn dag door met het in kaart brengen van het huis.

Ik hielp mevrouw Martha te verzorgen, en 's middags vond ik het fijn om haar voor te lezen. Soms, als ik er zeker van was dat Marshall de tuin had verlaten, rende ik 's morgens naar het keukenhuis voor een kort bezoek. Ik wist dat die momenten Mama veel kopzorgen bezorgden, maar ik ging toch, in de hoop dat ik Belle in haar eentje zou aantreffen. Zij was de vrouw die misschien antwoord kon geven op de intieme vragen die ik over mijn huwelijk had, maar de weinige momenten dat ik haar zag, waren er altijd anderen bij die me vragen stelden over mijn leven in Williamsburg.

We waren nog geen maand thuis en de wijn bij het middageten was al een gewoonte geworden. Zonder dat ik het wist, moet Marshall me op een ochtend hebben gezien toen ik naar het keukenhuis ging. Die middag aan tafel knikte mijn echtgenoot naar Oom om zijn glas bij te schenken en pakte toen mijn hand. 'Vertel eens, Lavinia,' zei hij niet onvriendelijk, 'wat heb je vandaag gedaan?'

'Mama en ik zijn bezig met het inventariseren van de kinderkamer,' zei ik vlug.

Marshall kneep in mijn hand, en ik had te laat door dat hij me in de val had laten lopen.

'Maar je was beneden bij het keukenhuis. Ik wil je daar niet meer zien, begrepen?'

Ik probeerde mijn hand los te trekken, maar hij bleef er krachtig in knijpen. Zijn ogen schitterden bij het zien van mijn ongemak.

'Maar Mama en–' fluisterde ik, en ik keek om naar oom Jacob.

'Mama.' Hij spuwde het woord uit. 'Je bent mijn vrouw. Je noemt haar Mae!'

'Marshall! Je doet me pijn–'

Hij bleef knijpen, en mijn adem stokte van pijn toen ik probeerde mijn hand te bevrijden.

'Ik zei, je noemt haar Mae! Heb je me gehoord?'

'Ja,' kreunde ik.

Toen oom Jacob de kamer uit glipte, wilde ik hem naroepen dat hij moest blijven, maar ik durfde het niet. Gelukkig had Marshall me losgelaten tegen de tijd dat Oom terugkwam. Ik zat als verdoofd aan tafel, met een kloppende hand, terwijl mijn echtgenoot doorging met eten.

Plotseling kwam Mama de kamer binnengestormd. 'Skuseer mij, m'neer Marshall! Mevrouw Abinia, u moet komen helpen met mevrouw Martha!'

Toen ze de kamer uit rende, stond ik ongerust op. 'Ik moet erheen,' zei ik, en ik liep haar snel achterna. Ik rende de trap op en zodra we in de blauwe kamer waren, deed ze haastig de deur achter ons dicht en stuurde me naar de slaapkamer. Mevrouw Martha zat in haar fauteuil en keek me tevreden glimlachend aan. Fanny stond naast haar maar keek me angstig aan. We schrokken ons alle drie een hoedje toen er ineens luid gebonk uit de blauwe kamer kwam. Fanny en ik renden naar de blauwe kamer waar Mama een houten stoel tegen de vloer sloeg.

'Mama!' Ik begreep niet wat ze aan het doen was.

Ze legde haar vinger tegen haar lippen en fluisterde dat Fanny en ik terug moesten rennen naar de slaapkamer. 'Op deze manier,' zei ze, terwijl ze met haar voeten op de grond stampte. 'Ga, nu.' Ze gebaarde dat we weg moesten.

Fanny rende luid stampend weg, en ik vroeg me af of ze allebei gek waren geworden. Oom Jacob klopte op de deur. 'M'neer Marshall wil weten of die dokter moet komen.'

'Nee,' zei Mama, 'zeg tege hem we heb hier alleen maar wat tijd nodig.'

Toen ze naar me toe kwam en me bij de arm pakte om mijn hand te kunnen bekijken, begreep ik het eindelijk. 'Die hand moet weken,' zei ze.

'Hoe wist je het?'

'Hij daarmee bellen,' zei Mama. Ze wees naar het schellekoord dat naast mevrouw Martha's bed hing. Ik wist dat de kamers met elkaar verbonden waren via een ingenieus systeem, maar voor zover ik wist, was het nooit eerder gebruikt. 'Als dit meer als eenmaal ga bellen, dan wij weet oom Jacob heb ons nodig. Wij hier altijd voor te helpen.' Mama keek me indringend aan. 'Begrijp je dit?' vroeg ze.

Ik knikte.

Ze streelde mijn hand. 'Waarvoor hij doe dit?'

'Ik mag niet naar het keukenhuis.' Ik vocht tegen mijn tranen. 'En ik moet jou Mae noemen.'

Mama keek me lang aan en ik kreeg een brok in mijn keel. 'Dat alleen maar een naam,' zei Mama, 'maar als jij me Mama noem, dat zeg te veel. Noem me Mae, en ik kom even snel als dat je me Mama noem. Zelfde met Papa – noem hem George. Hij Papa voor jou, wij weet dat, maar m'neer Marshall ziet dat niet zo.'

Toen ik mijn stem hervond, beloofde ik Mama dat ik zou doen wat ze wilde.

Het leven werd met de dag moeilijker met de winter in aantocht. Marshall bleef tijdens het middageten te veel drinken, en ik durfde niet meer naar Belle toe te gaan.

Zodra hij dronken was, richtte Marshall zijn aandacht bijna altijd op Will Stephens. De definitieve breuk tussen Marshall en Will vond begin december plaats op een varkensslachtdag. Blijkbaar had Will iedereen als ze klaar waren een flinke portie vers varkensvlees en een glas brandewijn beloofd. Marshall was het daar absoluut niet mee eens, want het was in zijn ogen pure verkwisting, terwijl Will aanvoerde dat de werkers er niet alleen op rekenden, maar het ook verdienden. Marshall noemde het een voorbeeld van Wills onmatigheid en slechte beheer van de plantage. Toen Marshall die dag kwam eten, dronk hij veel en at hij weinig. Ik probeerde hem te kalmeren, maar mijn opmerkingen leken zijn woede alleen maar aan te wakkeren. Waarom kwam ik voor Will Stephens op en ging ik tegen mijn eigen echtgenoot in? wilde hij weten. Maakte ik me soms meer zorgen om Will Stephens?

Ik bloosde bij de suggestie, waarmee ik olie op het vuur gooide. 'Aha! Dus je hebt belangstelling voor Will Stephens?' schreeuwde hij. Ik zei niets, maar mijn gezicht bleef gloeien. Ik had Will Stephens maar twee keer gezien sinds ik terug was, en in beide gevallen was hij nog steeds in dienst bij Marshall. De eerste keer was op een ochtend amper een week na mijn thuiskomst. Ik was mevrouw Martha's haar aan het borstelen en Fanny was het bed aan het verschonen. Toen ik de jaloezieën optrok om het daglicht volledig binnen te laten, ving ik een glimp op van Will die uit de paardenstal kwam. Ben was bij hem, en ze lachten. Ik werd overmand door een woede zoals ik die zelden eerder gevoeld had, en toen ik me weer naar mevrouw Martha omdraaide, kon ik mezelf amper beheersen. Hoe durft hij zo gelukkig te zijn! Fanny zag het aan me en kwam bij het raam staan. 'Daar loop Will Stephens met Ben,' zei ze schouderophalend, alsof ze zich afvroeg wat me zo had geraakt.

'Fanny, in hemelsnaam! Dat ziet toch iedereen!'

'Weet je nog wat jij zeg als kleintje?'

Ik zweeg, en herinnerde het me maar al te goed.

'Je zeg altijd je ga met die jongen trouwen.' Fanny lachte.

'Ik was jong en dwaas!'

Fanny hield op met lachen. 'Misschien niet zo dwaas. Will Stephens een goeie man.'

'Alsjeblieft zeg! Moeten we het de hele dag over die man hebben?'

Fanny, die meestal geen blad voor de mond nam, wierp een vluchtige blik op me maar zei verder niets.

De tweede keer dat ik Will Stephens zag, was een paar weken later. Het schemerde. Opnieuw stond ik bij het raam, en dit keer keek ik naar het paars, roze en blauw van de lucht toen ik Will in het oog kreeg. Ik voelde me slap worden. Daar liep hij, met zijn sterke schouders naar achteren, een zelfverzekerde man. Hij was op weg naar het keukenhuis, waar Belle en zijn zoon vast en zeker op hem wachtten. Ik haatte hem zo dat ik er niet van kon slapen, maar ik bedaarde toen ik besloot om wraak te nemen. Ik nam me heilig voor om, als ik eenmaal oog in oog met hem stond, niet voor hem te buigen en te doen alsof ik hem niet zag.

Die kans kreeg ik echter niet, want op de varkensslachtdag hadden hij en Marshall een dusdanige woordenwisseling dat Will zijn biezen pakte.

Ik wist dat er narigheid aan zat te komen toen Marshall zijn woede ging koelen op Will, die samen met de mensen van de hutten op het erf bij de keuken aan het werk was. Toen hun woordenwisseling uit de hand liep, sloeg Marshall Will tegen de grond.

Het was papa George die tussenbeide kwam en Marshall er op een of andere manier van overtuigde dat het werk van die dag wel zonder hem afgemaakt kon worden. En het was Papa die hem terug naar het huis bracht en hem in de studeerkamer met een fles brandewijn als gezelschap bij het vuur installeerde.

De volgende ochtend kwam papa George in alle vroegte naar het grote huis met schokkend nieuws. Will Stephens had 's nachts zijn spullen gepakt en was naar zijn eigen plantage vertrokken; hij had niet alleen Belle en Jamie, maar ook Ben en Lucy en hun twee kinderen meegenomen.

Marshall reed furieus naar de stad. Mama en ik stonden bij het slaapkamerraam toen hij later die dag terugkwam. Hij had de sheriff bij zich, maar waar ik echt van schrok was de man die naast mijn echtgenoot reed. Het was niemand minder dan zijn oude vriend Rankin. Ik wilde me net omdraaien toen ik Mama's adem hoorde stokken. Toen ik weer uit het raam keek, zag ik een jongetje voorop het paard van de sheriff zitten. Het was Jamie, de zoon van Belle. Ik luisterde naar Mama en bleef bij mevrouw Martha, terwijl Mama het huis uit rende en het huilende kind van de ruiter overnam.

Met die mannen moest ik het middagmaal gebruiken. Terwijl Beattie en Oom het eten opdienden, luisterden wij drieën naar de mannen die vertelden hoe de moeder buiten zinnen was geraakt toen ze het kind bij haar weghaalden. Marshall beweerde dat Will zich niet aan zijn contract had gehouden, en bovendien was Jamie toch zeker zijn eigendom. Het viel me op hoe blij Marshall was, en ik vroeg me af of hij dit niet al die tijd al van plan was geweest.

Toen ik er niet meer tegen kon, zei ik dat ik hoofdpijn had en ging van tafel. Ik liep de eetkamer uit, glipte door de achterdeur en rende naar het keukenhuis. Mama keek zorgelijk toen ik binnenkwam. Sukey zat op een bank met Jamie op schoot. Het jongetje sliep met zijn duim in zijn mond, zo uitgeput door alle gebeurtenissen dat hij niet wakker werd van zijn eigen luide gehik.

'Kan ik iets doen?' vroeg ik Mama.

'Ga maar terug,' zei ze.

'Er is vast iets wat ik kan doen.'

Mama antwoordde niet, maar tot mijn grote opluchting zei ze dat ze Belle had laten weten dat Jamie veilig was. Ik zei dat ik vermoedde dat Marshall dit allemaal had bedacht, dat hij de wet kende.

'Will zal dit niet over zijn kant laten gaan,' zei ik om ons beiden gerust te stellen. 'Hij zal Marshall toch zeker niet zijn eigen zoon laten houden.'

Mama keek me streng aan. 'Wat zeg je nou?'

'Will Stephens. Ik ken hem misschien niet goed, maar hij zal zeker voor zijn zoon vechten.'

Mama kneep haar ogen tot spleetjes. 'Wat bedoel je?' Ze fronste en keek me ongelovig aan. 'Je bedoel je denk...' Ze zweeg abrupt toen Marshall bij de deur verscheen. Zonder te aarzelen kwam hij naar me toe en greep mijn arm.

'Zo,' zei hij, 'ik zie dat je je weer beter voelt.' Hij wierp een blik op Sukey en de slapende Jamie, en keek vervolgens dreigend naar Mama. 'Wat voor een kletspraat was je mijn vrouw aan het verkopen?'

Mama sloeg haar ogen neer, maar ik zag nog net hoe bang ze was. 'M'neer Marshall,' zei ze, 'ik weet niks van die kletspraat.'

Marshall draaide mijn arm ruw om en trok me de keuken uit. Hij wendde zich nog eens tot Mama en zei: 'Ik zal iedereen verkopen die dit soort praat in het grote huis verkondigt.'

Mijn arm stond in brand. 'Marshall! Je doet me pijn,' zei ik, terwijl ik me probeerde te bevrijden. Ik keek wanhopig naar Mama, maar ze hield haar ogen neergeslagen, en voor het eerst zag ik de ware omvang van haar onmacht.

We waren nog maar een paar maanden getrouwd, en toch zag ik al hoeveel moeilijkheden we hadden. Ik wilde ons huwelijk koste wat kost herstellen, dus haalde ik alles uit de kast om Marshall voor me te winnen. Als ik bij mijn echtgenoot was, wekte ik de indruk dat ik alleen maar oog had voor hem. Ik praatte niet langer openlijk met anderen, maar wachtte op het juiste moment om het laatste nieuws op te vangen of via via een klein verzoek te krijgen dat ik misschien kon inwilligen. Ik voelde me nog het meest met Beattie verbonden: zij was degene die mijn dilemma als geen ander begreep, aangezien ze er elke dag in de eetkamer getuige van was. Fanny hield zich meestal bezig met de verzorging van mevrouw Martha, en hoewel ik wist dat het haar echt wel kon schelen, bleef ze afstandelijk tegen me doen.

Jamie bleef beneden in het keukenhuis, en mijn geliefde Sukey moest daar vaak zijn om voor hem te zorgen. Ik durfde zelf niet te gaan kijken, maar ik hoorde algauw dat iedereen zich zorgen maakte. Beattie vertrouwde me toe dat Jamie altijd buitengewoon gehecht was geweest aan Belle. Nu, zonder Belle, zei ze, trok hij zich steeds meer terug in zijn eigen wereld.

Ik deed alsof het me niet interesseerde toen mijn echtgenoot me vertelde dat Will Stephens een verzoek bij de rechtbank had ingediend om het kind terug te krijgen. Persoonlijk was ik echter bang dat Marshall dankzij zijn kennis van de wet de strijd zou winnen. Ik kon me voorstellen hoe wanhopig Belle moest zijn. Ik wilde niets liever dan haar schrijven om haar gerust te stellen, maar ik wist hoe precair de situatie was en ik bevond me al helemaal niet in de positie om het kind vrij te kopen.

Het verbaasde me niet dat Rankin opnieuw als opzichter werd aangesteld. In het bijzijn van Marshall stond hij nog net niet onnozel naar me te glimlachen. Maar wanneer mijn echtgenoot er

niet bij was, liet hij duidelijk blijken dat ik voor hem van onderge-
schikt belang was.

Ik spoorde Marshall aan om me op de hoogte te houden van de
plantage en me over zijn plannen voor de toekomst te vertellen.
Op een dag deelde hij me mee dat hij en Rankin besloten hadden
om niet langer door te gaan met de afwisseling van gewassen, een
methode die Will Stephens had toegepast, en alleen nog maar tabak te verbouwen, zoals vroeger. Ik wilde zo graag mijn belangstelling tonen, dat ik de fout maakte hem te vragen of hij niet bang
was dat de continue teelt van hetzelfde gewas de grond zou uitput-
ten. Marshall was meteen verontwaardigd en beschuldigde me ervan dat ik Will Stephens en zijn aanpak verdedigde. Het was niet
de eerste keer dat ik Marshall jaloers zag, en ik begon me af te vragen of hij al in Williamsburg had vermoed dat ik iets voor Will
voelde. Ik verzekerde Marshall nog maar eens dat ik hem trouw
was, maar hij beëindigde het gesprek met de opmerking dat ik een
huishouden te leiden had en me niet met zijn bedrijf moest be-
moeien. Ik wist dat ik op een dood spoor zat, dus gaf ik hem gelijk.
Na die aanvaring hield ik mijn gesprekken met Marshall luchtig
en oppervlakkig.

Doordat mevrouw Martha op afgesproken tijdstippen haar laudanum kreeg, verliepen haar dagen nu volgens een vast patroon. Wat
voor mij eentonig was, betekende voor haar regelmaat en stabili-
teit. Mama moedigde haar aan om te wandelen, en hoewel ze snel
vermoeid raakte, werden haar passen na verloop van tijd steeds ze-
kerder.

Mama, Fanny en Sukey zorgden gezamenlijk voor haar, en ik
bezocht haar dagelijks vroeg in de ochtend en laat in de middag. Ik
las haar voor of ik ging naast haar bed zitten borduren. Mevrouw
Martha was gaan praten, soms produceerde ze zelfs hele volzin-
nen, maar ze zweefde nog steeds ergens tussen droom en werkelijkheid. Voor haar bleef ik Isabelle, en ik was degene die haar het
makkelijkst tot bedaren kreeg als ze van streek raakte.

We waren een paar maanden thuis toen de dokter op zijn vaste
visiteronde een bezoek bracht aan mevrouw Martha. Ik herinner-

de me dokter Mense nog goed van vroeger; hij had de kapitein behandeld toen hij ziek was en mevrouw Martha voordat ze naar Williamsburg ging. Sinds de laatste keer dat ik hem had gezien, was zijn haar spierwit geworden. Als hij me al herkende of twijfelde aan mijn nieuwe positie, liet hij er niets van merken. Na zijn onderzoek gaf hij mij de instructie 'Ga zo door', hoewel mama Mae en Fanny er ook bij waren.

Aangezien het tijd was voor het middageten, nodigde ik dokter Mense uit om aan te schuiven, wat hij maar al te graag deed. Toen Marshall arriveerde, keek hij weliswaar verrast bij het zien van onze gast, maar hij leek niet ontstemd. Tijdens het eten bracht dokter Mense verslag uit aan Marshall van zijn bevindingen. Ook al was Marshall sinds we thuis waren niet bij zijn moeder op bezoek geweest, toch wekte hij de indruk dat hij betrokken was en op de hoogte van mevrouw Martha's toestand. Hij bedankte de dokter en benadrukte dat zijn moeders verbeterde gezondheid geheel en al mijn verdienste was. Toen hij zijn waardering uitsprak, keek hij me aan, maar ik was niet langer zeker van zijn oprechtheid.

40

Belle

MARSHALL WEET WAT HIJ DOET ALS HIJ MIJN JONGEN MEE-neemt. Er is niets ergers wat je een mama kunt aandoen dan haar kind bij haar weghalen.

Will Stephens zegt dat hij er alles aan zal doen om Jamie terug te krijgen. Hij zegt: 'Belle, wat je ook doet, ga niet terug. Hij wacht op je. Als je op Marshalls grond bent, kan ik je niet zo beschermen als hier.'

Mijn verstand staat stil. Het zit daar maar. Het enige wat ik voor me zie is mijn gillende Jamie. Twee dagen, twee nachten, ik huil niet, ik praat niet.

Als Ben komt, zegt hij: 'Belle, maak geen zorgen. Je weet Mama zorg goed voor Jamie.'

Ik kijk Ben alleen maar aan. Ik zeg niks, want als ik mijn mond opendoe, dan zeg ik: 'Wat weet jij er nou van? Jij hebt je twee jongens nog! Waarom geef je niet een van je jongens aan Marshall zodat ik mijn Jamie terug kan krijgen?' Maar ik zeg niks. Ik zeg alleen dat hij weg moet gaan.

Dan komt Lucy. Ze is voor het eerst hier in mijn keukenhuis. 'Belle,' zegt ze, 'ik weet, jij en ik, we staan allebei aan een kant van Ben en trekken aan hem. Maar hier, bij Will Stephens, moet jij en ik proberen met elkaar omgaan. Ik weet wat Jamie voor jou beteken. Mijn jongens afpakken is hetzelfde als mijn leven afpakken. Ik wil dat je weet ik sta nu aan jouw kant.'

Lucy is zo dik als Mama, en als ze haar armen om me heen slaat, begin ik te huilen. Ik huil om Jamie. Dan huil ik ook om Mama en Papa. Ik huil om mijn keukenhuis, ik huil zelfs om de kap'tein. 'Alles is weg,' zeg ik. 'Alles is weg.'

'Nee,' zegt Lucy, 'Jamie nog hier. En Mama en Papa ook. Ze ben allemaal niet verder als die andere kant van de bomen. Geef niet op, Belle. Jouw jongen kom zeker terug, en dan moet je sterk voor hem wezen.'

Als het donker is, komt Ben weer langs. Hij zegt Lucy stuurt hem naar mij. Ze zegt tegen hem dat ik hem nodig heb. Misschien heb ik Lucy al die tijd verkeerd ingeschat.

Diezelfde avond komt Papa, langs de kreek. Hij loopt hard, hij hijgt ervan, en hij moet gaan zitten voordat hij kan praten.

Ben zegt: 'Papa, als er weer nieuws is, misschien moet je dan die jongen van Ida, Eddy, hier stuur. Hij ken die weg, en als ze hem pakken, hij kan ze mond houden.'

Papa zegt: 'Zoon, zeg jij nu ik ben te oud voor hier te komen?'

Ben zegt: 'Papa, ik zeg... nou ja, je heb gelijk, ik zeg je ben al oud.'

Ze lachen als oude vrienden. Papa zegt: 'Belle, met Jamie alles in orde. Iedereen let op hem. Marshall heb niks te makken. Nu woon Beattie in dat keukenhuis, en zij hou Sukey en Jamie bij haar. Iedereen pas op Jamie.' Papa kijkt naar de grond, speelt met zijn handen en zegt dan: 'Maar Rankin weer terug. Bij die hutten, ze probeer allemaal die dufel een stap voor te blijf. En Abinia heb haar eigen problemen in dat grote huis. Marshall drink heel zwaar.'

Als Papa zegt dat het goed gaat met Jamie, kalmeer ik wat. Ik ga afwachten wat er gebeurt. Maar een ding weet ik zeker, als Jamie niet terugkomt, dan ga ik hem zelf halen, en dan loop ik met hem weg.

De volgende dag ga ik weer aan het werk en maak ik dit keukenhuis klaar. Ben en Lucy hebben hun eigen hut, en ze gaan allebei op het veld werken. Will Stephens is zijn grote huis aan het bouwen. Misschien vraag ik als hij klaar is of Lucy met mij in het grote huis kan werken.

Ik werk hard, maar dan na een week hou ik het niet meer vol en ga ik naar mijn jongen. Ik volg het water naar boven, ga langs de hutten en verberg me in het bos. En ja hoor, daar is mijn jongen van vier, hij kijkt om zich heen alsof hij zijn mama zoekt. Ik bijt op mijn eigen hand zodat ik niet roep: 'Jamie, Jamie, hier ben ik', maar juist dan komt Sukey naar buiten om hem wat te drinken te geven. Ze speelt met hem en dan zie ik Marshall bij de paardenstal. Sukey ziet hem ook en heel snel neemt ze Jamie mee het keukenhuis in en doet de deur dicht.

Op weg naar huis moet ik zo huilen dat ik bijna niet kan lopen. Maar dan schiet me iets te binnen. Ik weet waar Papa zijn geweer bewaart in de stal, en ik weet waar de sleutel is. Daar word ik rustig van. Als Marshall mijn jongen iets aandoet, KNAL! dan is hij er geweest.

41

Lavinia

IK NEEM DE VOLLE VERANTWOORDELIJKHEID OP ME VOOR DE band die tussen mevrouw Martha en Belles zoon Jamie ontstond. De dag dat Sukey vroeg of ze Jamie mee mocht nemen naar het grote huis, gaf ik mijn toestemming. Ze stelde voor dat hij in de blauwe kamer zou spelen terwijl ze mij hielp bij de verzorging van mevrouw.

Het was augustus 1802. Ik was nog geen jaar getrouwd, maar zowel Mama als ik hadden het vermoeden dat ik al zwanger was. Terwijl de anderen die herfst in de tuin aan het oogsten waren, bleef ik in het grote huis en nam ik een groter deel van de zorg voor mevrouw Martha voor mijn rekening. Ik had de wens geuit dat Sukey me daarbij hielp. Sinds mijn thuiskomst was zij degene op wie ik kon bouwen. Zij was degene die nog steeds zo van me hield als vroeger. Hoe ik het ook probeerde, ik kon de vriendschap die ik ooit met Fanny of Beattie gehad had niet herstellen. Ik bleef toenadering zoeken, maar de tweeling hield me op afstand. Ik probeerde op tal van manieren te laten zien dat ik niet veranderd was, dat ik ze beschouwde als mijn gelijken, maar sinds mijn terugkeer was het duidelijk dat ze me door een andere bril bekeken. Ik voelde me vreselijk eenzaam en was Sukey zo dankbaar voor haar vriendschap dat ik alles deed om haar tegemoet te komen. Ze beloonde me met haar niet-aflatende trouw.

'Mevrouw Abinia, hij zo verdrietig,' zei Sukey over Jamie. Haar grote, donkere ogen keken bedroefd. 'Hij zit daar maar als ik hier ben.'

'Neem hem maar mee, hoor,' zei ik tegen Sukey. 'We pakken wel wat speelgoed uit de kinderkamer om hem in de blauwe kamer bezig te houden.'

Het was al bijna negen maanden geleden dat hij gevangen werd, en zowel Beattie als Mama hadden hun bezorgdheid erover geuit dat Jamie zich meer en meer in zichzelf terugtrok. Hij zei weinig, en waar ze zich vooral zorgen over maakten was dat hij zich nooit door zijn familie liet troosten. 'Hij geef ons die schuld, hij denk we houden hem weg van ze mama,' zei Beattie.

Het was Will Stephens niet gelukt om Belle via een rechtszaak met haar zoon te verenigen, en Marshall was buiten zichzelf van vreugde toen hij het eigendom kreeg toegewezen. Ik deed één poging om Jamies vrijlating met Marshall te bespreken. De felle woede waarmee hij op mijn verzoek reageerde maakte duidelijk dat om het even welke tussenkomst van mijn kant gedoemd was te mislukken, en sterker nog, als ik daarmee doorging, zou ik weleens de aandacht op de jongen kunnen vestigen, terwijl Marshall hem over het algemeen negeerde.

Inmiddels was ik me volledig bewust van de positie die ik had als Marshalls vrouw. Ik had ontdekt wat mijn familie al die tijd had geweten: ik kon maar beter doen of ik dom was. Ik leerde mezelf aan om niet te reageren of mijn mening te geven, maar simpelweg met een glimlach of knikje in te stemmen met al zijn plannen. Ik was meer op mijn hoede en praatte niet meer openlijk over mijn gevoelens.

Toen ik Jamie in het grote huis toeliet, stond ik niet echt stil bij Marshall. Hij ging nooit op bezoek bij zijn moeder, en hij waagde zich alleen boven op de avonden dat hij naar mijn kamer kwam, wat overigens steeds minder vaak gebeurde.

Al op de eerste dag was mevrouw Martha zich bewust van Jamies aanwezigheid in de kamer naast haar. Enkele weken daarvoor hadden Mama en ik besloten om haar minder laudanum te geven. Hoewel onze patiënt als gevolg daarvan helderder en lichamelijk sterker was geworden, was ze ook onrustiger en eerder van streek. Nog voordat Sukey of ik konden voorzien wat ze ging doen, stond mevrouw Martha die ochtend op uit haar fauteuil en ging naar de blauwe kamer. Toen ze Jamie zag, bleef ze staan en liep vervolgens langzaam op hem af. Ze keek neer op het kind, dat qua uiterlijk een van haar eigen kinderen had kunnen zijn, en boog zich toen naar hem toe.

'Ik wil naar mama toe,' jammerde hij.

'Ja,' zei ze, en hij liet zich in haar armen sluiten.

De dagen daarna was mevrouw Martha uren bezig om de jongen af te leiden, en haar onrust werd opmerkelijk minder. We haalden veel van het oude speelgoed van zolder, en terwijl zij op bed lag te rusten, moedigde mijn schoonmoeder Jamie aan om naast haar met de soldaatjes te komen spelen. Net als voorheen met Sukey las mevrouw Martha hem voor, en hij raakte niet van slag wanneer ze dezelfde zinnen steeds opnieuw herhaalde. Hij voelde zich duidelijk veilig bij haar, en doordat ze elkaar nodig hadden raakten ze erg aan elkaar gehecht. Tegen het eind van de herfst waren ze zo onafscheidelijk geworden dat mevrouw Martha een klein bed uit de kinderkamer liet halen en vanaf dat moment bracht Jamie de nachten in de blauwe kamer door.

Mama was niet gerust op de zo ontstane band, maar het luchtte haar op dat Jamie weer at en sliep. Hij smeekte niet meer om zijn moeder en leek mevrouw Martha als substituut te accepteren; misschien verlichtte zij de pijn die Belle in zijn ogen had veroorzaakt door hem in de steek te laten. En mevrouw Martha was stabieler en gelukkiger dan ooit.

Sukey en ik begrepen hun verbondenheid beter dan de anderen. Ik hield van Sukey alsof ze mijn eigen kind was, en ik wist dat ze mijn gevoelens beantwoordde.

Ik lag op mijn bed te rusten toen Marshall op een dag een onverwacht bezoek aan zijn moeder bracht. Ik weet tot op heden niet waarom. Misschien was hij op weg naar mijn kamer en zag hij iets wat hem naar zijn moeders slaapkamer trok. Ik hoorde zijn stem en ging vlug naar mevrouw Martha's kamer. In de blauwe kamer trof ik een angstige Sukey aan, die ik naar het keukenhuis stuurde om Mama te halen.

'Wat is dit nu weer voor waanzin?' Marshall keek naar Jamie die naast zijn moeder lag te slapen.

'Sst.' Mevrouw Martha maande hem tot stilte.

Marshall deed een stap naar voren en het leek alsof hij het kind bij haar weg wilde halen. Jamie werd wakker en klampte zich aan mevrouw Martha vast.

'Meneer!' zei ze. 'Gaat u alstublieft weg!'

'Moeder,' schreeuwde Marshall, 'dat is een nikkerkind!'

'Hij is van mij!' zei ze.

Ik liep vlug naar Marshall toe en raakte zijn arm aan. 'Laat haar maar, Marshall, alsjeblieft, maak haar niet van streek.'

Hij draaide zich met opgeheven arm naar me om, en uit angst deinsde ik terug. 'Marshall!' riep ik.

Hij bleef staan en keek om zich heen alsof hij niet geloofde wat hij zag. Toen hij zich de kamer uit haastte, liep ik hem achterna, maar hij reageerde niet toen ik zijn naam riep. Hij kwam niet thuis voor het avondeten.

Ik was een paar maanden zwanger en er inmiddels zeker van dat ik een kind zou krijgen. Marshall was de volgende dag bij het middageten nog steeds boos, maar voordat hij een tirade kon afsteken, vertelde ik hem dat ik zwanger was. Hij reageerde zonder te aarzelen. Meteen deed hij lief tegen me. Was er iets wat ik nodig had? Moest hij iets uit Williamsburg laten komen? Deze reactie had ik niet verwacht, en tot mijn grote opluchting zaten we aan het eind van de maaltijd rustig onze plannen voor het kind te bespreken. Ik was dolblij dat Marshall door het nieuws van mijn zwangerschap Jamie en mevrouw Martha blijkbaar vergeten was.

Na mijn onthulling kwam Marshall – en eerlijk gezegd vond ik dat niet erg – niet langer naar mijn kamer voor echtelijke intimiteit.

Toen veranderde er iets binnen het huishouden. De spanning was te snijden. Er was iets gebeurd waar ik geen weet van had. Mijn hele familie was afstandelijker, meer teruggetrokken geworden. Mama Mae was nog het meest veranderd. Ze was verstrooid en snel van streek. Ze gaf haar mening niet meer zo openlijk als voorheen, maar ze merkte nog wel op dat Jamie volgens haar onmiddellijk bij mevrouw Martha vandaan gehaald moest worden. Dwaas als ik was, stond ik erop dat we ze de troost die ze in elkaar vonden, lieten behouden. Mama gaf toe, en ik zocht naar andere manieren om haar tevreden te stellen.

Beattie kwam niet meer naar het grote huis. Telkens als ik naar haar vroeg, wendde Mama het excuus aan dat Beattie het te druk had. Sukey was de enige die zich nog hetzelfde gedroeg en ik klampte me aan haar vast. Ik gebruikte mijn zwangerschap als een excuus om haar bij me te hebben en liet het andere kinderbed al-gauw in een hoek van mijn slaapkamer voor haar neerzetten. Fanny deed afstandelijker dan ooit, dus toen ik hoorde dat ze toe-stemming wilde om met Eddy, Ida's zoon, over de bezemsteel te springen, wilde ik haar dolgraag helpen. Om mij een plezier te doen, stemde Marshall in met Fanny's huwelijk en een feest. De ce-remonie zou op kerstdag plaatsvinden en ik had veel plezier in het organiseren van de bruiloft.

Naarmate mijn omvang toenam, behandelde Marshall me steeds liefdevoller. Het was een hele opluchting dat hij niets meer over Jamie zei; ook ging hij niet meer bij zijn moeder op bezoek. Hoewel hij veel bleef drinken, gedroeg hij zich in mijn bijzijn wat beter, en verliep ons dagelijkse middagmaal betrekkelijk rustig. Ik kreeg de hoop dat misschien toch niet alles verloren was, en begon me af te vragen of ons kind ons sukkelende huwelijk kon redden.

Maar daar vergiste ik me in. In mijn isolement werd ik afge-schermd van een gebeurtenis die ik nooit had kunnen voorkomen.

Zoals ik al zei, de spanning was te snijden, maar ik begreep niet waarom.

De dag voor kerst voelde ik me eenzaam en wilde ik Beattie zien, dus besloot ik dat ik reden genoeg had om een bezoekje aan de keuken te wagen. Als hij me vragen ging stellen, zou ik Marshall de waarheid vertellen: ik wilde weten of Beattie hulp nodig had bij de voorbereidingen voor Fanny's bruiloft.

Papa stond achter het keukenhuis hout te hakken en ik was zo blij om hem te zien dat ik even de tijd durfde te nemen om hem te plagen. De stapel was zo hoog dat ik hem vroeg waar hij al dat hout voor nodig had. Hij sloeg de stronk met een klap van zijn bijl aan stukken, en veegde met de rug van zijn hand over zijn ogen voordat hij me aankeek. Hij had staan huilen.

'Papa,' zei ik, 'wat is er?'

'Niks kind.' Hij zette de volgende stronk op het hakblok. 'Ik hard werken en dat water kom in mijn ogen.'

Ik wist niet wat ik moest zeggen en raakte zijn arm aan. 'Papa?'

'Abinia,' zei hij, om zich heen kijkend, 'jij ga beter terug naar dat grote huis.'

Gekwetst maar vastbesloten om mijn zin te krijgen liep ik door naar het keukenhuis. De heerlijke geur van taart en specerijen verdoezelde de gespannen sfeer in de warme ruimte. Toen ik binnenkwam, hoorde ik Beattie met Mama praten.

'Niet huilen, Mama.' Beattie had haar arm om haar moeder heen geslagen. 'Ik verzet me niet meer, dan hij stop met slaan. Is niet zo erg. Asjeblief, Mama, niet meer huilen.'

'Wie slaat jou?' Ik zei het harder dan ik wilde en liet de vrouwen schrikken. Mama droogde haar tranen en Beattie draaide zich om naar het vuur.

'Niemand,' antwoordde Beattie, met haar rug naar me toe. 'Niemand sla me.'

'Maar je zei–'

Mama viel me in de rede. 'Mevrouw Abinia, zoals Beattie zeg, alles in orde. Wat kom u hier eigenlijk doen?'

'Ik wilde alleen maar komen helpen,' zei ik bits.

'U weet m'neer Marshall wil u niet in dit huis,' zei Mama. 'Ga maar gauw terug.'

Ik was zo gekwetst dat ik terugliep naar het grote huis, langs Papa, die nog steeds zijn bijl in het hout sloeg.

Ik ging meteen naar mevrouw Martha's kamer, waar Oom het vuur had aangestoken en waar Sukey en Jamie me vroegen om een potje met ze te kaarten. Ik sloeg de uitnodiging af en ging zitten kijken. Maar mijn gedachten waren elders. Kon het zijn dat Rankin Beattie pijn deed? En erger nog, als dat zo was, wat kon ik er dan aan doen? Ik wilde een beroep op Marshall doen, maar iets zei me dat ik beter niet naar hem toe kon gaan.

Fanny's bruiloft was een groot feest. Vroeg op de avond werd er bij de keuken een groot vuur gemaakt, en er werd op lange houten tafels een feestmaal gepresenteerd. Ik was in mijn laatste maand voor de bevalling, dus werd het als ongepast beschouwd dat ik in de openbaarheid verscheen en was ik er niet bij toen Marshall de korte ceremonie leidde. Ik vond later op de avond echter dat mijn isolement lang genoeg had geduurd, en besloot naar beneden te gaan en de festiviteiten vanaf een beschutte plek in het bos te volgen.

Ik had niet verwacht dat Ben en Lucy speciaal voor het feest hierheen zouden komen. Toen ze me in het oog kregen, kwamen ze naar me toe.

'Wanneer krijg u die baby?' vroeg Lucy verlegen.

'Over een maand,' zei ik.

'Lil Birdie krijg een baby.' Ben schudde zijn hoofd vol ongeloof.

Ik werd warm vanbinnen toen hij mijn koosnaam gebruikte. 'Niet zo klein meer.' Ik streelde mijn buik en bracht Ben zichtbaar in verlegenheid. 'Hoe gaat het met Belle?' vroeg ik, om hem op zijn gemak te stellen.

'Ze mis haar jongen,' zei Ben, 'en ik weet ze mis de familie, maar m'neer Will, hij goed voor haar.'

'Belle heb haar eigen mooie huis net als daar,' zei Lucy, en ze wees naar het keukenhuis. Toen we alle drie die kant op keken, zagen we Beattie heen en weer vliegen en besloot Lucy haar te gaan helpen. Ben bleef bij me.

'Is Wills grote huis nog niet klaar?' vroeg ik.

'Het klaar genoeg voor hem in te woon,' zei Ben.

Ik kon niet voorkomen dat mijn stem een ijzige klank kreeg. 'Woont Belle daar dan nog niet met hem?'

Ben zette grote ogen op. 'Abinia. Waar praat jij over?'

Ik voelde me licht in mijn hoofd van boosheid. 'Nou, ze kunnen net zo goed in hetzelfde huis gaan wonen. Iedereen weet dat ze een zoon hebben...'

Ben keek ongemakkelijk om zich heen. 'Will Stephens niet de

papa van die jongen, Abinia,' zei hij zachtjes. 'Dat weet je toch.' Ik moet hebben gewankeld; Ben zette me op een grote steen. 'Ik haal Mama,' zei hij.

'Nee, Ben, blijf hier,' protesteerde ik, maar hij rende weg, en even later kwam Mama aangesneld.

'Kom, kind, ga maar met mij mee naar dat grote huis. M'neer Marshall denk u ben daar.'

Maar ik dreef mijn zin door. 'Niemand ziet me hier,' verzekerde ik Mama, en ik zei dat ik snel terug zou gaan om te rusten. Eerst, zei ik, wilde ik mensen zien dansen; ik wilde wat vrolijks zien.

'M'neer Marshall dit niet goed vinden.'

'Hij hoeft het niet te weten,' zei ik.

Mama keek onzeker om naar het keukenhuis. 'Ik help Beattie met dat eten, maar ik kom terug voor u te halen,' zei ze, en ze haastte zich weg.

Terwijl ik naar de muziek luisterde en iedereen zag dansen, bleven Bens woorden door mijn hoofd spoken. Ik begreep er niets van. Kon het zijn dat Will niet Jamies vader was? Maar wie dan wel?

Ida kwam naar de schemerige plek waar ik zat, en ik wist dat Mama haar had gestuurd. 'Ida!' riep ik blij verrast uit. Ik had haar niet meer gezien sinds ik naar Williamsburg was vertrokken.

Ze schonk me een warme glimlach. 'Ze zeggen u regel die bruiloft voor Fanny en mijn jongen, Eddy.'

Ik maakte naast me op de grote platte steen ruimte voor haar. Ik schrok ervan hoe oud ze was geworden sinds de laatste keer dat ik had gezien. Ze had nu wit haar en liep gebogen. Toen ze mijn uitpuilende buik wilde strelen, greep ik haar kromme bruine vingers vast.

'Ida,' fluisterde ik, 'je moet me iets vertellen.'

Ze keek me bezorgd aan.

'Ida. Wie is de vader van Belles kind? Wie is de vader van Jamie?'

Toen Ida haar hoofd afwendde, zag ik dat ze keek of er anderen in de buurt waren, en ik wist dat ze de waarheid ging vertellen. Op lage toon, vlak bij mijn oor, zei ze: 'M'neer Marshall. Ik weet dit want in die tijd Rankin mij nog steeds gebruik voor baby's te maak en hij mij vertel. Maar zeg niks geen woord. Ze maken me af, als ze erachter komen dat ik praat.'

Ida zei niets meer. We zaten zwijgend naast elkaar terwijl ik dit walgelijke nieuws probeerde te verwerken. Marshall met Belle! Hoe was het mogelijk? Ik had altijd gedacht dat hij Belle haatte. Nu viel me ineens op hoe Jamie op Marshall leek. Hoe kon ik dat over het hoofd hebben gezien?

Onze aandacht werd weer naar het kampvuur getrokken toen mama Mae en papa George onder luid geroep en geklap de dansvloer op gingen. Een eindje daarvandaan zakte Rankin in elkaar tegen een boom, met in zijn hand een fles brandewijn. Mijn blik dwaalde rond en viel op het keukenhuis, waar Beattie naar buiten kwam en haar voorhoofd met haar schort afveegde. Toen ik haar zag, werd ik herinnerd aan onze vriendschap en het vertrouwen dat ik in haar had. Ik moest met iemand over dit bittere nieuws praten en wist dat ik Beattie in vertrouwen kon nemen. Ik wilde net aan Ida vragen of ze Beattie misschien kon gaan halen toen ik Marshall opeens in het licht van het keukenhuis zag verschijnen. Hij liep naar de keukendeur en ik kon het niet geloven toen ik hem Beattie zag begroeten. Ze glimlachte aarzelend, maar ze gaf hem snel haar hand alvorens ze samen de keuken in gingen en Marshall de deur achter hen sloot. Ik wist wat dat betekende.

Ida zag wat ik zag, maar we zeiden niets. Toen ik moeizaam overeind kwam, stond Ida ook op. Ze liep met me mee de heuvel op, naar het grote huis; ze liep de trap met me op en hielp me mijn nachtkleding aan te trekken en in bed te stappen. Ik was haar dankbaar dat ze, door de onuitspreekbare ellende die ze zelf had meegemaakt, wist dat woorden niet nodig waren.

42

Belle

ALS PAPA ME KOMT VERTELLEN DAT JAMIE IN HET GROTE HUIS BIJ mevrouw Martha woont, ga ik zo vreselijk tekeer dat Ben Lucy gaat halen. Elke dag denk ik dat ik mijn jongen terugkrijg. Nu weet ik zeker dat ik hem nooit meer zal zien.

Papa zegt: 'Belle, Belle, alles in orde met Jamie daar. Hij eet weer en hij heb al die mooie speeltjes voor mee te speel. Mevrouw Martha heel goed voor hem.'

'Nee! Nee!' Ik ga sneller ademen en dan krijg ik geen lucht meer. Ik kan alleen maar denken dat Jamie in het grote huis is en Marshall hem iets aandoet.

Als Lucy komt, neemt ze me mee naar buiten, bij Papa weg. 'Kom op,' zegt ze, en ik moet van haar lopen. 'Je moet lucht naar binnen haal.'

'Nee! Nee!' zeg ik. 'Ik wil hem niet in het grote huis! Mevrouw Martha is gek, en ze gaat mijn jongen gek maken.'

'Je moet ademhaal,' zegt Lucy. 'Stop met dat praat en haal lucht binnen.'

'Lucy! Ze hebben hem daarboven in het grote huis,' zeg ik.

'Loop door,' zegt Lucy.

'Ik ga het geweer halen,' zeg ik. 'Ik ga mijn jongen halen.' Ik probeer me los te trekken, maar Lucy laat me niet gaan.

'Belle! Je moet kalmeren. Papa wacht daarbinnen op jou. Hij moet terug naar boven. Je weet, Rankin tref hem aan, Papa groot probleem.'

'Maar ze hebben Jamie in het grote huis!'

'Belle! Zo tekeergaan help niet. Papa ga pas weg als hij weet alles in orde met jou. Je moet aan Papa denken... dit gevaar hij loop en hij kom hier en vertel jou hoe met jouw jongen ga.'

Ik weet dat Lucy gelijk heeft, dus probeer ik te kalmeren. Ik kijk op naar de maan. Ik zuig lucht naar binnen en blaas die weer naar buiten. Ik doe dit tot ik een beetje rustig word.

'Nu beter?' vraagt Lucy.

Ik knik. Als we weer naar binnen gaan, zit Papa daar, en hij kijkt me niet aan.

'Het gaat wel weer, Papa,' zeg ik. 'Ik maak me zo'n zorgen om mijn jongen.'

'Belle, met jouw Jamie ga prima.'

'Ik wil hem niet in het grote huis, Papa. Wat als mevrouw Martha hem nooit laat gaan? Wat als Marshall...?' Ik zie Papa's gezicht verstrakken. 'Wat is er, Papa?' zeg ik. 'Wat kom je nog meer vertellen?'

'Beattie,' zegt hij.

'Wat?' vraag ik.

'Marshall Beattie gebruik,' zegt hij. Dan laat Papa ineens zijn hoofd zakken en begint te huilen. Ik zie Papa nooit van mijn leven huilen. Ben, ik, Lucy, we kijken elkaar aan, we wachten totdat iemand iets zegt. Ben staat op en gaat heen en weer lopen. Ik ga naar Papa en sla mijn arm om hem heen. Hij pakt de doek die hij van Mama moet dragen en snuit zijn neus. 'Ik kan niks nie doen voor me eigen meid,' zegt hij.

'Tuurlijk niet, Papa,' zeg ik.

'Wanneer dit begin te gebeuren?' vraagt Ben. Hij klinkt niet als hemzelf.

'Al een tijdje,' zegt Papa. 'Rond die tijd Abinia vertel hem ze krijg een baby. Eerst heb Beattie heel zwaar, maar ze zeg dit nu minder. Je ken die meid, die klaag nergens over. Ze zeg zelfs tege Mama en mij ze ga dit voor iedereen laten slagen. Marshall kom bijna elke avond bij haar, en hij praat tege haar. Beattie zeg, zo hoor ze tenminste wat daar speel.'

'Misschien laat hij haar met rust als Lavinia haar baby heeft?' zeg ik.

Niemand zegt daar iets op.

De volgende dag praat ik met Will Stephens, ik vertel hem dat Jamie in het grote huis is. Will zegt dat hij terug naar de rechtbank gaat en weer zal proberen om Jamie hier bij mij terug te krijgen. 'Je moet volhouden, Belle,' zegt hij.

'Will.'

'Ja?'

'Er is nog iets wat je moet weten,' zeg ik.

'Wat dan?'

'Ben was met Lavinia aan het praten op Fanny's bruiloft. Dan komt hij erachter dat ze al die tijd denkt dat jij de papa van Jamie bent.'

'Wat!'

'Al die tijd weet Lavinia niet dat het Marshall is. Ik vertelde haar nooit over die avond dat Marshall mij greep. Toen ze in Williamsburg woonde, zei Marshall tegen haar dat jij de papa bent.'

'Mijn God!'

'In zekere zin denkt Lavinia als een kind, zegt Mama. Ze begrijpt niet altijd wat er gaande is. Ze komt terug en verwacht dat alles hetzelfde is. Alsof ze niet weet dat als ze met Marshall trouwt, ze in zijn wereld moet passen. Mama probeert haar te helpen voor het te begrijpen, maar door schade en schande worden we wijs, zegt Mama.'

Ik praat honderduit, maar als ik naar Will Stephens kijk, zie ik dat hij geen woord hoort van wat ik zeg. Als hij weggaat, sta ik bij de deur. Ik zie hem heel langzaam naar zijn nieuwe huis lopen en ik denk het is veel te groot voor een man die er helemaal alleen woont.

43

Lavinia

IK BLEEF TWEE DAGEN LANG IN BED, KOORTSIG EN ZONDER EET-lust. Marshall kwam langs om zijn bezorgdheid te uiten, en toen hij mijn hand pakte, trok ik me los, zo walgde ik van hem. Mama verzorgde me zwijgend, maar op de derde ochtend, nadat ik weer een ontbijt had geweigerd, deed ze de deur van mijn slaapkamer op slot en schoof een fauteuil naast mijn bed.

'Ida zeg je weet wat dingen,' zei Mama, terwijl ze zo ging zitten dat ze me aan kon kijken.

Ik wendde mijn hoofd af.

'Ida zeg...' Ze zei het zachtjes. 'Ida zeg je zie Marshall met Beattie gaan.'

Ik hoorde haar worstelen met de woorden, maar ik bleef naar de muur kijken.

'Ida zeg je weet van Jamie?' fluisterde ze.

Nu richtte ik mijn blik op haar. 'Ida zegt wel veel,' snauwde ik.

Mama liet haar hoofd hangen.

'Het spijt me, Mama.'

'Dit leven soms niet makkelijk, Abinia,' zei Mama.

'Maar hoe... Wanneer was hij... met Belle?'

Mama legde me het zwijgen op en keek naar de deur. 'We praat hier niet meer over. Dit voorbij, nu moet je vergeten. Als hij achter-kom je weet hiervan, hij ga door tot hij ontdek wie met jou praat, en dan wie weet wat hij ga doen.'

'Maar Mama, Beattie, met hem! Hoe kon Beattie met...?'

'Denk je dat Beattie dit wil?' fluisterde Mama. 'Denk je dat ze met hem wil?'

'Ik zag ze bij het keukenhuis!' zei ik. 'Ze probeerde hem niet eens tegen te houden.'

'Abinia! Je kijk door jouw ogen, je probeer niet eens door die van Beattie te kijk. Je weet die meid heb niet het recht voor nee te zeggen. Als m'neer Marshall straks wegga, ik breng Beattie hier. Dan kijk je zelf maar wat gebeur als die meid nee zeg.' Mama's lippen trilden terwijl ze vocht tegen de tranen. Ze stond op en ging bij het grote raam staan.

Het duurde een hele poos voordat ik iets durfde te zeggen. 'Het spijt me, Mama,' zei ik, 'je hoeft haar niet te brengen. Ik weet dat je gelijk hebt.'

'Dit heel moeilijk,' zei Mama, terwijl ze haar tranen wegveegde. 'Dit heel moeilijk.'

Ik keek langs Mama uit het raam en zag dat het was begonnen te sneeuwen. Ik keek naar het laaiende vuur in de open haard en dacht aan de keer dat Papa achter het keukenhuis hout aan het hakken was. Nu begreep ik wat hem die dag had beziggehouden.

'Mama,' fluisterde ik. 'Is er iets wat ik kan doen?'

Mama kwam weer naast me zitten. Ze snoot haar neus en pakte mijn hand. 'Soms kunnen we alleen maar bidden tot die Heer,' zei ze. 'We zeggen: "Heer, we weten niet hoe, maar we hebben hulp nodig."' Ze liet haar hand op mijn dikke buik rusten. 'En we vergeten niet te zeggen dank voor uw zegens, Heer.' Mama sprak me weer liefdevol aan. 'Kom kind, het tijd jij ga eten, en dan opstaan en bewegen. Al deze drukte niet goed voor die baby.'

Mama en Fanny hielpen me een maand later, eind januari, bij de geboorte van mijn dochter, Eleanor.

Van begin af aan noemden we haar Elly, en iedereen was gek op haar. Marshall liet blijken dat hij dolblij was met zijn pasgeboren dochter, en in de heerlijke roes van het moederschap deed ik er alles aan om mijn wrok jegens hem opzij te zetten.

Sukey liet Elly geen seconde alleen; 's nachts stond de wieg naast haar bed. Wanneer ik Elly voedde, zat Sukey naast me en hield ze in de gaten of ik het hoofdje op de juiste manier vasthield. Mama kwam vaak om Elly vast te houden en voor haar te zingen tot ze sliep. En dan had je Fanny nog! Elly had net zo goed haar eigen kind kunnen zijn. Zodra ze even tijd had, stak Fanny haar hoofd om de deur en vroeg of ze Elly mocht vasthouden. Oom Jacob kwam ook vaak langs met het excuus dat hij op het vuur moest letten. Laat op een middag, toen Marshall weg was, kwam zelfs papa George naar het grote huis om de baby te zien. Papa hield haar vast en mijn hart zwol van vreugde toen hij zei: 'Ze lijk precies onze kleine Abinia.' Toen Beattie na verloop van tijd nog niet was langsgekomen, vroeg ik of iemand haar kon halen.

Ik was de baby aan het voeden toen Mama haar naar boven bracht. 'Kom maar binnen, Bea,' zei ik toen ik haar in de deuropening zag aarzelen, 'kom, hier is ze.' Beattie keek me niet aan toen ik mijn baby aan haar liet zien. 'Is het geen plaatje?' vroeg ik, nog vol van mijn kersverse moederschap.

'Ze lijk precies op u,' zei Beattie met een verlegen glimlach.

Ze had gelijk. Mijn dochter had dezelfde elfenoren, hetzelfde ovale gezicht, en dezelfde felle haarkleur. Iedereen zag de gelijkenis. En het leek of iedereen het als een overwinning beschouwde.

In Elly's eerste jaar brachten we aan het begin van de herfst wat tijd door in de schaduw van de grote eik. Het was een idyllisch tafereel. Oom Jacob zette wel vaker laat op de middag ons quiltraam op en dan brachten wij onze stoelen naar buiten. Fanny en ik zaten te stikken terwijl Sukey met Elly op een kleed speelde. Als Mama tijd had, kwam ze bij ons zitten, maar Beattie verontschuldigde zich altijd met de mededeling dat ze het druk had in de keuken.

Mevrouw Martha bleef graag in haar kamer rusten met Jamie die stilletjes naast haar speelde. We gaven haar een minimale hoeveelheid laudanum, en haar toestand was drastisch veranderd. Hoewel ze haar beperkingen had, leek ze vaak heel helder, en we accepteerden het als ze Jamie 'haar zoon' noemde. Jamie had het nooit over Belle, en hij was zo aan mevrouw Martha gehecht dat het maar de vraag was of hij zich nog iets van zijn vroegere leven herinnerde. Ik was daar blij mee, maar mama Mae niet. Ze sprak haar afkeuring niet openlijk uit, maar ik zag haar vaak naar ze kijken, en haar bedenkelijke blik zei me meer dan genoeg.

Mevrouw Martha reageerde vreemd op mijn baby. Een paar dagen na de geboorte nam ik Elly mee op bezoek bij haar grootmoeder. Voor de eerste keer zag ik mijn schoonmoeder een kind in de armen nemen en het vervolgens loslaten, in het besef dat het niet haar eigen kind was. Toen ik haar vertelde hoe de baby heette, herhaalde ze de naam een aantal keer en vergat hem niet, hoewel ze mij Isabelle bleef noemen.

Ik was het merendeel van de tijd bezig met de zorg voor mijn pasgeboren kind, maar als ik Marshall zag, dronk hij minder en leek hij blijer dan hij sinds onze aankomst was geweest. Hij bleef bezorgd om me en vroeg me voortdurend of ik iets nodig had. Ik ging ervan uit dat de geboorte van Elly Marshall wat rust had gegeven, en omwille van ons kind probeerde ik de vreselijke waarheid die ik nu kende opzij te zetten. Maar daar slaagde ik maar heel even in.

In de maanden na de geboorte van Elly hoopte ik, hoewel Marshall me 's nachts nog niet bezocht had, dat zijn relatie met Beattie over was. Aan het eind van herfst werd het tot mijn grote ontzetting echter duidelijk dat Beattie zwanger was. Samen met oom Jacob diende ze nog steeds onze maaltijden in de eetkamer op; de situatie werd met de dag pijnlijker. Marshall wist niet dat ik op de hoogte was van hun relatie; ook had hij niet door dat ik merkte hoe zijn ogen haar volgden.

Mijn verontwaardiging nam met de dag toe. Ik wilde niet dat mijn man opnieuw gebruik zou maken van zijn echtelijke privileges, maar ik kon de gedachte dat zijn relatie met Beattie doorging niet verdragen. Op sommige momenten was de spanning in de eetkamer te snijden, de momenten waarop ik hem een goedkeurende blik of glimlach aan Beattie zag schenken, waardoor ik me diep beledigd voelde. Ik was niet in staat mijn woede op Marshall te richten, en in een poging ervan af te komen, richtte ik mijn pijlen op Beattie, een veiliger doelwit.

Ik sprak hier met niemand over en mijn verdriet had vrij spel. Het tastte mijn denkvermogen aan, en naarmate mijn woede toenam, groeide mijn wrok. Ik begon me af te vragen waarom Marshall ervoor koos om bij Beattie te blijven. Ik wilde hem niet in mijn buurt hebben – sterker nog, de gedachte aan fysiek contact met hem deed me walgen – maar waarom gaf hij de voorkeur aan haar? Ontbrak er iets aan mij als vrouw? Wat had ik fout gedaan? Ook al wist ik wel beter, ook al kende ik het verhaal achter hun relatie, toch gaf ik Beattie de schuld. Ik kon de gedachte dat Beattie Marshall tot deze wandaad had aangezet niet loslaten.

Ik durfde Marshall er niet op aan te spreken, dus haalde ik uit naar Beattie. Ik snauwde haar vaak af en de voorrechten die ik voor mijn andere familieleden probeerde te verkrijgen, verlangde ik voor haar niet. Ik maakte onvriendelijke opmerkingen over haar uiterlijk en zag Marshall dan doen alsof het hem niets kon schelen. Dat lukte hem echter niet, en ik begon me af te vragen of daar een diepere oorzaak voor was: gaf hij om haar? Hield hij van haar?

Uiteindelijk kon ik er niet meer tegen en ging ik naar Mama. Ik voerde Beatties groeiende omvang en haar lompe manier van bedienen aan als klacht. Tot mijn grote opluchting gaf Mama toe en stuurde ze Fanny om Beattie in de eetkamer vervangen. Dit had echter ook zijn nadelen.

Terwijl ze ons bediende, ving Fanny natuurlijk de tafelgesprekken op. Het lag niet in haar aard om een onverschillige houding aan te nemen, en als ze iets hoorde dat haar niet beviel, tuitte ze meteen haar lippen of rolde met haar ogen. Marshall sprak haar geregeld hierop aan. 'Wou je soms iets zeggen?' vroeg hij vaak, en ik was iedere keer weer verbaasd dat Fanny op alles een antwoord had. Soms maakte haar mening mijn man boos en stuurde hij haar weg, maar nog vaker lachte hij er hartelijk om. Op die momenten voelde ik tegelijkertijd opluchting en jaloezie. Waarom was ik niet meer als Fanny – wat moediger?

Rond die tijd begon ik een briefwisseling met Meg in Williamsburg. Ik schreef Meg dat ik mijn belangstelling voor plantkunde nieuw leven in wilde blazen en verontschuldigde me dat ik niet eerder iets van me had laten horen. Ze nam me dat niet kwalijk en begreep hoe druk ik het moest hebben, gezien de zorg voor mijn dochter. Ze was nog niet getrouwd en ze maakte meteen duidelijk dat ze er niet bepaald haast mee had. Meg stuurde boeken met haar brieven mee, en in ruil schonk ik haar boeken waarvan ik dacht dat zij ze leuk zou vinden. Mijn band met Meg bood me houvast, hoewel ik haar niets over mijn huwelijksproblemen vertelde.

Ongeveer een maand nadat Fanny was begonnen met bedienen, ontvingen Marshall en ik een brief van Will Stephens. Hij bood een flinke som geld voor Jamie. Hij schreef dat Belle, uit verdriet om het verlies van haar zoon, ziek was geworden. Will was bang dat ze het niet zou halen en vroeg Marshall om zijn medeleven in dezen te betuigen.

'Medeleven met een hoer!' Marshall verscheurde de brief.

Ik was nog steeds te bang om voor Belle op te komen, maar voelde me schuldig omdat ik haar in de steek had gelaten en besloot iets anders te doen. Die avond schreef ik haar. In een poging haar te troosten, vertelde ik Belle dat ik Jamie veilig onder mijn hoede had genomen en hem beschermde alsof het mijn eigen zoon was. Ik schreef haar ook dat ik bezorgd was om haar en haar gezondheid. Ik vroeg haar geduld te hebben en zei ten slotte dat ze binnen afzienbare tijd met haar zoon herenigd zou worden.

Ik weet niet hoe Rankin de brief in handen heeft gekregen. Ik had hem aan Fanny overhandigd, en zij had hem aan haar man, Eddy, gegeven. Marshall was woedend toen Rankin hem de brief bracht, en de volgende dag liet hij me tijdens het middageten weten dat Eddy voor mijn dwaasheid gestraft zou worden. Fanny stond bij het buffet en zweeg geschokt.

'Nee, Marshall,' zei ik. 'Alsjeblieft. Ik ben hier als enige verantwoordelijk voor.'

'Je werkt me tegen, je ondermijnt mijn gezag, iemand moet mij rekenschap afleggen over jouw ongehoorzaamheid,' zei hij.

'Marshall, wees niet boos op mij,' zei ik. 'Ik bedoelde het niet kwaad.'

'Je schrijft aan een hoer?' zei hij. 'Je schrijft dat je haar zoon als de jouwe beschouwt. Je klinkt net zo krankzinnig als mijn moeder!'

Gesterkt door het feit dat ik wist wie Jamies vader was, werd ik steeds bozer. 'Ik was erbij toen hij geboren werd,' zei ik, 'natuurlijk geef ik om hem. Belle was als een moeder voor me.'

'Belle!' Hij sloeg met zijn vuist op tafel. 'Die hoer van mijn vader!'

Ik stond zo snel op dat oom Jacob me niet met mijn stoel kon helpen. Ik steunde met mijn handen op tafel om mezelf tot bedaren te brengen. 'Net als Beattie jouw hoer is?' vroeg ik langzaam en bedaard, en ik zag hoe geschokt hij was door het feit dat ik wist van zijn overspel.

Achter me hoorde ik Fanny naar lucht happen. Toen Marshall zijn wijnglas pakte, zag ik zijn hand trillen, en ik greep dit moment van zwakte aan om toe te slaan. 'Ik reken erop dat je Eddy niet zult straffen voor mijn onbezonnenheid.'

Toen ik de kamer uitliep, riep Marshall me na, maar ik keerde niet meer om.

Beattie verloor halverwege januari haar kind. Ik was niet bij de geboorte, maar volgens Fanny waren de weeën zwaar. Ze zei dat Ida en Mama bang waren dat Beattie het niet zou overleven. Inwendig was ik opgelucht dat het kind dood was.

Een week later vierden we de eerste verjaardag van mijn geliefde Elly. Toen ik die dag mijn dierbare kind tegen me aan hield, werd ik overspoeld door medeleven met Beattie en ik voelde me enorm schuldig dat ik mijn deelneming niet aan haar betuigd had. Ik besloot naar het keukenhuis te gaan om mijn excuses aan te bieden en te kijken of ze iets nodig had.

Laat in de middag glipte ik via de achterdeur naar buiten. Fanny was mevrouw Martha aan het verzorgen en Mama maakte de bibliotheek schoon, dus liet ik Elly bij Sukey achter. Ik wist dat Beattie waarschijnlijk net bezig was het avondeten voor te bereiden, dus was ik van plan om slechts even te blijven. Op weg naar het keukenhuis dacht ik aan die lieve Bea en was ik er zeker van dat zij en ik weer vrienden konden zijn. Marshall was nu vast wel klaar met haar. Als ik Beattie niet tegen iemand had horen praten, was ik direct door de open keukendeur naar binnen gelopen. 'Dit zo mooi,' zei ze. 'Ik heb nooit zo'n ding krijg.'

Ik bleef stokstijf staan toen ik Marshalls stem hoorde. 'Ik wist dat je het mooi zou vinden,' zei hij.

Ik dwong mezelf langzaam weg te lopen. Toen ik me omdraaide zag ik Papa om de hoek van het kippenhok komen. Hij zwaaide naar me. Ik wilde niets liever dan me door hem laten troosten, maar de schok, en even later de schaamte, weerhielden me daarvan. Wist hij dat mijn echtgenoot met Beattie in het keukenhuis was? Kreeg ik er de schuld van dat ik mijn man niet bij haar weg kon houden? Ik keerde Papa de rug toe en ging naar het grote huis.

Als er geen brief van Meg voor me klaar had gelegen, dan was ik denk ik diep in de put geraakt.

44

Belle

WILL STEPHENS HAALT NOG TWEE MANNEN VOOR HET VELD ER-
bij en stuurt Lucy naar het grote huis. We werken goed samen, we
maken het huis schoon en slaan eten op, maar Lucy verwacht weer
een baby en als ik haar zo zie moet ik aan mijn eigen jongen denken. Will Stephens doet er alles aan voor mijn Jamie terug te krijgen, maar niets werkt. Dan komt de winter en heb ik hem nog
steeds niet, en dan sterf ik gewoon vanbinnen. Zonder mijn Jamie
kan niks me nie meer schelen.

Als Ben me op een avond vasthoudt, zegt hij: 'Je ben zo stil, en je
ben mager aan het worden.'

Ik zeg niks, want er valt niks te zeggen.

'Belle,' zegt hij, 'ga met jou wat mis?'

'Nee,' zeg ik.

De volgende dag zegt Lucy: 'Belle, je weet je ben jezelf niet. Ga
wat mis? Hoor je wat meer over Jamie?'

'Nee,' zeg ik, 'ik hoor niks nie.'

Ze kijkt me streng aan, maar ze zegt niks meer.

Er gaan een paar weken voorbij, en ik blijf werken, maar ik ben heel
moe. Ik wil alleen maar slapen. Papa komt met het nieuws dat het
goed gaat met Lavinia's baby, ze heeft vuurrood haar, net als haar
mama. Hij vertelt me dat het heel goed gaat met Jamie, maar Marshall wil hem nog niet laten gaan.

Die avond verdwijnt het beetje vechtlust dat ik nog heb.

Ben en Lucy zeggen tegen Will Stephens dat ik niet meer eet, dus komt hij vragen of ik ziek ben.

'Niks aan de hand,' zeg ik, 'ik ben moe, dat is alles.' Hij wil de dokter laten komen, maar ik zeg: 'Nee, bedankt. Ik voel me vast snel beter.'

Op een koude avond krijgt Lucy weeën. Ben komt aangerend en ramt op mijn deur. 'Lucy heb jou nodig! Lucy heb jou nodig!' Hij schreeuwt zo hard, ik weet dat hij bang is. Ik ren. Het gaat inderdaad slecht met haar. Ben haalt een reispas, rijdt naar de dokter en laat mij alleen met Lucy.

Ik probeer me te herinneren wat Mama me vertelde. 'Lucy,' zeg ik, 'dit gaat pijn doen.' Dan ga ik aan het werk. Het hoofd van die baby heeft hulp nodig voor eruit te komen, dus Lucy duwt en ik trek, en als we hem er eindelijk uit krijgen, weet ik niet wie van ons vermoeider is, Lucy of ik. Maar als we de baby zien, beginnen we te lachen. Die jongen lijkt precies op Ben. Hoe een dikke, kleine baby op een grote, oude man kan lijken, geen idee, maar het is zo.

'Jij krijg hem eruit, jij moet voor hem zorg,' zegt Lucy. 'Hoe noem je hem?'

'Wat dacht je van George?' zeg ik. 'Net als Papa.'

'George?' zegt ze. 'Dat een naam voor een volwassen kerel.'

'Nou,' zeg ik, 'kijk naar deze jongen. Hij is bijna zo groot als Papa.'

We moeten weer lachen, tot de laatste pijnscheut haar van alle kracht berooft.

Dan komt Ben met de dokter, Lucy slaapt, en ik zit bij het vuur met George in mijn armen. Ik weet niet waarom, maar op een of andere manier voelt het kind alsof hij van mij is.

Ik krijg trek en begin weer te eten. Ik besef dat ik in de buurt moet blijven, er moet toch iemand voor deze lieve jongen zorgen.

45

Lavinia

'KOM ZE OPENMAKEN, KOM ZE OPENMAKEN!' SUKEY TROK ME het huis binnen, dansend van opwinding. Terwijl ik bij het keukenhuis was, waar ik het gesprek tussen Marshall en Beattie opving, waren er pakjes en een brief van Meg bezorgd.

Sukey dirigeerde me naar mijn kamer, duwde me op een stoel en legde de pakjes op mijn schoot. Ze smeekte me eerst de pakjes open te maken voor ik de brief ging lezen. Om haar een plezier te doen pakte ik het eerste uit. Het was een dik boek met prenten van bomen.

'Wat staat daar?' vroeg Sukey. Ze liet haar vingers zachtjes over de illustratie glijden, en leergierig zei ze me na: 'Quercus, Quercus.'

Sukey maakte vervolgens het grotere pakket open, en joelend van vreugde haalde ze er een botaniseertrommel uit. Het tinnen blik was groen geschilderd en versierd met mijn initialen in bladgoud. Ik herinnerde me hoe Meg met veel trots haar eigen trommel had laten zien.

Meg was altijd gul met haar cadeaus, maar die dag was haar brief mijn redding. Ze reageerde eerst op mijn brieven van afgelopen herfst waarin ik de naaikransjes onder onze eik beschreef. Ze schreef dat zij en haar moeder de afgelopen winter veel over dit huiselijke tafereel hadden gesproken. Nu vroegen ze zich af of ze misschien aankomende herfst langs mochten komen om aan datzelfde tafereel deel te nemen; mijn hart maakte een sprongetje bij het lezen van haar verzoek. Meg wijdde zich nog steeds volop aan haar studie, en ze had met name belangstelling voor eikenbomen gekregen. Hadden we hier in de omgeving verschillende soorten? vroeg ze zich af. Kon ik misschien wat bladeren en schors verzamelen en categoriseren, en ze bewaren tot haar volgende bezoek? Ze eindigde haar brief met nog een vraag: was ik zo gelukkig als ik me had voorgesteld?

Ik legde haar brief opzij. Ik keek naar Sukey die het boek bestudeerde en toen naar Elly die in haar wieg lag te slapen. Ik kon het beeld van Marshall die keek hoe Beattie haar kostbare cadeau uitpakte niet uit mijn hoofd zetten, en hoorde steeds opnieuw haar blije commentaar. Ik wilde met iemand praten over mijn verontwaardiging, mijn verdriet en mijn verwarring. Durfde ik Meg te schrijven? Kon ik haar in vertrouwen nemen? Maar terwijl ik mezelf deze vragen stelde, wist ik al dat ik het niet zou doen. Hoe kon ik haar vertellen over deze zwarte bladzijde in mijn huwelijk?

Toen Jamie binnenkwam, keek Sukey op. Ze legde haar vinger tegen haar lippen en wees naar Elly, die diep lag te slapen. Jamie knikte en liep op zijn tenen naar Sukey om het boek op haar schoot te kunnen bekijken. Hij was het laatste jaar amper gegroeid en was klein voor een zevenjarige. Mevrouw Martha stond erop dat we zijn donkerblonde krullen tot op zijn schouders lieten groeien, en afgezien van zijn blinde oog was het een mooi kind. Hij was buitengewoon vroegwijs en misschien had de jongen daarom iets verontrustends over zich. Hij had geleerd om zijn handicap tot zijn voordeel aan te wenden. Als hij iets van je gedaan wilde krijgen, keek hij je strak aan. Je werd gedwongen naar het blinde, witte oog te kijken, terwijl het felle blauw van het andere dwars door je heen ging.

Die dag keek hij me over Sukeys hoofd aan, kwam toen naar me toe en liet zijn hand in de mijne glijden. 'Bent u verdrietig, mevrouw Abby?' vroeg hij, en hij gebruikte de naam die de kinderen me hadden gegeven.

Ik pakte zijn ernstige gezichtje en kuste het twee keer. Door zijn aanwezigheid moest ik weer aan Belle denken, en op dat moment besloot ik naar wie ik toe zou gaan. Waarom had ik hier niet eerder aan gedacht?

Ik besefte maar al te goed dat ik van Marshall nooit naar Belle toe zou mogen, dus beraamde ik een plan om haar te kunnen zien.

'Ik wil leren paardrijden,' zei ik de volgende dag bij het middageten tegen Marshall. 'En het zou me een groot plezier doen als Sukey mee mag komen.' Ik liet niet blijken hoe ongelukkig ik was, maar deed in plaats daarvan luchtig en vrolijk. Ik liet hem Megs brief en cadeaus zien en vertelde hem dat Meg had gevraagd of ik specifieke bladsoorten wilde verzamelen. Ik had een paard nodig om rond te kunnen rijden, legde ik uit. Vond hij dit geen geschikt tijdverdrijf voor me?

Ja, stemde Marshall in, het leek hem een uitstekende afleiding – mits ik natuurlijk voorzichtig deed. George had mevrouw Martha leren paardrijden, zei hij, en hij zou hem vragen om mij ook les te geven. In de stal lag een mooi dameszadel dat zijn vader voor zijn moeder had aangeschaft; leek me dat iets? Hij zou het paard uitkiezen, een ouder, rustig beest dat niet op hol zou slaan. Gelukkig leek het hem ook een goed idee als Sukey de rol van knecht op zich zou nemen.

Ik bedankte hem voor zijn gulheid, en las vervolgens Megs brief voor. Hoewel Marshall zijn mening voor zich hield, leek hij niet erg blij met het aanstaande bezoek van Meg en haar ouders.

Sukey had geen paardrijles nodig. Ze liep zelfverzekerd op haar pony af, pakte zijn leidsels, streelde zijn neus en leidde hem naar het opstapblok. Daar gleed ze gemakkelijk op zijn rug. Ze klakte met haar tong en liet haar paardje rondstappen terwijl zij en papa George lachten om mijn verbaasde uitdrukking. Sukey legde uit dat Papa haar had leren rijden toen ze 'nog maar een kleintje' was.

'O,' zei ik tegen Sukey, en knipoogde naar Papa, 'dus je beschouwt jezelf nu, op elfjarige leeftijd, als een volwassen vrouw?'

'Nou,' zei ze nuchter, 'ik ben niet zo oud als u!'

Daar moest Papa om lachen, en ik gaf hem een corrigerend tikje op zijn arm.

'Mevrouw Abby, hoe oud bent u?' vroeg Sukey.

Papa wees in de richting van de heuvels in de verte. 'Zie je die heuvels, Sukey'tje?'

'Ja, Papa,' zei ze.

'Nou, ons mevrouw Abinia, zij zo oud als die heuvels.' Hij lachte.

Ik trok een gezicht naar Papa. 'In mei word ik twintig,' zei ik tegen Sukey.

'Ohhh.' Sukey was erg onder de indruk en Papa en ik moesten om haar reactie lachen.

'Mevrouw Abinia misschien wel te oud voor paardrijles,' plaagde Papa, terwijl hij een klein paard uit de stal leidde. 'Dit Barney,' zei hij tegen mij.

Barney was een kleine ruin, precies groot genoeg voor mij. Ik schrok toen hij met zijn zachte neus tegen me aan duwde, maar ik ontspande toen papa George uitlegde dat het paard alleen maar wat lekkers zocht. Voorzichtig streelde ik Barneys hoofd en maakte een opmerking over de witte bles die bijna geheel bedekt werd door zijn lange, donkere manen. Toen het paard op de grond stampte en zijn lange manen schudde, legde Papa uit dat hij zin had om met de les te beginnen. Zo gezegd, zo gedaan. Barney bleek een geduldig paard, en nog voor het einde van mijn eerste les was ik al helemaal weg van hem.

Marshall was blij dat ik zo enthousiast was over het paardrijden. Hij stond erop dat ik modieuze rijkleding zou bestellen, waar ik mee instemde, en ik vroeg meteen of Sukey ook in het nieuw gestoken kon worden. Tot mijn verbazing weigerde Marshall mijn verzoek niet.

De maten voor onze rijkostuums werden verstuurd en toen de pakketjes uit Williamsburg arriveerden, liep Sukey over van opwinding. Ze had een prachtige blauwe rok en een bijbehorend jasje met zwartfluwelen kraag uitgekozen. Het jasje had een dubbele rij vergulde knopen, en mama Mae, Fanny en ik zagen ze glinsteren toen ze ronddraaide. Ze had een zwarte hoed op met een gouden ketting om de rand en aan de voorkant een hoge blauwe veer. Haar rijkostuum was compleet zodra ze de veters van haar halfhoge zwartleren laarzen had gestrikt en leren handschoenen had aangetrokken.

Mijn nieuwe kostuum had vrijwel dezelfde snit, maar het was

groen. Ik liet een tweede veer op mijn hoed zetten en om mijn nek knoopte ik een wit zijden sjaaltje. Ik moet zeggen dat we er piekfijn uitzagen op die eerste ochtend halverwege mei toen Papa ons toestemming gaf om met zijn tweeën te gaan rijden.

Vanaf die dag trokken we er bijna elke dag op uit, terwijl Fanny Elly onder haar hoede nam. We waren allebei de trotse eigenaar van een botaniseertrommel; ik had er ook een voor Sukey besteld, want die hadden we nodig voor onze botanische excursies. In die van haar bewaarde Sukey trots een in leer gebonden schetsboek. Ze had zich als een ware kunstenares ontpopt met de gave om mensen perfect na te tekenen, en ik hoopte dat ze net zoveel succes zou hebben in het vastleggen van bomen en hun specifieke kenmerken, zoals Meg had gevraagd. Als we terugkwamen van zo'n excursie, namen we onze buit mee naar de bibliotheek, waar we de verschillende soorten bestudeerden en categoriseerden, en ze aan onze groeiende collectie toevoegden.

Bij het aanbreken van de lente kreeg ik een hernieuwde belangstelling voor het leven. Ik wilde niets liever dan uit rijden gaan, maar ik verloor mijn eigenlijke doel nooit uit het oog. Ik wachtte geduldig op het juiste moment om in alle veiligheid een bezoek aan Belle te brengen. Eindelijk ging Marshall eind mei een hele dag weg. Hij moest naar een stad op ongeveer twee uur van de plantage en toen ik hoorde dat hij met de wagen wilde gaan, wist ik dat hij niet voor donker thuis zou zijn.

Papa wist als enige van mijn plan. Sukey was verkouden en ik wendde dit aan als excuus om haar die dag niet mee te laten rijden. Mama kwam naar de blauwe kamer. Het was vroeg, we hadden nog niet ontbeten, en Jamie lag nog te slapen. Hij werd niet wakker toen ik een lok van zijn haar afknipte. Vanuit de hal keek Mama toe hoe ik de haarlok ik een medaillon stopte en het in mijn zak liet glijden. Ze kneep haar ogen tot spleetjes. 'Waar ga je naartoe, kind?'

Ik wilde niet tegen haar liegen, maar haar ook niet bij mijn plan betrekken. Ik gaf haar een knuffel. 'Ik ga uit rijden, Mama,' zei ik.

'M'neer Marshall zeg jij mag niet in je eentje op dat paard weg,' zei ze streng.

'Mama,' zei ik, 'ik ga.'

'Wees voorzichtig, kind,' fluisterde Mama, 'blijf in dat bos.'

Papa stond te wachten. Ik stelde verontwaardigd vast dat hij Barney had opgezadeld. 'O, Papa,' zei ik, 'ik heb een sneller paard nodig.'

'Dit paard ken jou. Hij breng jou daar, en hij breng jou terug, en je blijf heel,' zei Papa, en ik wist dat het geen zin had om te protesteren. 'Jij volg die stroom, zoals ik eerder zeg. Blijf in dat bos en doe langzaam. Ben kijk naar jou uit.' Hij gaf me een rijzweep. 'Gebruik dit als dat moet,' zei hij, 'en die Heer rij met jou.'

Ik vertrok in draf, in een roes van vrijheid. Mijn kleine paard liep snel en dankzij zijn vaste tred kon ik onderweg om me heen kijken. De natuur was op zijn mooist, en voor het eerst sinds tijden kreeg ik hoop.

Ik had voor mijn gevoel nog maar een klein stukje gereden toen ik iets verderop het geluid van een paard en ruiter hoorde. Mijn harte klopte in mijn keel tot er iemand riep: 'Ik ben 't maar, Abinia,' en ik herkende de stem van Ben.

'Ben!' riep ik, en lachend reden we op elkaar af. Onze paarden trappelden toen we elkaar begroetten en even later kwamen we uit bij een open plek in het bos. Het grote huis in aanbouw viel me amper op. Ook de grote, pas gebouwde stal iets verderop kon mijn aandacht niet vasthouden. Ik had alleen oog voor het kleine keukenhuis met de overnaadse planken en de vertrouwde gestalte ernaast.

Terwijl Ben voorop ging, kwam Belle op ons af gerend. Het was een bitterzoete hereniging, want ik had haar zoon niet bij me. In plaats daarvan overhandigde ik haar een portret van Jamie dat Sukey kort geleden getekend had. Vervolgens gaf ik Belle mijn gouden medaillon met de haarlok van haar zoon, en zei erbij dat ik hem slechts een uur daarvoor had afgeknipt. Toen ze haar vingers over het kostbare voorwerp liet gaan, sloeg ik mijn armen om haar heen, en terwijl ze huilde voelde ik hoe ze leed. Pas later, toen we met elkaar zaten te praten en we geen enkel detail over Jamie onbesproken hadden gelaten, vroeg ik hoe het met haar ging.

Ze miste ons allemaal zo erg, zei ze.

Was Lucy, Bens vrouw, dan geen fijn gezelschap? vroeg ik.

Belle zei van wel, ze hadden een hechte band, maar Lucy was Mama niet.

'En Ben?' vroeg ik. 'Zie je Ben vaak?'

Vreemd genoeg ontweek ze de vraag.

'Heeft Will Stephens afgezien van Ben nog meer werkers?' vroeg ik, en ik probeerde me te herinneren of ik hutten gezien had.

'Ja,' zei ze, 'hij heeft er vier man bij. Hij wil een grote plantage, en als hij zo blijft werken, gaat hij die zeker krijgen.'

'Is hij goed voor je?' vroeg ik.

'Hij is een goeie man, maar ik ben zijn eigendom.'

Ik wist niet wat ik moest antwoorden, en was me er ineens van bewust dat ik via mijn echtgenoot ook mensen in mijn bezit had. Belle vervolgde: 'Will brengt me hier, maar ik ben geen vrije vrouw.'

Ik haalde diep adem. 'Belle, ik dacht dat je van Will hield. Ik... ik dacht dat hij de vader van Jamie was.'

'Ben heeft me verteld wat je dacht.'

Ik schaamde me en keek naar de grond.

'Will heeft me altijd geholpen, Lavinia, dat is alles. Hij heeft me nooit op die manier gebruikt.'

Toen vroeg ik haar of het waar was van Jamie. Belle aarzelde. 'Marshall is zijn papa. Dat alles wat ik ga zeggen. Je bent nu met die man getrouwd, dus je moet het laten gaan.'

'Maar nu zit hij achter Beattie aan!' Zo! Het hoge woord was eruit. Daarvoor was ik hiernaartoe gekomen. Ik barstte in tranen uit. Belle pakte me vast en liet me huilen, maar toen ze me losliet, was er geen houden aan. Zodra ik weer iets kon uitbrengen, vertelde ik haar over mijn ellendige huwelijk, over Marshalls drankgebruik en zijn bedrog, en over mijn wrok jegens Beattie. Toen Belle het voor Beattie opnam, werd ik boos op haar.

'Dus jij denkt dat ze hem niet aanmoedigt, dat ze niet blij is met zijn cadeaus?' vroeg ik.

Belle sprak me streng toe. Was ik vergeten dat Beattie geen keus had? Ze was Marshalls eigendom.

'Maar ik ben ook zijn eigendom!' zei ik.

'Ja, maar daar heb je zelf voor gekozen,' zei ze. 'Beattie heeft niks nie kunnen kiezen behalve hoe ze hier het beste mee om kan gaan.' Ik staarde voor me uit, ontweek haar blik, worstelde met de waarheid. Belle zei zachtjes: 'Weet je wat ik denk, Lavinia? Ik denk dat je boos bent op Beattie omdat je niet boos kan worden op Marshall.' Ze aarzelde en haalde diep adem. 'Ik weet dit want ik heb hier iets soortgelijks aan de hand.'

Ik keek haar aan.

'Toen je in Williamsburg was, kregen Ben en ik wat met elkaar. Ik zeg niet dat het goed of fout is, het is zoals het is. Een hele tijd heb ik een hekel aan Lucy. Ze is zus, ze is zo, en ik zeg dit allemaal tegen mezelf omdat ik niet wil zien dat ze ook pijn heeft. Blijkt dat ze een betere vrouw is dan ik. Ze zette haar slechte gevoelens opzij toen ze mijn Jamie meenamen.'

Ik was geschokt. Ik had altijd geweten dat Ben en Belle om elkaar gaven, maar dat ze er ook iets mee deden... 'Zijn jullie nog steeds...' Ik zweeg abrupt, verbijsterd dat ik zo'n persoonlijke vraag durfde te stellen.

'Ja,' antwoordde Belle openhartig. 'Lucy en ik, we praten het uit. Ze houdt van Ben, net als ik. Ze geeft hem drie jongens. En het zijn goeie jongens.'

'Maar hoe zit het dan...' Opnieuw aarzelde ik, en opnieuw raadde Belle mijn gedachten.

'Eerst geeft Ida me iets voor niet zwanger te raken. Dan, als Jamie weg is en ik een baby van Ben wil, gebeurt er niks. Maar die kleine George van Lucy, die is als mijn eigen jongen. Meestal slaapt hij hier.' Ze knikte naar een houten wieg in de hoek; over de rand hing een kleine quilt van rode en blauwe vierkante lapjes. 'Kom kind,' zei ze, 'kom, eet wat.'

Het verbaasde me dat ik zo'n enorme trek had, tot ik besefte dat er een last van mijn schouders was gevallen: Belles rare situatie zorgde er op een of andere manier voor dat ik me minder alleen voelde in de mijne. We waren net klaar met eten toen Ben me eraan kwam herinneren dat het bijna tijd was om te gaan. De paarden stonden klaar, en hij zou een gedeelte van de weg terug met me mee rijden. Hij liet ons een paar minuten alleen, en even later werd er weer kort aangeklopt. Belle dacht dat het Ben was, dus riep ze dat hij binnen kon komen. Toen de deur openging, stond Will daar in het zonlicht. Ik had hem niet meer gesproken sinds hij in Williamsburg was geweest, en ik wist dat ik meer voor hem voelde dan ooit toen mijn hart sneller begon te kloppen. Belle vroeg hem binnen te komen, en hij nam zijn hoed af terwijl hij op me af stapte. Zijn glimlach bracht me van de wijs, maar ik dwong mezelf hem aan te kijken.

'Mevrouw Lavinia,' zei hij, en hij knikte me toe, 'wat een verrassing.'

'Meneer Stephens,' zei ik, en ik beantwoordde zijn knikje.

'Hoe maakt u het?' vroeg hij.

Ik pakte Belles hand. 'Goed.'

'Ik zie dat u op het punt staat te vertrekken. Gaat u nu al weg?' zei hij.

Tot mijn schaamte barstte ik in huilen uit en wendde snel mijn gezicht af.

'Ik breng haar naar buiten zodra ze klaar is,' zei Belle tegen Will. Toen hij weg was, pakte ze een zakdoek en droogde mijn tranen.

'Ik wil niet terug!' riep ik uit, en klampte me aan haar vast. 'Ik wil niet naar hem terug.'

'Je weet dat je moet gaan,' zei ze. 'Elly heeft je nodig. En je moet voor Jamie zorgen.'

De werkelijkheid bracht me tot bezinning en ik vermande me. Buiten zag ik tot mijn verbazing Will Stephens schrijlings op het paard van Ben zitten. 'Ik dacht waarom rij ik niet een stukje met u mee,' zei hij.

Ik gaf Belle een afscheidsknuffel. Ben glimlachte toen hij me hielp opstijgen. 'Je rij heel goed,' zei hij. 'Papa zeg je ben goed met dat paard.'

'Ik ben gek op paardrijden,' zei ik, terwijl ik een klopje op Barneys nek gaf, en ik stuurde hem vervolgens richting huis. Ik zwaaide nog een laatste keer, maar terwijl we wegreden, moest ik tot mijn verbazing weer huilen. Het was alsof er een muur was neergehaald; ik voelde me weerloos en kwetsbaar en wilde deze veilige plek niet verlaten. Will nam de teugels van me over en leidde ons verder.

'Het spijt me, maar ik lijk niet te kunnen stoppen met huilen,' zei ik, toen ik mijn stem hervond.

'Huil dan maar,' zei Will.

Ik stopte meteen met huilen. Als hij me had gevraagd om niet te huilen, dan had ik niet kunnen stoppen, maar zijn toestemming maakte op een of andere manier een einde aan mijn tranen. Even later vroeg ik de teugels terug.

Will verbrak de stilte. 'Ben je niet gelukkig dan?'

Ik schudde mijn hoofd.

Hij reed voor me uit en hield zijn paard in. 'Lavinia...' begon hij, maar zweeg toen.

Ik kon niets uitbrengen en nam zijn gezicht volledig in me op.

'Belle zei dat jij dacht dat zij en ik... dat Jamie...' zei hij.

'Dat klopt,' antwoordde ik, 'dat dacht ik, ja.'

'Lavinia,' vroeg hij, 'hoe heb je dat ooit kunnen denken?'

'Ik was jong,' zei ik als verklaring.

Hij verraste me door hartelijk te moeten lachen. 'En nu, op je negentiende, vind je jezelf oud?'

'Ik ben al twintig,' zei ik.

'Nou,' – hij lachte weer – 'dat is een enorm verschil.'

'Will Stephens! Je gaat me nu toch niet vertellen dat je me nog steeds als een kind ziet?'

Zijn reactie was ontwapenend. 'Ik zie jou als een mooie jonge vrouw met het hart van een kind.'

Tja! Wat moet je daar nu op zeggen? Ik zei niets, maar door zijn lieve woorden begonnen mijn tranen weer te stromen. Will stapte af en stak zijn armen naar me uit. 'Lavinia,' zei hij, klaar om me te omhelzen. Ik liet me van mijn paard glijden, en hij kuste me, en ik hem. We bleven kussen tot er een passie in me gewekt werd die ik nooit eerder gevoeld had. Ik wilde alleen maar doorgaan, mezelf overgeven, dus toen hij ophield, smeekte ik hem niet te stoppen. Maar hij hield me van zich af.

'Nee, Lavinia.' Hij deed een stap naar achteren. 'Dit is te gevaarlijk, en het leidt nergens toe.' Ik begon te snikken. Hij keek me machteloos aan. 'Lavinia, je bent getrouwd!'

Ik keerde hem de rug toe. Wat een lafaard! Als hij echt van me hield, dan zou hij ervoor uitkomen en een oplossing aandragen voor dat krankzinnige huwelijk van me. Woest en wanhopig tegelijk slaagde ik erin mijn paard te bestijgen en voordat Will me kon tegenhouden, sloeg ik met mijn zweep op Barneys achterste tot hij wegsprong.

Will kwam me niet achterna.

46

Belle

DIE KLEINE GEORGE IS HET LICHT VAN MIJN LEVEN. HIJ HEEFT
Benny's gezicht en Beatties kuiltjes. Lucy en ik, we horen hem
nooit huilen. Ach, soms wil hij niet eten, maar het maakt hem niet
uit wie hem vasthoudt, Lucy of ik. Hij vraagt net zoveel om mij als
om Lucy. Het kan Lucy niks schelen, ze is maar al te blij dat ze hem
kan afgeven. Ik moet zeggen, op een of andere manier hou ik net
zoveel van dit kind als van Jamie, mijn jongen. Ik weet niet hoe het
kan, maar net als ik iets nodig heb, komt dit kleine, dikke mannetje eraan. Ik doe niets liever dan hem vasthouden en kusjes geven.
Lucy en Ben lachen en zeggen: 'Wat heb jij ineens? Je heb niks geen
aandacht meer voor die andere jongens?' Ze hebben gelijk. Ik ben
nu eenmaal verliefd op deze hier en daarmee uit.

Als Lavinia hier komt en ze brengt een portret van Jamie en een
medaillon met een krul van zijn haar, dan hang ik het om mijn nek
en doe het niet meer af, ook niet als ik ga slapen. Lavinia zegt dat
het heel goed gaat met Jamie, dat hij leert lezen en schrijven. Het
fijnste is dat Marshall de jongen nooit ziet. Lavinia zegt dat Marshall bijna nooit in het grote huis is, hij komt alleen soms eten. Ze
weet niet waar hij 's nachts is, maar ze weet zeker dat hij nooit boven komt.

Lavinia zegt dat ze op Jamie past, maar ik weet het niet. Ze ziet er
niet zo goed uit. Ze is te nerveus... huilt te snel.

Ik zie ook dat ze gevoelens voor Will Stephens heeft. De dag dat
ze hier was, ik zie die twee samen, en ik weet meteen dat ze net als

Ben en ik zijn – ze hebben hetzelfde vuur. Als Will Stephens op zijn paard stapt om haar naar huis te rijden, denk ik, o god! Als ze weggaan, staan Ben, Lucy en ik alle drie te kijken. Ben zegt: 'Will Stephens een man van God, hij doe niks nie met een getrouwde vrouw.'

Lucy zegt: 'Nou, Ben, jij ook een man van God. En kijk wat jij doe?'

Voor het eerst zie ik dat Ben niks tegen Lucy te zeggen heeft. De manier waarop Ben naar haar kijkt maakt Lucy aan het lachen, en dan moet ik ook lachen. Ben maakt snel dat hij wegkomt. Maar eerst kijkt hij om naar mij en Lucy die lachen. Dan schudt hij zijn hoofd, maar we weten allebei dat hij blij is dat Lucy en ik samenwerken.

Ben denkt dat er niks tussen Will en Lavinia gebeurd is in het bos, maar Lucy en ik, wij zijn daar niet zo zeker van.

47

Lavinia

'S AVONDS KON IK NIET STOPPEN MET PIEKEREN. HET KON ME niet schelen dat het irrationele gedachten waren; ik moest Will weer zien. Zonder Sukey zou ik verloren zijn geweest. Ze sliep bij mij op de kamer, dus werd ze vaak wakker van mijn gewoel. Dan kwam ze naar me toe, en met haar dicht tegen me aan voelde ik me iets beter.

Overdag waren we druk bezig met de voorbereidingen voor het bezoek van Meg, maar we stonden voor een groeiend probleem met mevrouw Martha. Hoewel ze met veel dingen normaal leek om te gaan, was haar zorg om Jamie zo obsessief geworden dat ze hem geen seconde uit het oog wilde verliezen. Fanny herinnerde ons eraan dat mevrouw Martha ook zo met Sally was omgegaan tot ze eindelijk in staat was haar wat los te laten, en Sally vervolgens stierf.

Het was overduidelijk dat mevrouw Martha Jamie als haar eigen kind beschouwde. Ze liet kinderkleren van zolder halen en kleedde Jamie hiermee aan. Ze aten samen in de blauwe kamer, waar mevrouw Martha Jamie met haar aan tafel liet zitten en Fanny hen bediende. Zelfs ik maakte me steeds meer zorgen om hun hechte band, en eindelijk gaf ik mama Mae gelijk dat het tijd was om wat afstand tussen hen te creëren.

Het probleem was dat hij niet terug kon naar het keukenhuis, aangezien Marshall daar blijkbaar nogal wat tijd doorbracht. Mama zei dat oom Jacob bereid was Jamie in zijn kleine hut op te nemen. Ze stelde ook voor dat Papa hem na zijn verhuizing het werk in de stal zou gaan leren. Het was een goed plan, maar we wisten hoeveel stof deze verandering zou doen opwaaien, dus besloten we te wachten en ze pas na het bezoek van de Maddens te scheiden.

Nadat Belle bevestigd had wie Jamies vader was, kon ik amper nog beleefd tegen mijn echtgenoot doen. Toch wist ik dat ik er niets over mocht zeggen, want ik durfde er niet aan te denken wat voor gevolgen dat zou kunnen hebben. Naarmate het bezoek van de Maddens dichterbij kwam, ging Marshall steeds meer drinken.

Begin september, een paar weken voor de Maddens zouden aankomen, nam ik op een ochtend snel de beslissing om nog een laatste keer naar Wills plantage te gaan. Zogenaamd omdat ik Belle op de hoogte wilde stellen van Jamies aanstaande verhuizing naar de hut van oom Jacob, maar in werkelijkheid geloofde ik, naïef als ik was, dat Will de sleutel tot mijn geluk was. Ik had te lang moeten wachten op een teken van leven, op een bewijs dat hij aan me dacht. Maar dat bewijs was uitgebleven. Ik kon niet langer wachten.

Die bewuste ochtend was Marshall al op het veld met Rankin. Ik wist dat ik minstens vier uur zou hebben voor ik met mijn echtgenoot het middagmaal moest gebruiken. Ik vertelde niemand van mijn plannen. Bij de stal aangekomen was Papa nergens te bekennen en eigenhandig zadelde ik Barney snel op. Ik was eerder op weg dan ik voor mogelijk had gehouden en toen ik het bos in reed, begon ik uit pure vreugde te zingen.

Ik was bijna bij de open plek toen ik achter me iemand hoorde roepen. Ik herkende Rankins stem uit duizenden. Ik besefte dat hij me moest hebben gevolgd. Doodsbang, maar tegelijk des duivels hield ik Barney in en reed langzaam door. Even later had Rankin me ingehaald.

'Mevrouw Pyke!' zei hij quasi verbaasd. 'Ik weet het niet hoor, maar volgens mij wil uw man hier wel van weten.'

'Waarvan?'

'Nou, dat u hier in uw eentje aan het rijden bent, op weg naar de plantage van Will Stephens.'

Ik liep rood aan van woede. Ik zat in de val en het kon me niet meer schelen wat ik zei. 'Ellendige kerel!' riep ik, en ik stuurde mijn paard richting huis.

Rankin draaide lachend om me heen en stuurde zijn paard vlak achter het mijne aan. 'Tuurlijk heeft zo'n pittig ding als u vast een manier om me de mond te snoeren.'

Daarop sloeg ik Barney met de zweep. Ik beet op mijn tong om niet te hoeven huilen en tegen de tijd dat ik thuiskwam, proefde ik bloed. Papa stond bij de stal en toen ik was afgestegen gaf ik hem de teugels. We waren ons er allebei maar al te zeer van bewust dat Rankin ons nauwlettend in de gaten hield. Ik probeerde mijn stem zo goed mogelijk in bedwang te houden.

'Goedemorgen, George. Ik wilde je eerder niet lastigvallen, dus zoals je ziet heb ik zelf mijn paard opgezadeld.'

Papa knikte. 'Ik begrijp dit, mevrouw Abinia, maar de volgende keer dat u ga rijde met uw paard, dan zadel ik voor u op.'

'Dank je, George,' zei ik, en ging zonder dralen op weg naar het huis. Ik wist dat het niet lang zou duren voordat Marshall op de hoogte zou zijn, en ik had weinig tijd om mijn verdediging voor te bereiden.

Tegen het middageten rekte ik zoveel tijd als ik durfde. Het toeval wilde dat Fanny die dag ziek was, dus diende Beattie het eten op. Toen ik de eetkamer binnenkwam, zat Marshall al aan tafel. Ik had hem zelden zo dreigend zien kijken. Op dat moment wist ik dat Rankin met hem had gepraat. Marshall stond niet op toen oom Jacob mij aanschoof. Toen ik Oom aankeek, zag ik diepe bezorgdheid in zijn ogen en de angst sloeg me om het hart. Ik dwong mezelf mijn lepel op te tillen en begon aan mijn soep. Ik at zwijgend terwijl Marshall wijn dronk. Mijn maag protesteerde, maar ik bleef de hete vloeistof naar binnen lepelen en bereidde me voor op de tirade. Toen Beattie de kamer uit liep, zag ik tot mijn ontstelenis dat ze opnieuw zwanger was. Voor ik het wist sloeg al mijn angst om in woede. Dit was te absurd voor woorden! Hoe durft hij! Deze man had het recht niet mijn leven zo te bepalen! Dag in dag uit moest ik het onacceptabele gedrag van mijn echtgenoot ondergaan, en nu werd ik door Beattie weer met mijn neus op de feiten gedrukt. Ik was een slaaf als alle anderen. Ik kon de woede die door mijn lijf gierde niet bedwingen.

'Wanneer houdt dit in godsnaam op?' Ik sloeg met beide vuisten op tafel.

'Wat?' vroeg Marshall verrast.

'Dit! Dit! Met Beattie!' zei ik.

Marshall liep rood aan en grijnsde dronken. Ik zag oom Jacob naar de deur lopen. Ik wilde niet dat hij hulp ging halen. Ik zou hier zelf wel een eind aan maken.

'Niet weggaan, Oom!' riep ik. 'Je weet wat hier gaande is. Iedereen weet het.'

Ik stond op van tafel en draaide me om naar oom Jacob. Ik weet niet waarom ik me tot hem richtte; waarschijnlijk had ik de moed niet om Marshall aan te spreken. Oom zei niets, maar wierp me een waarschuwende blik toe waar ik geen acht op sloeg.

'Je weet wat hij met Beattie doet – hoe hij haar met geweld neemt! En nu krijgt ze weer een kind!' Ik spuwde de woorden uit.

Ik hoorde Marshall opstaan en naar me toe komen, maar het kon me allemaal niets meer schelen.

'Hij gebruikt haar, Oom!' riep ik. 'Dat is toch niet te geloven! Hij neemt haar als een beest!'

Ik hield op toen ik voelde hoe Marshalls hand me bij mijn haar greep. Hij wond het om zijn vingers terwijl hij me de kamer uit trok. Ik schreeuwde van pijn en Oom probeerde in te grijpen. Marshall duwde Oom woedend opzij, tegen het buffet aan, waardoor er een schaal met vlees aan diggelen viel. Ik werd langs Beattie geschoven, die net de kamer binnenkwam. Ze probeerde me vast te pakken en liet daarbij de porseleinen kopjes uit haar handen vallen, maar Marshall duwde door. Beattie keek met grote ogen van angst toe hoe Marshall me zijn slaapkamer in trok. Ik was verlamd van angst toen hij de deur achter ons dichtsloeg.

Hij schreeuwde niet maar begon me te slaan. Zijn gezicht had een matte, rode kleur gekregen en ik herkende hem niet langer. Hij was dronken, maar ik wil de wijn niet de schuld geven. Noch wijt ik het aan de dingen die ik eerder had gezegd. De gewelddaad die volgde was zo afschuwelijk dat ik er niets over zal zeggen.

Toen het voorbij was en hij de kamer vlug had verlaten, ging ik naar zijn wastafel en maakte mezelf schoon; het kon me niets schelen dat ik mijn bloed op zijn handdoeken achterliet. Ik moest overgeven en kon niet ophouden. Uitgeput steunde ik op de rand van het bed tot ik besloot dat dit alles een nachtmerrie geweest moest zijn.

Toen Mama naar me toe kwam, glimlachte ik. 'Mama,' zei ik, 'Beattie krijgt een baby.'

Mama knikte. 'Kom kind,' zei ze, 'kom met Mama mee.'

Ik ging met haar mee naar mijn slaapkamer, waar ze me in bed stopte en een hele poos mijn haar streelde. Ze keek vaak uit het raam. We leken geen van beiden de juiste woorden te kunnen vinden.

Drie weken later, in de eerste week van oktober 1804, omgeven door de kleurenpracht van de herfst, arriveerden Meg en haar ouders met een enorme lading cadeaus voor Elly. De eerste paar dagen was ik er zo op gebrand ze het naar hun zin te maken dat ik er ziek van was. Marshall dronk veel en verontschuldigde zich tot hun verbazing het grootste deel van de dag. Op de vierde dag kwam Meg 's avonds naar mijn kamer en vroeg of ze mij onder vier ogen kon spreken.

Ze deed de deur dicht en ik bood haar een van de fauteuils bij de open haard aan. Meg was nu negentien, en hoewel ze de afgelopen twee jaar volwassen was geworden, was ze in mijn ogen weinig veranderd. Ze wijdde zich nog steeds met hart en ziel aan plantkunde, en ze vertrouwde me toe dat ze nog steeds met Henry omging, maar dat ze er allebei de tijd voor wilden nemen.

Meg ging verzitten en hoewel ze niet klaagde, zag ik dat ze last had van haar heup. Ik wist uit het verleden dat ze het daar liever niet over had, dus koos ik een ander onderwerp. Wat vond ze van de collectie bladeren die Sukey en ik voor haar hadden samengesteld? begon ik.

Die was prachtig, zei ze, maar dat was niet de reden voor haar bezoek die avond. 'Lavinia,' zei ze, 'gaat het wel goed met je?'

'Ja hoor, prima,' stelde ik haar gerust.

'Slaap je soms slecht?' vroeg ze.

'Nee, Meg,' loog ik, 'waarom vraag je dat?'

'Je bent jezelf niet,' zei ze, 'en je bent zo... zo nerveus. Moeder en ik vinden je allebei mager. Veel te mager.'

'Ach, ja. Dat ligt aan de spanning. Je hebt geen idee hoe ik naar jullie bezoek heb uitgekeken.'

'Lavinia. Wat is er aan de hand met Marshall? We kennen hem niet meer terug. Ik kan amper geloven hoe afstandelijk hij tegen mijn ouders doet.'

'Och, Meg,' zei ik, 'dat is ongetwijfeld omdat hij hun goedkeuring wil en bang is dat hij tekort zal schieten.'

'En weet je zeker dat het goed met je gaat?' vroeg ze opnieuw.

'Ja hoor, prima,' loog ik. Wat moest ik anders zeggen? Ik durfde nergens over te praten, bang dat ik, als ik ergens over begon, alles zou vertellen. En dat kon ik niet doen. Ik kon Meg toch niet vertellen wat ik voor Will voelde? Of dat Beattie zwanger was en dat Marshall een relatie met haar had? En wat betreft de vreselijke gebeurtenis die pas kort geleden met Marshall had plaatsgevonden, die kon ik zelf amper nog bevatten, laat staan dat ik haar erover zou vertellen.

Meg, die mijn onbehagen aanvoelde, keek de kamer rond en veranderde bewust van onderwerp. 'Wat straalt deze kamer een warmte uit,' zei ze, 'wat mooi allemaal.'

'O ja,' zei ik, opgelucht dat ze van het plan om mijn problemen op tafel te krijgen was afgestapt. 'Ik weet niet hoe ik jou en je moeder ooit kan bedanken voor alle moeite.'

We praatten over mijn kamer en over het huis en al zijn kostbaarheden. Toen ze weg was, liet ik me op mijn bed vallen en vroeg me af hoe ik het in hemelsnaam vol kon houden tot ze weer naar huis gingen. Slechts een paar weken eerder had ik reikhalzend uitgekeken naar de komst van onze gasten. Maar nu, bang als ik was dat ze onze schandalige geheimen zouden ontdekken, kon ik niet wachten tot ze weg waren.

Mevrouw Sarah was blij dat haar zus zo vooruit was gegaan, maar ze maakte zich ernstige zorgen over mevrouw Martha's afhankelijkheid van Jamie. Toen we alleen waren, hoorde ze me uit. Wie was hij? Wat wist ik over het kind? 'Ik weet dat hij bij de hutten vandaan komt,' zei ze, 'maar zijn kleur roept vragen op.'

'Het is het kind van Belle,' zei ik.

'Het kind van Belle! Was zij niet...' Ze zweeg abrupt, maar de walging in haar stem was overduidelijk. Ik wist meteen dat ook zij verkeerd geïnformeerd was over Belles relatie met de kapitein, maar ik had geen flauw idee hoe ik haar ooit de waarheid kon vertellen, dus zei ik niets.

Na ons gesprek haalde ze alles uit de kast om Jamie bij mevrouw Martha weg te laten halen en deed daarbij het beetje vooruitgang dat haar zus had geboekt bijna teniet. Nadat Jamie onder druk van mevrouw Sarah uit het huis was verwijderd, raakte mevrouw Martha zo van streek dat zelfs hoge doses laudanum haar niet tot bedaren konden brengen. Na twee dagen, toen ze met eigen ogen het vreselijke verdriet van haar zus had gezien, gaf mevrouw Sarah toe en liet ze Jamie terugbrengen. Maar tegen die tijd had mijn schoonmoeder opnieuw hoge doses laudanum nodig en was het overduidelijk hoe afhankelijk Jamie en mevrouw Martha van elkaar waren.

Het bezoek van de Maddens ging langzamer voorbij dan ik voor mogelijk had gehouden. Ook al bracht ik veel tijd met mevrouw Sarah en Meg door, ik kan me niet één fatsoenlijk gesprek herinneren. Ik wist simpelweg niet wat ik moest doen of zeggen om onze trieste omstandigheden uit te leggen. Elke avond vocht ik om in slaap te vallen, maar dat lukte niet omdat ik me zorgen maakte om de dagen die in het verschiet lagen. De maaltijden waarbij ik als gastvrouw optrad, werden een pijnlijke aangelegenheid, want Marshall was hetzij afwezig, hetzij dronken, en ik at weinig. De situatie was bijna onverdraaglijk.

De dag voordat onze gasten zouden vertrekken, hoorde ik tot mijn grote schrik geschreeuw in de bibliotheek. Ik rende de trap af en wilde naar binnen gaan, maar Mama hield me tegen.

'Dat de heer Madden, hij praat tege m'neer Marshall,' zei ze. 'Blijf jij uit die buurt.' Mama kwam naast me staan en samen luisterden we aan de deur.

'Maar je weet toch wel beter! Je wist dat tabak de grond uitputte!' zei meneer Madden.

'Rankin zegt dat–' begon Marshall.

'Rankin is een zuiplap! Wat weet hij nou van het afwisselen van gewassen?' Het bleef stil totdat meneer Madden vervolgde: 'Marshall. Je werkers zien er uitgehongerd uit. Hoe kun je van ze verwachten dat ze werken als ze honger hebben en ziek zijn?' Opnieuw bleef het stil. Meneer Madden ging nu zachter praten. 'Wat is er hier gebeurd, jongen? Je beseft toch wel dat je dit alles kwijt zult raken als je zo doorgaat?'

Marshall barstte in woede uit. 'Wat hier gebeurt gaat u niets meer aan! Laat me met rust!'

Mama en ik sprongen opzij toen Marshall de deur opengooide, maar volgens mij zag hij ons niet toen hij langs ons het huis uit stormde. Meneer Madden zag me staan en gebaarde dat ik binnen moest komen, waarop hij de deur achter ons dichtdeed en Mama buitensloot. 'Mag ik eerlijk tegen je zijn, mijn kind?'

Ik knikte, als aan de grond genageld.

'Ik vrees dat mevrouw Sarah en ik ons grote zorgen maken,' zei hij. Toen ik geen antwoord gaf, vervolgde hij: 'Vanaf de dag dat we aankwamen, is ons de bedroevende staat van dit huishouden opgevallen.'

Ik liet me op de canapé zakken.

'Jou valt niets te verwijten, Lavinia,' zei hij, mijn gedachten radend. 'Nee, ik vrees dat de volledige verantwoordelijkheid bij jouw echtgenoot ligt.'

De vriendelijke toon waarop hij het zei, gaf me hoop en bracht me op een idee. 'Meneer Madden–'

'Noem me alsjeblieft oom,' viel hij me in de rede.

'Ja. Ja. Oom. Dank u. Mag ik u om een gunst vragen?'

'Altijd, mijn kind.'

'Kan ik... zouden ik en Elly misschien met u mee terug naar Williamsburg mogen komen?' Ik wachtte met ingehouden adem op zijn antwoord.

'In welke hoedanigheid had je gehoopt om met ons mee terug te komen? Als logee neem ik aan?'

'Nee.' Zelfs in mijn eigen oren klonk mijn stem beverig. 'Ik dacht, misschien mogen we bij jullie...'

Meneer Madden kwam naast me zitten en zei zachtjes: 'Ik denk niet dat Marshall jou voor onbepaalde tijd zou laten gaan. En zelfs als hij je zou laten gaan, dan weet ik zeker dat hij zijn dochter niet met jou mee zou laten reizen. Twijfel je aan de juistheid van mijn veronderstelling?'

'Nee. Nee. Natuurlijk heeft u gelijk.'

'Zou je zonder je dochter met ons meegaan?' vroeg hij.

Het was geen optie om Elly achter te laten, en dat zei ik hem ook. Hij begreep mijn positie, zei hij, en hij wilde me op het hart drukken dat ik maar hoefde te schrijven als ik ooit zijn hulp nodig mocht hebben. Hij zou er dan alles aan doen om me te helpen. Ik bedankte hem hartelijk voor zijn aanbod en deed mijn best om niet wanhopig te klinken.

Pas nadat hun rijtuig de volgende morgen was weggereden en ik ze in mijn eentje stond uit te zwaaien, pas toen mocht ik me in de steek gelaten voelen. Toen ze al lang weg waren en ik geen stof meer boven het pad zag dwarrelen, kwam oom Jacob naar me toe met een omslagdoek. Hij sloeg hem om mijn schouders en drong erop aan dat ik binnenkwam. Ik zocht in zijn lieve oude ogen naar een antwoord.

'Oom?' vroeg ik.

'Kom, kind,' zei hij, en hij bood zijn arm aan om me de trap op te helpen.

Ik zat de rest van de dag voor me uit te staren; ik had alle hoop opgegeven. Sukey kwam naar me toe, maar ik stuurde haar weg. Toen het donker begon te worden en ik opnieuw besefte hoe uitzichtloos mijn situatie was, sloeg de angst me om het hart, want ik zou de marteling van nog een nacht liggen malen simpelweg niet aankunnen. Ik liep te ijsberen toen me iets te binnen schoot.

Ik ging naar mevrouw Martha's kamer waar Mama haar aan het instoppen was. Ik pakte meteen het flesje laudanum en voegde een paar druppels aan een glas water toe. Mama keek toe hoe ik het mengsel liet ronddraaien en voordat ze me kon tegenhouden, dronk ik het glas leeg. Een paar minuten later, toen de gelukzalige roes van het middel in werking trad, wist ik dat ik eindelijk een uitweg had gevonden.

48

Belle

LAVINIA PROBEERT HIER NOG EEN KEER TE KOMEN, MAAR RAN-kin betrapt haar. Daarna komt Papa twee weken lang niet. Ben gaat ernaartoe voor te zien wat er gebeurt, maar Papa stuurt hem terug, zegt dat hij weg moet blijven, dat Rankin iedereen in de gaten houdt.

Fanny en Eddy komen hier midden in de nacht voor Ben, Lucy en mij te vertellen over alles wat er aan de hand is.

Fanny en Eddy zien er grappig uit als ze samen lopen. Hij is heel klein, en Fanny is heel lang, maar zo mager als Eddy.

Eddy is Ida's jongen, en hij is een goeie kerel, ook al is Rankin zijn papa. Ida heeft er niks over te zeggen dat Rankin haar steeds weer zwanger maakt. Van al Ida's baby's was er maar eentje niet van Rankin. Dat was de man van Dory, Jimmy, maar Rankin maakte hem af, hij sloeg hem tot hij dood was. Eddy was nog maar een kind, maar hij keek toe hoe Jimmy doodging. Bij de hutten is het geen geheim dat Eddy, hoe klein hij ook is, zijn eigen papa wil ver-moorden.

Eddy is heel stil en Fanny praat voor twee, maar als zij iets zegt, zegt hij daarna: 'Jaja, zo is dat. Fanny gelijk. Jaja, mee eens.' Alsof hij aan alles wat ze zegt zijn zegen moet geven.

Fanny vertelt ons wat Marshall Lavinia aandoet als Rankin haar op weg hierheen betrapt. 'Ze nog steeds niet de oude,' zegt ze.

'Jaja,' zegt Eddy.

'Iemand moet die vent te graze neem!' zegt Ben.

'Praat geen domme dingen!' zegt Fanny. 'Dan ga je er zelf aan.'

'Ze heb gelijk,' zegt Eddy.

Ben zegt niets. Fanny ziet dat ze Ben kwetst. 'Ben, weet je nog hoe je Abinia vroeger altijd een vogeltje noem? Zo ziet ze er nu uit. Als een bange vogel op die grond. Die heb meer als wind nodig voor weer te vlieg. Tuurlijk, ze doe precies als een blanke vrouw, geef gewoon op, en zit in haar kamer. Beattie heb datzelfde probleem als haar, maar zij heb een manier bedenk voor te overleef. Geen idee waarvoor Abinia niet datzelfde doe. Dat maak me boos!'

'Jaja. Ze maak haar echt heel–'

'Wacht even, Fanny!' Ik snoer Eddy de mond. 'Klinkt voor mij als dat ze probeert terug te vechten, maar dat Marshall te veel voor haar is. Vergeet niet, Fanny, ik weet hoe Marshall is. Ik praat er niet over omdat je toen nog te klein was, maar als hij gemeen wordt, valt er niks terug te vechten.'

'Ik bedoel niks nie over jou te zeg, Belle–' zegt Fanny.

'Fanny, je moet niet vergeten dat Lavinia als mijn eigen kind is.'

'Belle, je weet ik zeg soms te veel. Op dit moment iedereen daar gespannen. Mama en Papa weet niet wat te doen. En nu zeg Mama Abinia begin die druppels te neem net als mevrouw Martha.'

Eddy zegt niks nie, maar je kan zien dat hij er niet van houdt als de woorden tussen Fanny en mij heen en weer vliegen.

'Ze mag dan een blanke vrouw zijn, Fanny, maar in mijn ogen maakt ze deel uit van deze familie. En ze heeft geen uitweg, net als wij,' zeg ik.

'Maar waarvoor ga ze niet weg?' vraagt Lucy. 'Zij vrij, wij niet.'

'Mama zeg Abinia vraag meneer Madden of ze mee terug kan naar Williamsburg,' zegt Fanny, 'maar hij zeg ze moet Elly bij Marshall achterlaat. We weet allemaal ze ga dit nooit doen.'

We worden allemaal stil en denken erover na.

'Hoe gaat het met mijn Jamie?' vraag ik, ook al wil ik het liever niet weten.

Fanny kijkt weg. 'Hij ga heel goed,' zegt ze, 'maar we haal hem zo snel mogelijk uit dat grote huis.'

'Waarom?'

'Oom Jacob wil hem in zijn huis, en Papa zeg hij moet dat werk in die stallen leer.' Ik merk dat Fanny niet alles zegt.

Voordat ik de kans krijg haar meer te vragen, staan ze op, en zeggen dat ze moeten gaan. Soms ben ik er ziek van, al die zorgen om Jamie en hoe ik hem terug moet krijgen. Als ik mijn baby George hier niet had, geen idee wat ik zou doen.

De laatste tijd kunnen Lucy en ik goed met elkaar overweg, maar als ik zie dat ze weer zwanger is, word ik boos op Ben.

'Wanneer doe je dit allemaal met Lucy?' zeg ik.

'Wat bedoel je?' zegt hij.

'Denk je dat ik blind ben?' vraag ik.

Die avond komt hij op mijn deur kloppen, en ik zeg nee, ga maar naar Lucy. Maar na een tijdje bedenk ik, als hij en Lucy niet samen waren, zou ik niet mijn George hebben. Ik moet zeggen dat Lucy erop rekent dat ik voor die baby zorg. Ze doet niet meer als hem voeden, geeft hem dan aan mij en zegt: 'Ga maar naar jouw mama Belle toe.' Die woorden klinken me als muziek in de oren.

Het duurt niet lang en Ben is weer bij me.

49

Lavinia

IK ONTDEKTE DE ZES VOLLE FLESSEN LAUDANUM OP DEZELFDE dag dat ik Belles verdwenen vrijbrief vond. Na het bezoek van Meg zwierf ik vaak doelloos door het huis. De winter deed zijn intrede, maar dat was niet de reden dat ik niet meer ging rijden. Ik durfde niet meer bij Belle op bezoek te gaan, omdat ik te bang was voor de consequenties, en dus had ik geen bestemming meer. Ik kon niet helder meer nadenken en begreep niet waarom Will niet had geprobeerd om naar me toe te komen. Ik had geen zin meer in lezen, en in een poging om mijn zenuwen te lijf te gaan zocht ik naar andere manieren om mezelf bezig te houden. Mama en ik hadden het jaar ervoor een inventaris van het huis gemaakt, maar we hadden mevrouw Martha's suite om verschillende redenen overgeslagen.

Na het bezoek van mevrouw Sarah had mevrouw Martha opnieuw constante bewaking nodig. Mama, Fanny en ik hielden om de beurt de wacht, en tijdens het aan mij toegewezen dagdeel, terwijl de kinderen en mevrouw Martha lagen te slapen, viel mijn oog op de hoge linnenkast in de blauwe kamer. Ik herinnerde me dat we de inhoud daarvan niet hadden geïnventariseerd. Ik vond het geen leuke taak, maar de gedachte aan urenlang nutteloos niets doen was onverdraaglijk, dus besloot ik aan de slag te gaan.

Ik schoof een houten stoel aan om bij de bovenste planken te kunnen. Het was een vermoeiende klus om de stapels linnen en hoedendozen eruit te halen, dus haalde ik opgelucht adem toen ik de laatste doos te pakken had. Nieuwsgierig door het geluid van klinkende glazen maakte ik de doos open en trof er zes flessen laudanum in aan. Had mevrouw Martha ze jaren geleden verstopt? Dat moet wel; er was geen andere uitleg mogelijk. Was dit haar geheime opbergplek? Had ze hier nog andere dingen verstopt? Terwijl ik op de stoel stond, kon ik het achterste van de plank niet zien, dus stak ik mijn hand zo ver ik kon de kast in. Mijn vingers grepen bijna mis, maar ik voelde een pakketje liggen en wist het te pakken te krijgen. Het was een envelop met Belles naam erop. Ik herkende het meteen als het pakketje dat mevrouw Martha zoveel jaren geleden met Kerstmis had onderschept. Ik wist dat Belles vrijbrief erin zat. De envelop maakte me bang. Wat betekende de brief nu voor haar? Kon Marshall hem op een of andere manier tegen haar gebruiken?

Voordat Fanny me kwam aflossen, nam ik de verzegelde envelop en de flessen laudanum mee naar mijn kamer. Ik vertelde aan niemand wat ik had gevonden, en ik nam me heilig voor om de brief bij de eerstvolgende mogelijkheid naar Belle te smokkelen.

Die avond gebruikte ik de laudanum om te kalmeren voordat ik ging slapen. Het werkte zo goed dat ik de volgende dag besloot om een halfuur voor het middageten een paar druppels met sherry te mengen. Het bleek een magische combinatie. Het ontspande me in Marshalls aanwezigheid en ik was niet zo nerveus meer, dus kon ik eten zonder misselijk te worden. Tijdens het eten merkte ik tot mijn grote opluchting dat ik me zelfs niet meer aan de zwangere Beattie stoorde. Marshall was schijnbaar ingenomen met mijn nieuwe ontspannen houding, die hij toeschreef aan de wijn, en hij spoorde me aan om tijdens het eten meer te drinken. Ik protesteerde niet.

Ik bleef het middel gebruiken en toen het resultaat in de weken daarna aanhield, werd het voor ik het wist mijn dagelijkse opkikkertje.

Ik schreef Meg dat ik een remedie had gevonden, maar toen ze me vervolgens waarschuwde voor de gevaren van opium, werd ik zo boos dat ze me deze kleine troost blijkbaar niet gunde, dat ik de correspondentie met haar afkapte.

Later dat jaar maakte Fanny me op kerstavond wakker uit een diepe slaap. 'Mama heb jou nodig,' zei ze. 'Beattie krijg dat kind.'

'Waar is Ida?' vroeg ik, en ik probeerde mezelf wakker te krijgen.

'Ziek,' zei Fanny.

'Ga jij maar,' zei ik. 'Ik blijf wel bij mevrouw Martha.'

'Mama zeg ze wil jou,' zei Fanny. 'Ze zeg dit een moeilijke baby die kom.'

Ik kleedde me met tegenzin aan. Papa George wachtte op me bij de achterdeur; hij bood me zijn arm aan en verlichtte het pad met een lantaarn. Uit het keukenhuis klonk het geschreeuw van Beattie. Ik koesterde nog steeds wrok tegen haar en was boos dat deze taak aan mij werd toebedeeld, en ik had zeker langzamer gelopen als Papa me niet had meegesleurd.

Mijn koele houding hield niet lang stand. Mama liet Beattie rondlopen, en toen ik Beatties angst zag, gooide ik mijn omslagdoek af en bood haar mijn hulp aan.

'Hou haar rechtop en help haar loop,' zei Mama.

'Steun op me, Bea,' zei ik. Ik pakte haar arm stevig vast en met een van pijn vertrokken gezicht keek ze me aan. 'Dit spijt me zo, mevrouw Abinia,' zei ze.

'Sst, Bea,' zei ik, maar ik weet niet of ze me hoorde, want de volgende wee deed haar ineenkrimpen van de pijn.

Vroeg in de ochtend, toen de baby kwam, waren we alle drie uitgeput maar dolblij dat alles goed was gegaan. Ik voelde niets anders dan opluchting toen Mama het bruine jongetje aan Beattie gaf.

De kersverse moeder lag te slapen terwijl mama Mae en ik het ontbijt klaarmaakten. Toen Mama het eten naar het grote huis bracht, bleef ik achter met de baby in mijn armen en streelde het zachte gezichtje tot Beattie wakker werd. Ik legde het kindje in haar uitgestrekte armen en we lachten toen hij zijn gezichtje vertrok. Ze keek op hem neer en zei: 'Dit spijt me zo voor al die last die ik u geef.'

Ik suste haar. Ze pakte mijn hand en kuste hem. Ik op mijn beurt kuste die van haar. Ik zei mijn jeugdvriendin niet dat ik de littekens op haar lichaam met eigen ogen had gezien toen ze aan het bevallen was. Het was voor mij voldoende bewijs dat ze het onschuldige slachtoffer van mijn echtgenoot was en ik betreurde het enorm dat ik haar nog meer problemen had bezorgd.

Ik bleef bij haar zitten toen ze de baby de borst gaf en ook daarna toen ze lagen te slapen. Daar, in de warmte van het huis van mijn jeugd, nam ik me voor om alles recht te zetten.

Mijn hart klopte in mijn keel, maar mijn stem bleef kalm toen ik de volgende dag tijdens het middageten een gesprek met Marshall had. 'Beattie heeft het er zwaar mee gehad,' zei ik.

Hij bloosde, maar keek me niet aan.

'Ze heeft tijd nodig om te herstellen,' zei ik. Hij stond op en ik verstijfde, klaar voor de uitbarsting, maar hij verliet de kamer zonder iets te zeggen.

Toen het half januari ineens warm werd, moest Marshall onverwachts de hele dag weg voor zaken. Moedig dankzij de opium en gevoed door mijn verlangen om Will te zien, besloot ik van de gelegenheid gebruik te maken om Belle haar vrijbrief te brengen. Ik nam Sukey in vertrouwen, omdat ik wist dat ze me niet zonder uitleg zou laten gaan. 'Ik moet naar Belle toe, maar ik wil dat jij hier blijft,' zei ik.

'Waarom?' vroeg ze. 'Waarom moet u naar Belle toe?'

'Ik heb een brief gevonden,' fluisterde ik.

'Wat voor een brief?' fluisterde ze terug.

'Dat vertel ik je wel als ik terug ben,' zei ik, 'maar beloof me dat je het aan niemand vertelt.'

'Dat beloof ik.' Ze knikte. Ik vertrouwde haar als geen ander.

Papa en ik kregen ruzie toen ik erop stond dat hij Barney opzadelde. Hij wist meteen waar ik naartoe ging. Het weer kon elk moment omslaan, zei hij, en we hadden geen idee wanneer Marshall zou terugkomen. En bovendien kwam Rankin tijdens de winter vaker naar de stal, vertelde hij me. Ik durfde Papa niets over Belles vrijbrief te vertellen, noch over mijn behoefte om Will te zien. Koppig hield ik voet bij stuk. Ondanks zijn norse blik stond ik erop dat hij deed wat ik vroeg, en reed vervolgens in galop weg. Ik zwaaide niet; in plaats daarvan zocht mijn hand naar het pakketje dat Sukey en ik op mijn borst hadden gebonden.

Pas toen ik bijna halverwege was, durfde ik stapvoets te gaan rijden. Op dat moment hoorde ik achter me het gehinnik van een ander paard. Ik haalde Barneys teugels aan en keerde om in de richting van de naderende ruiter. Wie anders kon het zijn dan Rankin.

'Zo, mevrouw Pyke,' zei hij, 'ik hoopte al dat ik u in zou halen. Ik vroeg me af waar u zo razendsnel naartoe ging, maar nu we zo dicht bij zijn huis zijn, is het me volslagen duidelijk.' Hij glimlachte. 'U en Will Stephens zijn blijkbaar goede vrienden, of niet soms?' Toen ik geen antwoord gaf, greep hij mijn teugels en stuurde ons richting huis. 'U weet dat uw man u hier niet wil hebben.'

Ik liet mijn zweep handig over zijn pols knallen. Gehoorzaam sprong Barney naar voren, en op weg naar huis liet ik de teugels vieren.

Ik zat al klaar toen mijn echtgenoot die avond naar mijn kamer kwam. Op mijn verzoek had Fanny Elly in de kinderkamer naar bed gebracht. Sukey weigerde me alleen te laten, dus zaten zij en ik te kaarten. Toen ik Marshalls voetstappen op de trap hoorde, begonnen mijn handen te beven. Sukey fluisterde: 'Niet bang zijn, mevrouw Abby, ik blijf hier bij u.'

'Alsjeblieft, ga naar Mama toe,' fluisterde ik, maar ze schudde haar hoofd. Toen Marshall binnenkwam, stond Sukey op, zoals het hoorde. Marshall stapte op me af en sloeg me in het gezicht. Sukey hapte naar lucht.

'Waar ging je naartoe?' vroeg hij.

Ik keek naar de grond. 'Ik ben een stukje gaan rijden.'

Dit keer vloog ik door de kracht van de klap van de stoel. Hij kwam weer op me af, en voordat ik haar kon tegenhouden, viel Sukey hem aan. Ze beet hem diep in zijn arm en vloekend wierp hij haar van zich af. Tot mijn grote verbazing en opluchting liep hij direct de kamer uit. Sukey en ik zaten elkaar te troosten toen Marshall met papa George terugkwam.

'Grijp haar,' zei Marshall, en hij gebaarde in de richting van Sukey. 'Weg met haar!'

'Nee,' smeekte ik, en ik hield Sukey dicht tegen me aan. 'Alsjeblieft, Marshall, ze heeft niets misdaan.'

'Die nikker van jou bijt me en dan zeg je dat ze niets heeft misdaan!' schreeuwde hij.

'Ze probeerde je alleen maar tegen te houden.'

'Me tegenhouden? Me tegenhouden!' Hij richtte zich tot Papa, die bij de deur was blijven staan. 'George, ik zei kom hier en neem haar mee naar buiten!' zei hij. Sukey had zich aan me vastgeklampt, maar Marshall rukte haar los en gooide haar naar papa George. 'Haal haar hier weg, nu!'

Papa's ogen schoten vuur en zijn lichaam beefde, en gedurende een verschrikkelijke seconde dacht ik dat hij Marshalls bevel zou negeren. Maar hij beheerste zich en wist haar buitengewoon kalm over te halen om met hem mee te komen.

Toen ze weg waren, viel ik op mijn knieën. 'Marshall! Alsjeblieft! Alsjeblieft! Doe haar geen pijn. Waar stuur je haar naartoe?'

'Ze gaat naar de hutten, waar ze thuishoort.'

'En Elly dan?' smeekte ik, in een poging hem te vermurwen. 'Ze is zo aan Sukey gehecht.'

'Elly heeft anderen die voor haar kunnen zorgen,' zei hij.

'Maar Sukey heeft daar nooit gewoond, ze kan het niet aan!'

'Dit is allemaal je eigen schuld, Lavinia,' zei hij. 'Hoe durf je me zo voor schut te zetten! Naar een andere man toe!'

Nog steeds op mijn knieën, smeekte ik hem: 'Alsjeblieft, Marshall. Straf mij, niet Sukey. Neem haar niet van me af. Ze is als mijn eigen kind.'

Hij trapte naar me. 'Sta op! Ik walg van je! Dat je die nikkers zo noemt. Je ziet haar als je eigen kind. Je noemt ze Papa en Mama alsof het je familie is! Als je zo doorgaat, stuur ik ze allemaal weg.'

Toen hij de kamer uit was, rende ik naar het raam. De zwarte nacht doemde op, en ik kon niets zien. Het huis was in stilte gehuld; niemand durfde zich te verroeren. Ik deed mijn deur op slot voordat ik naar mijn hoge linnenkast liep. Bevend maakte ik Belles vrijbrief los uit mijn lijfje. Ik verstopte de envelop achter de hoedendoos waar de flessen laudanum in zaten. Zonder lang na te denken schonk ik een ruime hoeveelheid van de zwarte vloeistof in mijn sherryglas, dronk het op, en wachtte tot het middel me kalmeerde.

De volgende ochtend fluisterde Mama tegen me dat Sukey naar Ida's hut gebracht was en dat ze geen van haar eigendommen had mogen meenemen. Iedereen was gewaarschuwd dat ze onmiddellijk verkocht zouden worden als ze berichten van mij aan haar zouden overbrengen. Ik kon me nog goed herinneren dat Marshall me had gewaarschuwd. Als hij Sukey van me af kon nemen, wie zou dan de volgende zijn? Daarna durfde ik niemand meer naar Sukey te vragen.

Wanhopig schreef ik een brief aan meneer Madden, maar ik besefte dat Marshall ongetwijfeld al mijn brieven zou onderscheppen, dus verbrandde ik de brief dezelfde avond nog.

In de weken daarna ging ik twee keer naar Marshall toe om mijn zaak bij hem te bepleiten. De eerste keer waarschuwde Marshall me dat ik het onderwerp beter kon laten rusten. De tweede keer smeekte ik hem opnieuw om van gedachten te veranderen. Hij lachte bitter om mijn band met Sukey en noemde haar mijn verloren gewaande kind. Wie was haar pappie? vroeg hij. Roekeloos door mijn wanhoop sloeg ik hem. Ik eiste dat ik haar mocht zien. Hij keek me aan met een blik die ik niet herkende. De volgende middag stuurde hij Mama naar me toe om me te zeggen dat Sukey verkocht was. Met dikke ogen en een vertrokken gezicht stelde Mama me op de hoogte.

'Ik moet jou vertel dat Sukey weg is.'

'Weg waarnaartoe?' jammerde ik.

'Zij verkocht.'

'Nee, Mama! Nee! Niet Sukey, Mama! Niet Sukey!' riep ik. Maar Mama was net zo overmand door verdriet als ik, en ze keek me hulpeloos aan terwijl de tranen over haar wangen stroomden. Ik rende naar het raam. Het was vast nog niet te laat.

'Die neem haar vannacht mee. Zij al weg,' zei Mama.

Ik staarde Mama aan; ik wilde het niet geloven.

Ze kwam naar me toe en fluisterde in mijn oor: 'Mevrouw Abinia, ik moet naar beneden, m'neer Marshall die wacht op mij.'

'Hoezo dat, Mama?' vroeg ik.

'Hij zeg hij wil dat ik jou niet meer bemoeder nie. Hij zeg als ik dat wel doe, ik de volgende die hij verkoop.' Ik begreep uit haar angstige blik dat ze het niet als een loos dreigement beschouwde. Ik keek haar na toen ze de kamer uit liep. De houten stoel die tegen de muur stond voelde gewichtloos toen ik hem optilde. Ik smeet hem met zo'n kracht tegen het bed, dat de bedstijl en de stoel allebei versplinterden. Toch bleef ik erop los slaan. Toen ik niets meer in mijn handen had, zonk ik ineen op de grond en liet mijn tranen de vrije loop.

Nadat Sukey verkocht was, weigerde ik nog langer in de eetkamer te eten, en Marshall liet me niet halen. We zagen elkaar niet, aangezien ik boven bleef als ik wist dat hij er was.

Marshall had laten zien dat het hem menens was. Iedereen was bang. Na de gebeurtenissen rond Sukey voelde niemand zich meer veilig. Ik had het gevoel dat mijn hele familie mij de schuld gaf van haar ballingschap, en waarom ook niet? Het was mijn schuld. Bovendien was ik als de dood dat Marshall om het even welk contact ik met hen had verkeerd zou opvatten, dus hield ik het bij korte gesprekken. Ik rouwde om Sukey als om geen ander, en uit schaamte voor mijn aandeel in de zaak sloot ik mezelf af van elke vorm van troost die ze me hadden kunnen bieden.

Wanhopig nam ik mijn toevlucht tot de laudanum; algauw had ik het nodig om te kunnen functioneren. Ik had inmiddels ontdekt dat het niet moeilijk was om aan het middel te komen: ik kon het makkelijk via de post bestellen. Elke ochtend waren een paar druppels in een glas water genoeg om mijn werkelijkheid te verdoven. Uren later, wanneer ik uitgeput raakte, gaf een volgende dosis met wat wijn me de oppepper die ik nodig had om het einde van de dag te halen. 's Avonds zat ik alleen op mijn kamer plannen te beramen. Ik zou weglopen, op zoek gaan naar Sukey en haar helpen ontsnappen. Diep in de nacht tekende ik plattegronden van het bos zoals ik het me herinnerde, en stippelde onze route uit, om ze vervolgens te verbranden uit angst dat Marshall ze zou ontdekken. Als ik niet kon slapen, hielp een zwaardere dosis opium me in slaap vallen. Zo ging ik door, in de overtuiging dat het opiaat mijn vriend was, terwijl het me niet meer liet ontsnappen uit zijn ijzeren greep.

Al die tijd bleef Marshall Beattie zien, hoewel hij ook elders afleiding zocht: hij begon te gokken op paarden en werd een fanatieke kaartspeler.

Fanny vertelde me dat hij mensen van de hutten verkocht om zo zijn schulden af te betalen. Meg schreef me, maar ik negeerde haar herhaalde verzoek om contact. Daar mijn behoefte aan laudanum de overhand kreeg, voelde ik me machtelozer dan ooit, en met elk jaar dat voorbijging, begroef ik me dieper in vergetelheid. Ik kon er amper een traan om laten toen Mama me vertelde dat Will Stephens getrouwd was.

50

1810

Belle

SUKEY IS AL VIJF JAAR WEG.

In die tijd krijgt Beattie nog twee jongens van Marshall. Ze weet wat hij wil, en hij brengt nu meer tijd in het keukenhuis door dan in het grote huis. Mama zegt als Marshall al om iemand geeft, dan is het Beattie. Beattie zegt dat hij bijna niet eens meer op haar kruipt. Hij komt alleen maar slapen. Soms speelt hij zelfs met de kinderen, zegt ze. Maar meestal is hij veel te dronken voor te weten wat hij doet.

Will Stephens vertelt ons dat Marshall alles aan het verliezen is door te kaarten en op de paarden te gokken. Hij raakt steeds meer land kwijt en hij verkoopt zelfs mensen van de hutten. Ik ben bang dat hij mijn Jamie zal verkopen, maar Will Stephens zegt dat dat nooit zal gebeuren. Marshall weet dat Will Stephens erop wacht voor Jamie te kopen als die dag ooit komt.

Ze zeggen dat mijn Jamie heel slim is. Hij leest de hele tijd. Mama zegt hij praat heel goed en hij klinkt als iemand van het grote huis. Ze zeggen dat hij zo voor een blanke kan doorgaan. De momenten dat ik hem mis, zeg ik tegen mezelf: misschien komt hij op die manier wel vrij. Misschien gaat hij er op een dag vandoor voor te leven als een blanke jongen.

Ze zeggen dat Lavinia net als mevrouw Martha de druppels gebruikt. Lavinia staat nog wel op en loopt nog wel rond, maar Mama zegt er komt niks nie meer uit haar ogen. Het enige waar ze nog om geeft is haar Elly.

Die kleine Elly is een pittig ding, zegt Mama. Ze lijkt op Lavinia, maar ze is brutaler en feller dan Lavinia ooit geweest is. Ze is bijna altijd aan het rennen en spelen met Moses, Beatties oudste jongen, maar ze kan het ook goed vinden met mijn Jamie.

Een paar keer verstop ik me in het bos daarboven en hoop ik Jamie te zien als hij naar de stal gaat, maar deze laatste keer zegt Papa: 'Je moet hier niet meer kom nie. Rankin heb die neus voor onraad.'

Papa is overal bang voor sinds ze Sukey hebben weggestuurd, zegt Ben. Papa is er vooral niet blij mee als hij hoort dat Ben mensen helpt ontsnappen. Ben heeft een plek in zijn huis voor ze te verstoppen, maar dat vertellen we aan niemand nie. We denken dat Will Stephens het misschien wel weet, maar hij praat er niet over. Lucy vindt het maar niks. Ze maakt zich zorgen om haar kleintjes.

Het wordt hier allemaal steeds groter. Will Stephens is eindelijk getrouwd. We weten allemaal dat hij eerst wilde zien wat er met Lavinia gebeurt. Op een keer gaat Will erheen voor te kijken hoe het met haar gaat. Hij gaat naar de voordeur, als een heer, en vraagt of hij Lavinia mag zien. Marshall komt dan naar de deur, richt een geweer op Will en zegt dat hij de volgende keer dat hij hem ziet zal schieten.

Als Will met eigen ogen ziet dat hij niks nie kan doen, gaat hij niet terug. Vorig jaar trouwde hij met een meisje in de kerk, en we vinden haar allemaal aardig genoeg. Het is zeker geen knap ding voor naar te kijken. Ze is heel wit met geel haar en het lijkt alsof ze niks geen wimpers heeft. Ze lacht niet veel en ze praat echt nog veel meer over de goeie Heer als Mama ooit heeft gedaan. En dit raad je nooit, ze heet Martha, dus daar ga ik weer, moet ik weer iemand mevrouw Martha noemen.

Lucy werkt boven in het grote huis. Ik blijf hier beneden voor alles te koken en op de kinderen te passen. Lucy is gelukkig. Ze zegt nooit in haar hele leven dacht ze dat ze in een groot huis zou werken. Ik zeg ik dacht nooit van mijn leven dat ik in een keuken zou werken en zou passen op de kinderen die een andere vrouw met mijn man heeft. We lachen, want het is de trieste waarheid.

Ben betekent alles voor Lucy en mij, maar soms komt Lucy naar me toe en zegt: 'Belle, neem jij die vent, ik wil hem nooit meer zien nie!' En soms zeg ik: 'Lucy, je mag hem hebben! Hou hem bij me weg.' Dus zo werkt het goed voor ons, allebei met dezelfde man. Tuurlijk denk ik soms dat Ben zijn eigen plek wil waar hij kan vluchten van twee vrouwen die beiden hun eigen wil hebben.

Mijn George wordt met kerst al zes jaar. Hij kan zijn naam al schrijven en mijn naam ook. Hij noemt me mama Belle, en zoals hij het zegt, kan ik die twee woorden niet vaak genoeg horen. Hij woont al bij me sinds hij aan het kruipen was en Lucy zegt nooit nie dat ze niet wil dat ik dit kind van haar overneem.

Ben vraagt: 'Wat ga je doen als die tijd kom dat hij dat veld op moet?'

Ik zeg: 'Ik maak George klaar voor het grote huis. Hij gaat dat veld niet op.'

Ben en Lucy denken dat George de plaats van mijn Jamie inneemt, maar ze zien het verkeerd. Die jongens hebben allebei een helft van mijn hart.

51

1810

Lavinia

ONS LAND WAS TEGEN DE LENTE VAN 1810 GROTENDEELS VER-
kocht. Ik bleef mezelf laudanum toedienen terwijl alles om me
heen wegviel. Marshall was zelden op de plantage, en als we elkaar
al zagen, waren onze gesprekken kort en afstandelijk. Ik zorgde ervoor dat Elly naar haar vader werd gebracht wanneer hij haar wilde
zien, maar dat kwam niet vaak voor. Fanny was degene die dan met
Elly meeging en ze vertelde me dat Marshall slecht op zijn gemak
leek bij zijn dochter.

'Hij weet niet wat hij moet zeg, want hoe ouder die kleine meid,
hoe meer ze op jou lijk,' legde Fanny uit.

Mijn dochter was het lichtpuntje in Fanny's wereld. Tot Fanny's grote verdriet hadden zij en Eddy geen kinderen, dus behandelde ze Elly als haar eigen kind. Als Fanny Elly 's ochtends te eten
had gegeven en haar had aangekleed voor de dag, hadden ze elk
hun eigen kleine ritueel. 'En wat beteken Fanny voor haar kleine
meid?' vroeg Fanny dan. Elly sloeg dan haar armen om Fanny's nek
voor hun ochtendknuffel, en wat ze zei maakte Fanny altijd hard
aan het lachen. Elly rekte de woorden uit en imiteerde haar perfect:
'Fanny, je weet, voor mij ben jij mijn grootste zegen!'

Fanny was ook de verpleegster van mevrouw Martha. Over het
geheel genomen was mijn schoonmoeder geestelijk stabiel geworden. Maar er waren momenten waarop het schelle gekrijs van
een dier haar doodsbang maakte. Dan riep ze me: 'Isabelle! Isabelle!' En als ik er niet meteen aan kwam, was Jamie de enige die haar

tot bedaren kon brengen. Ze was geobsedeerd door Jamie als nooit tevoren, en hoewel ik wist hoe buitenissig het was, leek het in dat toch al ongewone huishouden allemaal niet meer zo bijzonder.

Jamie werd die zomer dertien. In de lente was hij heel lang geworden; hij was mager en afgezien van zijn ene oog had hij een mooi, fijnbesneden gezicht. Fanny beschreef hem het best toen ze tegen Mama zei: 'Hij te mooi voor een jongen.'

Jamie was overdreven precies. Hij stond erop dat zijn kleren perfect pasten, en hij had zijn golvende haar altijd zorgvuldig met een zwart satijnen lint in een staart gebonden. Ik probeerde van hem te houden zoals ik van Elly hield, maar er was iets in hem dat me niet wilde toelaten. Hij sprak mevrouw Martha en mij nooit tegen, maar als iemand anders hem hinderde, nam hij een air aan, waarop Mama hem steevast een standje gaf en zei dat hij 'het veels te hoog in ze bol' had.

In de loop der jaren probeerde Papa Jamie te interesseren voor activiteiten buitenshuis. Hij leerde Jamie paardrijden, en als Marshall er niet was, leerde hij hem zelfs jagen met het geweer dat in de stal achter slot en grendel werd gehouden. Maar Jamie wilde niet veel tijd met Papa doorbrengen en bleef het grootste deel van de tijd binnen. Boeken waren zijn lust en zijn leven, en hij zat uren aan het bureau in de blauwe kamer, waar hij poëzie las, schreef en analyseerde. Ook werd hij gefascineerd door vogels; daarin deed hij me vaak aan Meg denken. Jamies meest gekoesterde bezit was een boek over Noord-Amerikaanse vogels dat ik hem had gegeven. Nadat hij dagenlang in het boek gedoken had gezeten, kondigde hij aan dat hij ooit een keer naar Philadelphia zou gaan om de ornitholoog te ontmoeten die het had gepubliceerd. Hij klonk zo vastberaden dat hij dat ongetwijfeld voor elkaar zou krijgen.

In de blauwe kamer lagen nog stapels andere boeken, en het werd een gewoonte om 's avonds in mevrouw Martha's kamer bij elkaar te komen en naar Jamie te luisteren als hij voorlas. Mevrouw Martha had hem lesgegeven en zijn uitspraak was uitmuntend. Die avonden betekenden op vele fronten mijn redding. Oom Jacob kwam altijd naar mijn kamer om me te halen. Als ik zei dat ik te moe was of me niet goed voelde, was één blik van zijn oude bruine ogen genoeg om me aan mijn huishoudelijke plichten te herinneren. Ik was vaak in een toestand van verdoving als hij me bij de arm nam en me naar mevrouw Martha's kamer leidde. Daar zette hij me dan in een fauteuil, haalde een houten stoel uit de blauwe kamer en ging dan stilletjes achter me zitten. De avond eindigde er bijna altijd mee dat Elly op oom Jacobs schoot lag te dutten.

Het oudste kind van Beattie en Marshall, Moses, was die zomer zes, een jaar jonger dan Elly. Ze speelden altijd met elkaar.

In de eerste jaren probeerde Beattie Moses bij het grote huis weg te houden, maar na een tijdje moet mama Mae haar gezegd hebben dat ik het niet erg vond als hij met Elly kwam spelen. Eerlijk gezegd deed Moses me met zijn laconieke manier van doen en de diepe kuiltjes in zijn wangen zo aan Beattie als kind denken dat ik zijn vrolijke aanwezigheid erg op prijs stelde.

Ik maakte me niet langer druk om Beatties situatie. Ik wist dat ze haar eigen manier had gevonden om ermee om te gaan. Ik was blij toen ik hoorde dat ze Elly in het keukenhuis uitnodigde en haar daar goed behandelde. Beattie en ik zagen elkaar weinig, aangezien ik niet meer naar het keukenhuis ging; ik wist nooit wanneer Marshall er was.

In de laatste maanden van de zomer van 1810 was Marshall zelden thuis. Hij was meer gaan drinken en gokken en ik had het vermoeden dat we op een ramp afstevenden. Die zomer waren veel van onze werkers al verkocht, en de paar mensen die nog in de hutten over waren gebleven, waren zo uitgeput dat ik me afvroeg hoe ze konden overleven.

Ik zag geen uitweg. Verscheurd door mijn machteloosheid liep ik 's nachts, wanneer iedereen sliep, in een roes van opium te ijsberen. Waar lag de oplossing? Marshall was op de hoogte van al mijn uitgaven, dus hoe kon ik een ontsnapping financieren? En afgezien daarvan, wie moest ik dan meenemen?

Elly sowieso, en natuurlijk haar geliefde Fanny. En mevrouw Martha dan? Ik moest haar beschermen. En mama Mae! Ik kon haar toch niet achterlaten? Zij was mijn basis en ik kon me geen leven zonder haar voorstellen. In de afgelopen paar jaar had ik maar twee keer ruzie met Mama gehad. De eerste ging over Jamie. En de tweede had te maken met mijn laudanumgebruik.

Ik wist al lang dat Mama het niet eens was met Jamies aanwezigheid in het grote huis en de wederzijdse afhankelijkheid van mevrouw Martha en Jamie die daar het gevolg van was. Telkens als Mama voorstelde om de twee van elkaar te scheiden, bedong ik meer tijd. Het bezoek van mevrouw Sarah en de rampzalige gevolgen toen Jamie voor die paar dagen werd weggehaald, stonden nog in mijn geheugen gegrift. En trouwens, Jamie was net zo gehecht aan mevrouw Martha als zij aan hem. Ze brachten uren in elkaars gezelschap door, hoewel mevrouw Martha vaak lag te slapen terwijl Jamie aan het schrijven of studeren was. Jamie behandelde me altijd met respect, maar er waren momenten – vooral na zijn dertiende verjaardag – waarop hij uitermate arrogant tegen Fanny deed. Ik gaf hem dan een standje, maar hij ging ermee door totdat Fanny uiteindelijk haar beklag deed bij mama Mae.

Op een vroege ochtend in mei van dat jaar kwam ik op Mama's verzoek naar beneden om samen alles open te zetten en de lentelucht binnen te laten. We duwden de ramen van de eetkamer open; de kamer werd nog maar zelden gebruikt, en bij een vluchtige inspectie viel me op dat de pracht van vroeger aan het verdwijnen was. Mama zei niets terwijl ik om me heen keek; toen ik aanstalten maakte om de kamer uit te lopen, vroeg ze of we konden praten. Ik trok een stoel voor Mama onder tafel vandaan en ging toen zelf zitten. 'Wat is er, Mae?' vroeg ik.

'Jamie moet weg uit dit huis,' zei ze met klem.

Ik voelde me niet op mijn gemak en ging verzitten. Ik had deze discussie keer op keer kunnen vermijden, maar Mama's toon deed me vermoeden dat dat dit keer niet zou lukken. Ik liet mijn vinger heen en weer over de rand van de opgewreven eettafel gaan totdat Mama mijn gemijmer onderbrak.

'Mevrouw Abinia?'

'Maar waarom nu?' Ik hoorde de klagende toon in mijn stem.

'Omdat hier problemen van kom. Ik voel dit.'

'Ja, maar wat kunnen we doen? Waar moet hij heen? We kunnen

hem niet terugsturen naar het keukenhuis. Marshall is daar bijna altijd.'

'Jacob zeg hij neem hem in zijn huis, en George zeg hij neem hem mee naar die stallen voor te werk. Hij zeg Jamie goed met die paarden.'

'Maar je weet toch dat Jamie niet in de stal zal willen werken.'

'Daarom moet hij gaan. Hij groei snel op. Hij moet weet zijn plaats.'

'Maar wat is zijn plaats? Volgens mij kan hij zich Belle niet eens meer herinneren.'

'De laatste keer Jamie ben bij die stallen, Papa zeg tege hem Belle ben ze echte moeder. Jamie kwaad, zeg Papa weet niet waar hij over praat. Jamie zeg hij een blanke jongen. Papa zeg: "Nee, een nikker, net als ik." Jamie loop hard weg en nu hij ga niet naar die stallen nie meer. Hij hier te oud voor, Abinia. En zijn mond ben te verwaand. Die tijd kom dat hij weet hij ben een nikker; hij moet leer voor dit werk te doen.'

'Ik weet dat je gelijk hebt, Mae. Ik heb gehoord hoe hij tegen Fanny praatte. Maar je weet dat mevrouw Martha hem als haar zoon beschouwt. Natuurlijk denkt hij dat hij hier in het grote huis hoort.'

'Dit moet stop. Deze dagen heb hij alles te hoog in ze bol. Die jongen ga een diepe val maak,' zei Mama.

'Misschien kunnen we hem ergens naartoe sturen. Hij kan voor een blanke doorgaan. Je zou niet denken dat—'

'Ze moeder, Belle. Dat maak hem een nikker! Trouwens, hij heb geen vrije brief.'

'Denk je dat hij weet wie zijn vader is?'

'Die jongen hoef alleen maar ze eigen gezicht te zien. Als hij niet op m'neer Marshall lijk, op wie dan wel. Daarom denk mevrouw Martha al die tijd hij ben er een van haar.'

'Ik weet dat we dit moeten doen, maar ik ben zo bang dat mevrouw Martha...'

'Jamie blijf naar dit huis kom voor haar te zien,' stelde Mama me gerust.

'Kunnen we niet een paar weken wachten? Over een maand begint de zomer, en met de hitte slaapt ze het grootste deel van de dag. Dan mist ze hem misschien niet zo.'

Mama zweeg.

'Als je het goedvindt, wachten we tot juni, en dan zal ik met Jamie praten, dat beloof ik.'

'Daar hou ik je aan,' zei ze.

Ik gaf haar mijn woord.

Wat we niet wisten, was dat Jamie, net toen hij het huis uit wilde lopen, ons gesprek had opgevangen.

Na die ochtend was Jamie humeurig en nors. Vaak liep hij 's morgens vroeg het huis uit en bleef dan de hele dag weg. Wanneer hij terugkwam, weigerde hij pertinent te vertellen waar hij geweest was. Ik vroeg me af of hij op een of andere manier iets te weten was gekomen over de ophanden zijnde verandering; ik vroeg me ook af wat hij precies over zijn afkomst wist.

Op de eerste dag van juni wist ik dat ik mijn belofte aan Mama moest nakomen. Die ochtend was Jamie alleen met mevrouw Martha. Ik wist dat de anderen in het keukenhuis waren, dus dronk ik me moed in met een dosis laudanum en ging vervolgens naar binnen. Mevrouw Martha was de laatste weken van slag geweest door zijn afwezigheid en die ochtend was ze zichtbaar dolblij dat hij bij haar was. Toen ik Jamie vroeg of ik, als Fanny weer terug was, even met hem kon praten, werd hij bleek en de moed zonk me in de schoenen.

Ik ging terug naar mijn kamer om te wachten totdat Fanny terugkwam en besloot mezelf nog een oppepper te geven. Het bruine flesje op mijn nachtkastje was leeg. Snel schoof ik een stoel tegen de linnenkast aan om een flesje uit mijn voorraad boven in de kast te kunnen pakken. Ik stond niet stevig, en de stoel wiebelde onder mijn voeten terwijl ik een flesje probeerde te pakken. Ik voelde de envelop waar Belles vrijbrief in zat. In een opwelling haalde ik de brief tevoorschijn; het kon voor Jamie misschien een hulpmiddel zijn om iets van zijn echte moeder te begrijpen.

Jamie liet me schrikken toen hij onverwachts de deur opendeed. Ik draaide me om op de wiebelende stoel, zocht in de lucht naar houvast en viel toen voorover. Voordat ik de grond raakte, vloog de envelop van Belle uit mijn handen. Mijn hoofd stuiterde tegen de hardhouten vloer en ik verloor het bewustzijn.

Aangezien Marshall niet thuis was, liet Mama op eigen gezag de dokter komen. Na het onderzoek kreeg Mama de instructie om me goed in de gaten te houden en me onder geen beding laudanum te geven.

Een dag later werd ik wakker met vreselijke hoofdpijn. Mijn lichaam beefde bij het minste geluid en alles deed me zeer. Ik smeekte Mama om laudanum. Ze hield voet bij stuk, en in de week daarna was ik te ziek om te protesteren.

Toen Marshall aan het eind van de week thuiskwam, werd hij op de hoogte gesteld van mijn ongeluk, maar hij voelde niet de behoefte om me te zien. Nu begon ik Mama pas echt te smeken om me alsjeblieft laudanum te geven. Ze was mijn gejammer zat en kwam naast mijn bed staan. 'Je krijg niks geen druppels van mij meer,' zei ze, 'en daarmee uit.'

Ik kon niet anders dan me neerleggen bij haar onherroepelijke besluit, en de dagen daarna ging ik me steeds een beetje beter voelen. Op een van die dagen kwam Fanny op bezoek en ik moest luidkeels lachen om een van haar openhartige opmerkingen. Toen ze wegging, hoorde ik haar tegen Mama zeggen: 'Misschien doe die klap op haar hoofd haar goed. Ze klink weer als dat meisje waar ik mee opgroei.'

'Zo is het,' zei Mama, 'ik hoop niet die dokter kom en zeg ze kan die druppels weer krijg.'

Het duurde weken voordat de duizeligheid voldoende was verdwenen en ik in een fauteuil gezet kon worden. De kamer tolde, maar dat hield na een paar minuten op. Elly stond er die dag op dat Mama haar naar me toe bracht. Ik hoorde Mama mijn dochter instructies geven voordat ze de kamer binnenkwam: 'Maak haar niet van streek, anders wil ze die druppels weer.'

Haar woorden sloegen in als een bom. Ik had geen idee dat Elly van mijn laudanumgebruik wist. Toen mijn dochter behoedzaam dichterbij kwam, deed het me pijn dat ze bang voor me was, en ik glimlachte om haar op haar gemak te stellen.

'Ben je klaar met ziek zijn?' vroeg ze.

'Ik ben alweer bijna beter, lieverd.' Ik pakte haar handje. 'Mae zei dat ik morgen ga wandelen.'

'Ben je dan wel weer helemaal beter?'

'Ik denk het wel,' stelde ik haar gerust.

'Ga je de druppels weer gebruiken?' Haar stem trilde.

'De druppels? Waarom vraag je dat, schattebout?'

'Ik vind het niet fijn als je druppels neemt,' zei ze.

Ik dwong mezelf de vraag te stellen. 'Waarom vind je dat niet fijn, Elly?'

Ik zag dat ze al haar moed bij elkaar moest rapen om antwoord te geven. 'Dan slaap je de hele dag, of dan huil je en zeg je dat ik weg moet.' Ze kreeg tranen in haar ogen en haar lip begon te trillen.

'Kom eens hier.' Ik opende mijn armen. Toen ik haar vasthield, gaf ze zich over aan haar verdriet. Haar tranen confronteerden me met de pijnlijke waarheid. In mijn egoïstische vlucht had ik mijn eigen kind in de steek gelaten.

'Weet je, schattebout,' zei ik, 'Mae en ik hadden het toevallig vandaag over die druppels. Ik denk niet dat ik ze nog ga nemen. Ik voel me veel beter, eerlijk waar.' Ik nam haar gezicht in mijn hand en glimlachte. 'Onvoorstelbaar, hè? Je moeder had een flinke klap op haar hoofd nodig om zich beter te voelen.' Ik drukte haar op het hart dat ze zich geen zorgen hoefde te maken, dat mama Mae me uitstekend verzorgde en dat ik voor ze het wist weer op de been zou zijn.

Ik was uitgeput toen Elly wegging, maar terwijl Mama me weer mijn bed in hielp, liet ik haar beloven om de druppels bij me weg te houden. Mama leek niet overtuigd. Ik vroeg haar Fanny te halen en liet ze vervolgens allebei beloven me geen druppels te geven als ik daarom vroeg. Ze wisselden een sceptische blik, maar gaven hun erewoord. Als een teken van vertrouwen vertelde ik Fanny waar ik de extra flesjes bewaarde en vroeg haar ze te pakken. Toen ze op de stoel stond en boven in de kast naar de flesjes zocht, schoot me Belles vrijbrief te binnen. Zonder er verder over na te denken besloot ik de brief aan Mama te laten zien als Fanny er mee kwam aanzetten; ik was vergeten dat de brief uit mijn hand was gevlogen toen ik viel en ik wist niet dat Jamie hem al in zijn bezit had. Toen Fanny alleen de laudanum tevoorschijn haalde, was ik er zo op gebrand om van het middel af te komen, dat ik besloot om Mama later over Belles brief te vertellen.

Dat had ik ook zeker gedaan, als het niet zo moeilijk was geweest om met de laudanum te stoppen. Hoewel ik koste wat kost mijn belofte aan Elly na wilde komen, had ik niet kunnen vermoeden dat naarmate mijn lichaam sterker werd, mijn obsessie voor het middel ook zou toenemen. In de weken daarna was ik een paar keer de wanhoop nabij en smeekte ik ontheven te worden van mijn belofte. Maar Mama hield voet bij stuk. 's Nachts sliep ze in Sukeys kinderbed en overdag verloor ze me niet uit het oog. Na verloop van tijd stond Mama erop dat ik buiten met haar ging wandelen. Ik wilde dat liever niet, uit angst dat ik Marshall zou tegenkomen, maar ze verzekerde me dat hij bijna nooit thuis was.

Ik liet me vermurwen en toen ik me buiten in het heilzame licht van de zon waagde, besefte ik wat een kluizenaar ik was geworden. Op een van die dagen liepen we naar de stal om papa George te zien. Hij begroette me zo hartelijk dat ik me afvroeg waarom ik niet eerder naar hem toe was gegaan. Ik was verrast dat hij grijs begon te worden en zei hem dat ook.

'Jaja,' zei hij met een glimlach, en hij streek met zijn verweerde hand over zijn hoofd, 'die tijd vliegt.' Hij keek me in de ogen en knikte toen goedkeurend. 'Dit doe mij zekers goed onze Abinia weer te zien,' zei hij, en ik wist dat hij bewust de naam uit mijn jeugd gebruikte. Ik wilde hem omhelzen, maar ik wist dat een dergelijk gebaar ons allebei in gevaar zou brengen. In plaats daarvan praatte ik over het warme weer en over het droge, bruine gras, dat onder mijn voeten knisperde en dringend regen nodig had. Ik merkte op dat het geluid me deed denken aan over droge bladeren lopen. Mama en Papa beaamden dat, en ik moest opeens denken aan de eerste keer dat ik met ze naar een dansavond bij de hutten ging. Ik had ze daar samen zien dansen en koesterde de herinnering. We haalden herinneringen op aan andere fijne momenten, en ik dacht aan al die jaren dat ze voor me gezorgd hadden.

'Mama, Papa,' flapte ik eruit, 'het spijt me zo van Sukey.'

Ze keken elkaar even aan en Papa zei: 'Dit spijt ons allemaal van Sukey, maar wij weet je wil haar niks geen kwaad doen. Wij weet je doe alles wat je maar kan voor Sukey. Nu wij vraag die Heer voor jou weer sterk te maak. Wij heb dat hier allemaal nodig.'

'Dank je, Papa,' zei ik. Papa had me vergeven, en vanaf die dag werd mijn obsessie voor de laudanum langzaam maar zeker minder.

52

Belle

BEGIN AUGUSTUS BEN IK VROEG OP EEN OCHTEND IN DE TUIN
aan het werk. Het is dit jaar zo heet en droog, dat het lijkt of ik alleen nog maar water aan het dragen ben. Ik moet glimlachen als ik
George gekkigheid zie uithalen met de baby's; hij spettert water
over ze heen en zo houdt hij ze blij. En toch heb ik de hele tijd het
gevoel dat er iemand staat te kijken. Ik blijf staan, kijk om me heen.
Ik zie niks, maar het gevoel blijft.

Als het etenstijd is, dien ik het eten op en gaan we met z'n allen
buiten bij het keukenhuis zitten. Vandaag hoef ik niet voor het
grote huis te koken, ik hoef alleen maar de soep van gisteren en wat
crackers van vanmorgen naar boven te brengen. Lucy komt van het
grote huis naar beneden voor met ons te eten en haar laatste baby
te voeden. Ik beleg een dikke snee brood met boter en ham voor
haar zodat ze kan eten terwijl ze de borst geeft. Ik weet dat ze honger heeft, want er is niemand die zo van eten houdt als Lucy.

'We eet vandaag niet die ingelegen komkommers?' vraagt ze.

'Jawel,' zeg ik, 'ik haal ze wel even.' Ik ga naar binnen, pak een
pot, snij er een paar aan stukken en zet ze buiten op tafel. Ditmaal
weet ik heel zeker dat er iemand kijkt. Weer kijk ik om me heen,
maar ik zie alleen Lucy een verlekkerde blik op de augurken werpen. Dan moet ik lachen. 'O nee!' zeg ik, en ik kijk haar streng aan.
'Ben je nu alweer zwanger, Lucy? De laatste keer wilde je die augurken de hele dag door!'

Lucy rolt met haar ogen en zegt: 'Mevrouw Martha daar in dat

356

grote huis noem dit een zegen. Ik noem dit meer werk.'

Ik moet weer lachen, maar eerlijk gezegd heb ik medelijden met haar. De laatste krijgt nog steeds de borst. 'Je weet dat ik je altijd kan helpen,' zeg ik.

'Belle, zonder jou hier, geen idee wat ik moet. Je ben als een zus voor me.' Lucy krijgt tranen in haar ogen. Dat gebeurt snel als ze zwanger is. Ze krijgt dan ook een scherpe tong. Ben komt soms naar me toe en zegt dan dat hij niet weet wat er met haar aan de hand is. Ik zeg: 'Probeer maar eens in de zon van Virginia rond te lopen als je zo rond als een ton bent, dan wil ik weleens zien of je nog loopt te zingen.'

'Hoe gaat het met Will z'n vrouw Martha?' vraag ik aan Lucy.

'Dat ga beter, maar hoe meer haar buik groei, hoe dikker haar benen. En ze heb ook pijn in haar hoofd. Dit spul van die dokter doe haar niks geen goed. Misschien maak dit juist erger.'

Ik zeg: 'De volgende keer als Fanny komt, dan vraag ik haar of Ida daar iets tegen heeft. Misschien wil ze het proberen?'

'Misschien wel. Ik weet ze ben bang. Haar eigen mama sterf bij de laatste baby die ze krijg,' zegt Lucy.

'Ik hoop echt dat deze baby makkelijk komt,' zeg ik. 'Je weet dat wij haar zullen moeten helpen.'

'Misschien haal we mama Mae hierheen?'

Ik schud mijn hoofd. 'Het is te moeilijk voor haar hier te komen. De laatste keer dat Eddy hier was, hij zegt er zijn daar zoveel problemen dat iedereen bang is om even weg te gaan. Marshall heeft al bijna iedereen van het veld verkocht.'

Lucy vraagt, heel zachtjes: 'Maak je zorgen voor je Jamie?'

Ik knik, want soms doet alleen het zeggen van zijn naam al te veel pijn. 'Soms kan ik 's nachts niet slapen omdat ik aan hem denk,' zeg ik. 'Maar Will Stephens beloofde me dat hij Jamie zal vinden en hem voor me zal halen als Marshall hem ooit mocht verkopen.'

Lucy geeft de baby aan mij. 'Ik moet weer naar boven,' zegt ze.

Ik ga het keukenhuis binnen, draai me nog even om naar George voor hem te zeggen dat hij op de kleintjes moet letten, en vanuit mijn ooghoeken zie ik daarachter in het bos een jongen.

Heel even maar, hoor. Hij ziet me kijken en dan is hij weg. Ik moet gaan zitten, zo snel is mijn hart aan het kloppen. Het is mijn Jamie! Ik weet dat het mijn Jamie is!

De volgende ochtend ga ik naar de tuin en zeg tegen George dat hij met de kleintjes in het huis moet blijven. Hij vindt het maar niks, maar ik zeg: 'Als je dit doet, maak ik straks die suikercakejes die je zo lekker vindt.' Hij is nog steeds niet blij, maar hij doet bijna alles voor mijn suikercakejes. Daarin is hij precies Lucy.

Ik pak mijn schoffel en met mijn gezicht naar het bos hak ik het onkruid weg. En ja hoor, daar is hij. Ik kijk naar de grond en ga heel hard praten. 'Als dat Jamie Pyke is in dat bos,' zeg ik, 'dan hoeft hij niet bang te zijn. Ik blijf mijn tuin wieden, maar ik hoop echt dat Jamie Pyke hiernaartoe komt en me laat zien hoe hij er nu als grote jongen uitziet.'

Ik kijk niet op, blijf gewoon schoffelen, maar ik hoor hem uit het bos komen en naar me toe lopen. Ik weet niet waarom hij bang voor me is, maar als hij dichterbij komt, word ik bang van hem. Wat doet hij hier eigenlijk? Wat wil hij?

'Ben jij Belle?' vraagt hij.

Ik kijk heel langzaam op, bang dat hij gaat wegrennen. Ik klamp me aan mijn schoffel vast, mijn hoofd is aan het tollen, mijn mond droog. Daar voor me staat een blanke man. Mijn Jamie. Dertien jaar oud. Geen jongen, geen man.

'Dat ben ik,' zeg ik.

Snel pakt hij een of andere brief. 'Dan is dit van jou,' zegt hij. 'Ik geloof dat dit jouw bewijs van invrijheidstelling is.'

Ik sta alleen maar naar het gezicht van mijn jongen te kijken. Ik hoor niet wat hij zegt. Ik moet hem in me opnemen.

'Hier,' zegt hij, 'pak aan. Je bent vrij.'

Ik pak de brief. Mijn hand trilt. 'Jamie?' zeg ik vragend.

'Ja?' zegt hij.

'Weet je wie ik ben?'

'Ja. Je bent mijn moeder.'

Ik knik.

'Maar ik kan me je niet meer herinneren.'

'Dat geeft niks,' zeg ik. 'Je was nog geen vier toen hij je meenam.'

'Al die jaren... Papa George vertelde me... ik dacht dat ik de zoon van mevrouw Martha was.'

Ik bekijk hem eens goed. Hij is zo blank als Marshall, maar Jamie heeft hetzelfde gezicht als de mama van de kapitein. Als ik zijn gezicht zie is het alsof ik mijn blanke oma hier weer zie. Ik kan niet ophouden met kijken, maar ik weet dat ik iets moet zeggen.

'Ze weet het zelf niet zo goed, Jamie, maar mevrouw Martha is jouw oma. Mama Mae zegt dat ze heel goed voor je is en–'

'Dus het is waar dat Marshall mijn vader is?'

'Ja,' zeg ik. 'Hij heeft me gebruikt.'

Lucy komt de hoek van het keukenhuis om en ze roept dat George moet komen helpen in het grote huis. Jamie wacht niet. Hij draait zich om en is al weg voor ik kan zeggen: 'Geen zorgen, het is Lucy maar.'

Mijn hele lijf gaat trillen. Lucy ziet Jamie wegrennen. 'Wie dat? Wie dat?' roept ze als ze hijgend naar me toe komt.

'Lucy! Sst!' zeg ik.

'Wie dat?' fluistert ze luid als ze bij me staat.

Ik geef haar de envelop. Ze maakt hem open, kijkt er goed naar, en geeft hem dan terug. 'Je weet ik kan niet lees,' zegt ze. 'Wat moet een blanke man hier met jou praat?'

'Hij geeft me mijn vrijbrief,' zeg ik. Ik kijk in de verte, in de hoop dat Jamie nog in het bos is, maar mijn hart zegt me dat hij weg is. 'Dat is mijn Jamie.' Ik ga zo op het zand zitten en begin te huilen.

Die avond ga ik naar Will Stephens toe. Hij bekijkt mijn brief en zegt: 'Nou, Belle, dit betekent dat je een vrije vrouw bent.'

'Maar je hebt heel veel geld voor me gegeven,' zeg ik.

'En het was elke cent waard,' zegt hij.

'Als ik blijf en heel hard voor je werk, kan je me dan geld geven voor Jamie te kopen?'

'Ik denk niet Marshall hem zal verkopen, maar in een rechtszaak zou deze brief misschien net voldoende zijn om hem vrij te laten.'

'Hij maakt mijn jongen nog eerder af dan dat hij hem laat gaan! Marshall heeft dringend geld nodig en ik denk dat als ik hem genoeg voor twee mensen betaal, dan laat hij Jamie wel gaan.'

Will schudt zijn hoofd. 'Je zou de rest van je leven bezig zijn om een schuld van die grootte af te betalen.'

'Ik kan nergens heen. Weet je, je hebt me nodig, en ik wil hier toch blijven,' zeg ik.

Will Stephens haalt zijn hand door zijn haar zoals altijd als hij moet nadenken. 'Weet je wat, Lucy heeft je vast verteld dat de dokter heeft gezegd dat ik Martha een paar weken naar de bergen moet brengen. Hij denkt dat de koelere lucht het gemakkelijker voor haar zal maken. Ben krijgt hier de leiding en ik moet erop kunnen rekenen dat je hem ondersteunt. Zodra ik er weer ben, zullen we dit afhandelen. Als je dan mocht besluiten om er geen rechtszaak van te maken, zorg ik voor het geld. Als je besloten hebt wat je gaat doen, zullen we een advocaat sturen met jouw voorstel.'

Ik hou verder mijn mond. Ik weet dat Will Stephens zijn woord houdt. Als hij zegt dat hij voor het geld zorgt, dan zorgt hij voor het geld. Maar ik weet zeker dat zijn wettenman niks kan betekenen. Dat hebben we al keer op keer geprobeerd. Nee. Ik weet dat Marshall me moet zien. Hij moet me op mijn knieën zien.

De ochtend waarop Will en mevrouw Martha wegrijden, is het zo heet en droog dat het klinkt alsof de wielen van de kar over kaantjes heen gaan. We weten allemaal dat Will hier niet weg wil, maar hij is zo'n man die goed is voor zijn vrouw.

Er gaan bijna twee weken voorbij. Ik weet dat Will Stephens elk moment kan terugkomen. Iedere ochtend kijk ik of ik Jamie zie, maar hij komt niet terug. Sinds ik mijn jongen heb gezien, kan ik aan helemaal niks anders denken. Ik weet dat ik hem moet helpen, hem daarvandaan moet krijgen, weg bij Marshall. Ik blijf wachten tot Jamie komt zodat ik hem over het geld kan vertellen dat Will me gaat geven voor hem vrij te krijgen.

Als Jamie niet komt, bedenk ik, moet ik daarnaartoe voordat Will terug is. Ik geloof sterk dat ik Marshall heel misschien, als ik met hem ga praten, kan overtuigen. Ik zal Marshall mijn brief laten zien, misschien vertel ik zelfs dat de kap'tein mijn papa is.

Ik wacht tot het etenstijd is, als Ben en Lucy zitten te eten, dan stuur ik George naar ze toe, zeg dat ik hoofdpijn heb en dat ik even ga liggen. Dan ga ik op weg. Ik loop snel en denk helemaal nergens aan, zodat ik niet te bang word voor door te gaan. Als ik daar aankom, ga ik meteen naar het keukenhuis. Ik tel mijn stappen voor niet om te keren. Een, twee, drie. Een, twee, drie. Ik kijk niet om me heen, maar kijk alleen naar mijn voeten die naar het keukenhuis lopen. Een, twee, drie. Een, twee, drie.

En ja hoor, daar heb je hem met Beattie.

Hij zegt helemaal niks, hij kijkt alleen maar naar me. Bang als ik ben, kijk ik terug. Het is misschien vijf jaar geleden sinds ik Marshall voor het laatst zag. Ik weet dat hij niet ouder is dan dertig, maar hij ziet er bijna net zo oud uit als de kap'tein voor zijn dood. Hij heeft bijna geen haar meer op zijn hoofd, en ziet eerder geel dan wit. Ik weet dat hij drinkt want ik ruik het aan hem. Ik loop naar hem toe en laat mijn brief zien. Ik zeg: 'Ik ben een vrije vrouw, Marshall. Jouw papa gaf me de vrijbrief lang geleden. Nu wil ik mijn Jamie van je kopen. Ik geef je het geld voor twee sterke mannen.'

Marshall staat moeizaam op en zijn gezicht wordt helemaal rood. 'Ben je gek geworden?' zegt hij. 'Wat doet zij hier?' Hij kijkt om zich heen alsof hij op een antwoord van iemand wacht.

Ik blijf praten. 'Ik hoop dat je het goed vindt als ik Jamie naar Philadelphia stuur,' zeg ik. 'Hij kan daar wonen als een blanke jongen.'

'Wonen als een... Het is een nikker, idioot! Het is een nikker!'

'Maar hij is zo blank als jij. Jij bent zijn papa,' zeg ik. 'Het wordt tijd dat je dat toegeeft.'

'Wegwezen hier!'

'Marshall,' zeg ik, 'hij is jouw zoon–'

Beattie staat achter Marshall, en schudt van nee, stop met praten, maar het is al te laat. Ik ga zeggen wat ik wil zeggen.

'Hij is jouw zoon, Marshall! Wat ga je doen? Ga je hem gewoon verkopen als alle anderen?'

Marshall beweegt zo snel dat ik zijn vuist niet zie aankomen. Hij raakt me zo hard dat alles gaat tollen.

'Waar is mijn geweer?' schreeuwt hij. Beattie houdt hem tegen. 'Ren weg, Belle, ren weg,' zegt ze, maar zij huilt ook.

Dus ik ren weg.

53

Lavinia

HET ZINDERDE VAN DE HITTE. OP EEN ONVERDRAAGLIJK WARME middag tegen het einde van augustus stond ik erop dat Elly binnen bleef, uit het felle zonlicht. Fanny zat samen met Elly haar pop aan te kleden. Mevrouw Martha was rusteloos, en ik probeerde haar te kalmeren door haar voor te lezen. Jamie was sinds de vroege ochtend op pad geweest en was zojuist teruggekomen. Hij zat onderuitgezakt in een fauteuil naar me te kijken. In de buurt van mijn nieuwe ik, de persoon zonder de laudanum, was hij op zijn hoede. Ik op mijn beurt hield hem goed in de gaten. Ik had in mijn kamer gezocht naar Belles vrijbrief en besefte dat hij zoek was. Ik ging ervan uit dat niemand anders dan Jamie de brief in zijn bezit kon hebben, en hoewel ik hem aan de tand wilde voelen, had ik geen haast om de confrontatie met deze norse jongen aan te gaan.

Jamies slechte humeur bracht mevrouw Martha van haar stuk, en ook al deed hij nog steeds aardig tegen haar, voor ons had hij geen vriendelijk woord over. Een paar dagen eerder was ik naar mama Mae toe gegaan en had ik het onderwerp van Jamies aanwezigheid in het huis aangesneden. Ik had haar gezegd dat zelfs ik inzag dat het tijd was voor verandering en dat ik klaar was om mijn belofte na te komen.

Mama was nog steeds bezorgd om mijn herstel en stelde voor dat ik nog een week wachtte voordat ik het gesprek met Jamie aanging. Ze vond dat ik meer kracht moest verzamelen om niet alleen Jamies antwoord, maar ook mevrouw Martha's reactie aan te kunnen. Ik was opgelucht, want ik zag als een berg op tegen de gevolgen.

Mijn schoonmoeder gebaarde dat ik moest stoppen met lezen en vroeg vervolgens aan Fanny om de jaloezieën wat op te trekken en zo een briesje binnen te laten. Terwijl Fanny gehoor gaf aan haar verzoek, keek ze vluchtig door de houten latten naar buiten. Toen ze plotseling begon te gillen, sprong Jamie op en rende naar haar toe. Hij hapte van schrik naar adem, waarop ik mijn boek neerlegde en ook naar het raam liep.

Beneden bij de grote stal stond Rankin met naast hem een gevaarlijk uitziende kerel. Ze hadden Eddy, Fanny's man, tussen hen in vastgebonden en terwijl de vreemde kerel aan het touw trok, porde Rankin de gevangene van achteren. De jaloezieën rammelden toen Fanny het koord liet schieten en meteen naar buiten rende, de tuin door naar haar man toe. Ze wierp zich tussen de drie mannen in en sloeg haar armen om Eddy heen om hem tegen te houden. Rankin rukte haar los en duwde haar op de grond, terwijl ze Eddy verder in de richting van de hutten trokken.

Marshall kwam de stal uit met een rijzweep in zijn handen. Fanny was op haar knieën gevallen en smeekte om zijn hulp, maar hij negeerde haar en liep verder de heuvel af, achter de mannen aan naar de hutten toe. Fanny stond niet op maar knielde in de hete zon en keek ze na, totdat Beattie uit het keukenhuis naar haar toe kwam rennen. Binnen een paar minuten waren ze bij ons in de slaapkamer. Fanny was buiten zinnen.

'Ze gaan hem verkoop.' Ze schudde aan mijn arm. 'Ze gaan mijn Eddy verkoop. Astublief, astublief, mevrouw Abinia, laat dit niet gebeur. Hij een goeie man, u weet dit, astublief doe iets, astublief doe iets, Abinia.'

Mevrouw Martha's stem klonk hoog en zwak, maar ze straalde gezag uit toen ze zei: 'Haal de kapitein. Dit moet een vergissing zijn.'

'Nee! Nee!' Fanny landde met een sprong naast mevrouw Martha. 'Ze neem hem mee, dit geen vergissing, ze neem hem mee. Beattie zeg die nikkerhandelaar hier, hij stuur hem weg.'

Mama Mae en oom Jacob, die bezig waren met de inventarisatie van de voorraadkamers beneden in de kelder, hadden de commotie gehoord en waren naar ons toe gekomen. Mama hijgde en plofte neer op de dichtstbijzijnde stoel. Fanny rende naar haar toe, terwijl Elly, geschrokken van Fanny's paniek, naar oom Jacob liep.

'Ze hebben Eddy,' snikte Fanny, 'die nikkerhandelaar hier voor Eddy. Ik denk ze neem ook anderen van die hutten mee.'

Beattie had al die tijd niets gezegd, tot nu. Ze fluisterde: 'Ze neem bijna iedereen van die hutten. Ze allemaal vastgebonden. Ze gaan morgen weg.' Niet in staat ons aan te kijken, sloeg ze haar handen voor haar gezicht en zei: 'Ik hoor ze praat. Die willen Mama en Jamie ook meeneem.'

De strekking van haar gedempte woorden was overduidelijk. Ik richtte me tot mama Mae. 'Dat is onmogelijk!' zei ik.

Mama Mae keek me aan, maar antwoordde niet.

'Iemand moet iets doen! Ze neem mijn Eddy mee!' riep Fanny weer.

'In godsnaam!' zei ik machteloos, en ik richtte me vervolgens tot Beattie. 'Wat weet je nog meer? Wat nog meer, Beattie?'

'Alles wat ik weet is die mannen maak bijna iedereen van bij die hutten klaar voor morgen te gaan. En die praat over Mama en Jamie verkoop.'

'Dat kan niet waar zijn! Je vergist je!' riep ik en ik stampte op de grond.

Beattie schudde haar hoofd. Ze fluisterde: 'Nee, Abinia, ik weet dit. M'neer Marshall zeg als ik iemand over Mama en Jamie vertel, hij verkoop mijn jongens.'

'En de anderen dan? Papa George? Wil Marshall hem ook verkopen?' vroeg ik.

'Nee,' zei Beattie, 'hij zeg hij heb hem nodig.'

'Dit kan hij niet doen!' Ik klampte me vast aan haar arm en dwong mezelf niet in paniek te raken.

Beattie struikelde bijna over haar woorden. 'Hij zeg hij heb dat geld nodig, hij moet verkoop. Hij zeg Mama ben al oud, maar lever nog een goeie prijs op. Fanny en Oom gaan hier voor dit huis zorg. M'neer Marshall zeg hij gaat Jamie verkoop nadat Belle hier gekomen en hem vertel dat ze haar vrije brief heb en dat ze haar Jamie wil koop. M'neer Marshall zeg hij gaat haar jongen verkoop zodat zij hem niet krijg.'

Mama Mae's gezicht was asgrauw geworden en het leek alsof ze elk moment van haar stoel kon vallen. Ik snelde naar haar toe. 'Gaat het, Mama?' vroeg ik. Toen ze geen antwoord gaf, greep ik het glas water van mevrouw Martha's nachtkastje en gaf het aan haar. Terwijl ze dronk, rende ik naar het raam. 'Beattie,' zei ik, 'ga terug naar de keuken. Hij mag niet weten dat je hier bent. Ga nu het nog licht is. Haast je! En zeg niets.'

'Maar Mama–' begon Beattie.

Eindelijk zei mama Mae iets. 'Ga, kind. Ga nu, schiet op.'

Ik duwde Beattie de kamer uit en sloot de deur. 'Jamie,' zei ik, 'je moet naar Belle toe – vanavond nog.'

Mevrouw Martha ging rechtop zitten en zwaaide haar benen over de rand van het bed. Ze strekte haar armen naar Jamie uit, waarop hij naar haar toe liep.

'We zullen je verstoppen tot het donker wordt,' zei ik. 'Mama, je moet met hem mee.'

'Dat heb geen zin.' Mama schudde haar hoofd. 'Daar zoek m'neer Marshall me als eerste. Ik blijf hier. Als Jamie bij Belle kom, dan komen ze weg.'

'Mama, alsjeblieft,' smeekte ik. 'Je moet met ze meegaan.'

'Ik blijf hier, Abinia. Ik praat met m'neer Marshall. Dat die beste manier voor mij. Ik laat George niet achter. M'neer Marshall weet dit.'

'Mama, alsjeblieft!'

'Nee, Abinia, ik blijf hier,' zei mama Mae, 'en daarmee uit.' Ze liet zich moeizaam onderuitzakken.

Jamie knielde naast mevrouw Martha, maar hij keek mij aan. 'Moet ik nu gaan?'

'Nee. We verstoppen je tot vanavond.' Ik probeerde uit alle macht een plek te bedenken waar we hem konden verstoppen: de zolder, de kelder, het rookhuis? Plotseling klonken er luide stemmen en voetstappen op de trap, en nog voordat ik bij de slaapkamerdeur was, vloog hij open. Rankin stond naast Marshall, wiens dronken grijns op mij gericht was.

'Marshall! Wat is er in hemelsnaam aan de hand?' vroeg ik.

'Haal haar hier weg,' zei hij met een knikje in de richting van Elly. Oom Jacob, die het kind op schoot had genomen, stond op, maar ik gebaarde dat hij weer moest gaan zitten.

'Nee, Marshall,' zei ik, 'ik wil dat Elly hier blijft.'

'Prima,' zei Marshall, 'moet je zelf weten. Laat haar maar zien wat een puinhoop je ervan hebt gemaakt.' Hij sprak met dubbele tong en zelfs van een afstand rook hij naar drank. Hij liep naar Jamie en trok hem met een ruk overeind. 'Jongen,' zei hij, 'jij gaat met ons mee.'

Jamie was te bang om zich te verzetten. Mevrouw Martha rechtte haar rug. 'Mijnheer,' zei ze dreigend, 'laat de kapitein komen. Hij zal hier orde op zaken stellen.'

'Moeder, ik heb er genoeg van!' Marshall wendde zich tot haar. 'Dit is een nikkerzoon! Kijk naar hem! Het is een nikker!' Hij greep Jamie bij zijn nek en duwde zijn gezicht naar haar toe, waarbij Jamie het uitschreeuwde van pijn.

'Isabelle!' gilde mevrouw Martha; het was een teken dat ik moest ingrijpen.

'Marshall, doe dit alsjeblieft niet.' Ik deed een pas naar voren en dwong mezelf rustig te blijven. 'Jamie betekent alles voor haar.'

Marshall gooide Jamie opzij en kwam op me af. 'Jij weer! Jij bent de oorzaak van deze waanzin. Maar dat is nu over. De jongen wordt verkocht,' zei hij.

Gedreven door angst zei ik: 'Maar Marshall! Hij is je zoon! Ga je je eigen zoon verkopen?'

Er viel een vreselijke stilte voordat ik de klap van zijn hand op mijn gezicht voelde. Mijn oren suisden, en ik was even uit balans. Met alle woede die ik de afgelopen jaren had opgekropt, haalde ik naar hem uit. Hij werd verrast door de luide klap, maar de bulderende lach van Rankin dreef hem tot het uiterste.

Voordat zijn handen zich om mijn nek konden sluiten, stapte mama Mae tussen ons in. 'M'neer Marshall, stop hiermee,' zei ze.

Marshall hield weliswaar op, maar zijn stem kreeg een dodelijke klank toen hij zich tot mij richtte: 'Je bent net zo krankzinnig als mijn moeder. Pak je spullen. Jullie vertrekken morgenochtend.

Jullie gaan allebei naar het ziekenhuis in Williamsburg. Ik zal er persoonlijk op toezien dat jullie er nooit meer uit komen.'

'Dat kun je niet maken!' zei ik, me er terdege van bewust dat hij het recht had om het te doen. 'En Elly dan?'

'Fanny blijft hier,' zei hij.

Voordat ik kon antwoorden, gaf Marshall Rankin een teken. Rankin trok Jamie bij mevrouw Martha vandaan, waarop ze begon te krijsen. Jamie rukte zich los en ging weer naar haar toe. Hij viel op zijn knieën en greep haar handen. We konden niet anders dan toekijken. 'Stil maar, grootmoeder,' zei hij, 'het komt allemaal goed.' Ze werd stil en hij vervolgde: 'Ik kom terug, grootmoeder. Ik kom terug.' Daarop kwam hij uit eigen beweging overeind en richtte zijn ene goede oog op Marshall.

'Haal die nikker hier weg!' schreeuwde Marshall tegen Rankin.

Toen ze weg waren, verbrak mama Mae de stilte: 'Abinia,' zei ze, 'je moet met Elly naar Will Stephens toe voor dit te laat.'

Het gejammer van mevrouw Martha had een bekende klank gekregen en ik wist wat ik moest doen. Ik mengde een flinke hoeveelheid druppels met wat water. De geur alleen al bood me de uitweg waar ik zo naar hunkerde, en hoewel mijn handen trilden van verlangen naar het medicijn, gaf ik het drankje aan de vrouw die het nodig had en nam zelf niets.

Het was donker toen ik Elly wakker maakte. Terwijl ik haar aankleedde, legde ik uit dat ze heel stil moest zijn, dat ze niet mocht praten. 'We gaan op avontuur,' zei ik.

'Mag Fanny mee?' vroeg ze, terwijl ik haar schoenen dichtknoopte. Ik legde mijn vinger tegen mijn lippen en knikte. Mama Mae en Fanny verschenen in de deuropening. Ik zag dat ze bang waren.

'Schiet op,' zei Mama, 'George zeg nu komen.'

'Hier!' Fanny duwde een kleine jutezak in mijn handen, opgelucht dat ze er vanaf kon.

'Was ze vast in slaap?' vroeg ik, en ik beet op mijn lip om niet te gaan huilen.

Fanny knikte.

'Heb je alles uit het kistje gehaald?' vroeg ik.

Fanny knikte opnieuw.

'Ben je de parels niet vergeten?' vroeg ik. Fanny, die zo bang was dat ze geen woord kon uitbrengen, gebaarde dat ze in de tas zaten.

Mama Mae zei dat we moesten voortmaken; papa George wachtte beneden op ons. Hij had het teken uit het keukenhuis gezien, wat betekende dat Beattie gedaan had wat ze moest doen. Oom Jacob stond bij de voordeur met papa George.

'Alsjeblieft, Oom, wil je echt niet mee?' vroeg ik hem.

'Nee, ik blijf hier,' zei oom Jacob, 'ik te oud voor vlucht. Trouwens, ik zorg voor Beattie en mevrouw Martha.'

Voordat we vertrokken, nam Papa nog eens de allerlaatste instructies met ons door. Hij zou ons het bos in leiden, langs de begraafplaats om de hutten te omzeilen. Als het plan werkte, als Beattie bij Jamie en Eddy kon komen en hun touwen kon doorsnijden, dan zouden ze ons in het bos opwachten. Maar, waarschuwde Papa, als ze er niet waren, moesten we allemaal zonder hen gaan en geen stampij maken. Terwijl hij dat zei, keek hij Fanny aan, en we wisten allemaal wat er voor haar op het spel stond. Eddy was haar alles.

'Ga nu maar,' zei oom Jacob, terwijl hij zachtjes de deur opendeed, 'Allah ga met jullie.'

Ik pakte Elly's ene hand, en Fanny de andere. Elly werd nog een keer gewaarschuwd dat ze stil moest zijn, en ik bad dat ik op haar kon rekenen.

Toen onze ogen gewend raakten aan het nachtelijke donker, werd het voor ons makkelijker om Papa te volgen. Toen we Eddy in het bos zagen, liet Fanny met een snik Elly's hand los en rende naar hem toe. Verderop in het weiland hinnikte een van de paarden, waarop Elly haar belofte vergat en aan Papa vroeg welk paard het was. Als één man maanden de volwassenen haar tot stilte.

Eddy bracht snel verslag uit. Beattie was naar ze toe gekomen nadat ze de druppels met succes had toegediend. Ze verzekerde Eddy dat Marshall in het keukenhuis onder zeil lag en dat Rankin bij de hutten buiten westen was geraakt.

'Waar is Jamie?' vroeg iemand.

'Hij meteen naar Belle gaan,' zei Eddy. 'Ik zeg hem, wacht, maar die jongen luister niet.'

Het plan was dat Elly en ik, als we eenmaal bij Belles huis waren, daar zouden blijven. Dan zou ik Will Stephens vragen om me onderdak te geven, en vervolgens met zijn hulp naar Williamsburg rijden. Ik had, gezien de huidige omstandigheden, goede hoop dat Megs ouders Elly en mij zouden willen helpen. De rest van de groep zou te voet op weg gaan naar het noorden. Die reis leek hun enige hoop.

'Kom, we gaan,' zei Papa, en hij leidde ons dieper het bos in. 'Ben zeg hij zet ons op die juiste weg.'

We liepen snel, en hoewel Elly haar best deed om ons bij te houden, begon ze te klagen omdat ze moe werd. Toen Eddy haar had opgetild en haar verder droeg, zette hij de pas erin, waardoor ik algauw moeite kreeg om het tempo bij te houden. Voor me hoorde ik Mama hijgen. We waren bijna bij de open plek toen ze viel. Papa hielp haar overeind en Mama steunde zwaar op hem toen hij met haar naar een omgevallen boom liep om even te gaan zitten. Ze was boos op zichzelf en snauwde tegen Papa toen hij voorstelde om even uit te rusten. Hij sloeg zijn arm om haar schouders en mama Mae barstte in huilen uit, wat niets voor haar was.

'Alles kom goed, Mazzie.' Papa gebruikte een koosnaam die ik nog nooit had gehoord en hij zei het met zoveel liefde dat ik een brok in mijn keel kreeg.

'Maar Beattie en haar jongens dan?'

'Mae, je weet dit die enige manier. Hoe moet ze op die vlucht met die kleintjes? En je weet ze laat ze nooit achter.'

'Hoe gaan we leven? Waar moet we naartoe, George? We hebben niks.'

Toen Mama dat zei, schoot me de jutezak te binnen die Fanny in het huis had gevuld. Ik opende de zak waarin al de sieraden van mijn schoonmoeder zaten. De edelstenen schitterden in mijn hand. 'Doe je hoofddoek af, Mama,' zei ik, 'en stop deze eronder.'

Mama Mae snoot haar neus en schudde haar hoofd. 'Nee, die voor jou en Elly. Die heb jij nodig.'

'Pak aan, Mama,' zei ik, terwijl ik haar de sieraden in de hand drukte, 'je hebt er net zoveel recht op als ik.' Ik wachtte haar antwoord niet af, maar maakte Mama's vertrouwde rode hoofddoek los, verborg de sieraden in haar grijze haar, en bond de sjaal weer vast. Toen Papa aankondigde dat het tijd was om te gaan, viel me op hoe moeizaam Mama opstond, en ik vroeg me af of ik de sieraden niet beter aan Fanny had kunnen geven. Maar daar was geen tijd meer voor.

'Kom op. Kom op,' zei Eddy met klem, en we liepen weer verder.

Ben en Belle stonden bij de open plek aan de bosrand te wachten. 'Waar is Jamie?' vroeg Belle angstig.

'Hij niet hier dan?' vroeg Eddy. 'Hij vooruitgegaan. Hij zeg hij kom naar jou toe.'

'Eddy, hij is niet gekomen,' zei ze.

'Hij vrij, dit weet ik,' zei Eddy. 'Toen die nikkerhandelaar buiten westen, Beattie snij dat touw los.'

Belle zei met trillende stem: 'Nou, er is geen tijd voor te wachten, jullie moeten allemaal gaan.'

Ben knikte. 'Ze heb gelijk, Papa.'

Niemand zei iets, de twijfel sloeg toe. Belle duwde ze vooruit. 'Ga maar,' zei ze, 'als Jamie hier komt, stuur ik hem achter jullie aan. Ga nu maar.'

Mama bleef staan. Ze omhelsde Belle en vervolgens trok ze mij tegen zich aan. 'Abinia,' fluisterde ze, 'ik altijd jouw mama.'

Ik kuste haar, maar durfde het niet aan om iets liefs te zeggen. 'Mama,' zei ik, 'maak je geen zorgen om Beattie en haar jongens. Zodra ik alles op orde heb, zal ik ze laten overkomen.'

Papa pakte mama Mae's hand. Ben ging voorop. Belle en ik keken toe hoe ze in de donkere nacht verdwenen, en nadat ze nog een laatste keer had gekeken of ze Jamie in het bos zag, liep Belle haastig met Elly en mij naar haar huis. Ik bleef in de deuropening staan. 'Ik denk dat we beter meteen naar Will Stephens kunnen gaan,' zei ik.

Belle trok me naar binnen. 'Lavinia, Will Stephens is nog niet terug. Hij is bij de bronnen met mevrouw Martha.'

'Wat! Wat bedoel je? Is hij er niet?'

'Ze kunnen elk moment terugkomen. Mevrouw Martha krijgt een baby. Het is hier te heet voor haar. Will heeft haar mee de bergen in genomen, naar Salt Springs.'

De angst sloeg me om het hart. 'Belle! Als ik dat had geweten, was ik nooit gekomen. We kunnen hier niet blijven. Dat is veel te gevaarlijk.'

'Het gaat werken, Lavinia. Je kunt je bij Ben en Lucy verstoppen,' zei Belle.

'Nee. Nee! Dat is een te groot risico,' zei ik. 'Hij maakt Ben af als hij erachter komt.'

'Ben zegt hij zal jullie verstoppen tot Will Stephens thuiskomt.'

'Mijn God, hij maakt ons allemaal af.' In paniek begon ik te ijsberen. 'Ik moet terug, Belle. Ik moet terug!'

Belle greep me bij de arm en draaide me naar zich toe. 'Lavinia. Waar ga je naar terug? Er is niks meer over. Marshall is niet goed in zijn hoofd nie meer. Dat weet je.'

'Wat moet ik doen?' vroeg ik wanhopig.

Elly begon te huilen. 'Wat is er, mama? Waar is Fanny, mama? Ik wil naar Fanny toe.'

Ik dwong mezelf te kalmeren, mijn kind gerust te stellen. Ik ging met haar op een strozak in de hoek zitten en troostte haar tot ze in slaap viel. Daarna liep ik te ijsberen terwijl ik met Belle op Ben wachtte.

Diep in de nacht kwam Ben badend in het zweet terug. 'Die krijg een goeie voorsprong,' zei hij. Hij verspilde verder geen tijd. Hij liep naar mijn slapende dochter en tilde haar op. Ik keek opnieuw naar de paarse lijn die van zijn kaak naar zijn nek en zijn ontbrekende oor liep. Waar haalt hij de moed vandaan? vroeg ik me af.

'Ben, weet je zeker dat je dit wilt doen?' vroeg ik.

Hij keek me precies zo aan als toen ik nog een kind was. 'Kom, Abinia,' zei hij, en hij ging voorop.

Die nacht vielen we telkens maar even in slaap, tot de hitte van de dag op de spanen van het dak begon te drukken en onze schuilplaats bijna ondraaglijk warm maakte.

Als de hut niet in de schaduw van de bomen had gestaan, denk ik niet dat we het overleefd hadden. Toen Ben het kleine luik opende, lieten Elly en ik ons hoofd naar buiten hangen om de zalige koele lucht in te ademen. Lucy, Bens vrouw, gaf ons koud water aan, maar het luik werd algauw weer gesloten. De kleine kruipruimte waar we in lagen, bevond zich vlak onder het dak van een schuurtje dat aan de achterkant van Ben en Lucy's hut was bevestigd. Bij onze aankomst dacht ik dat we ons onder de houten vloer moesten verstoppen, in het gat waar ze hun wortelgroenten bewaarden. Maar Ben zei nee, daar zouden ze als eerste gaan kijken.

Bens hut was anders, omdat hij deze kleine, verborgen ruimte had. Ik weet niet waarom de ruimte er was, maar ik vermoed dat we niet de eersten waren die hier verborgen werden.

Ik legde onze situatie zo goed als ik kon aan Elly uit. In eerste instantie verbaasde het me dat ze zo meewerkte, maar ik besefte algauw dat ze de vreselijke spanning in ons huis al lang gevoeld moest hebben. Ze maakte zich alleen zorgen om Fanny. Ik deed mijn best om haar gerust te stellen en probeerde de tijd te verdrijven door haar verhaaltjes over mijn jeugd in te fluisteren, verhaaltjes waar Fanny en Beattie in voorkwamen. Ik probeerde Elly koel te houden door haar kleren nat te maken; gelukkig was ze zo uitgeput dat ze steeds in slaap sukkelde.

Tot onze grote opluchting opende Lucy laat op de middag het luik om wat maïsbrood en melk aan te geven. Uit haar koele houding maakte ik op dat ze boos en bang was dat we er waren, en ik nam het haar niet kwalijk. Daar kwam nog eens bij dat Lucy, hoewel ze van zichzelf al behoorlijke rondingen had, overduidelijk zwanger was. Ik deed een poging om een woord van dank te fluisteren, maar ze knikte alleen maar.

We hadden net ons hoofd naar buiten laten hangen om de koele lucht met volle teugen in te ademen, toen Lucy siste dat we meteen naar boven moesten. Ze gooide het luik dicht en sloot ons opnieuw op in het verstikkende donker. Even later hoorden we paarden en tot mijn schrik hoorde ik Marshalls stem. Ik legde mijn hand op Elly's mond om haar te herinneren aan haar belofte dat ze niet zou antwoorden als haar vader haar naam riep. Maar dat deed hij niet. In plaats daarvan hoorde ik hem tegen Lucy zeggen dat hij naar het huis van Will Stephens was gereden, en toen deze niet thuis bleek te zijn, was hij daar naar mij op jacht gegaan. Daarna was hij naar het keukenhuis gereden en toen daar ook niemand was, had hij het doorzocht. Marshall stapte niet van zijn paard, maar zei alleen maar: 'Ik hoop niet dat jullie zo dom zijn om iemand te verbergen?'

'O nee, m'neer Marshall,' zei Lucy, 'ik weet ik moet niemand verberg nie.'

'Waar is Ben?'

'Hij doet die nikkers op dat veld werk.'

'En Belle?' vroeg hij. 'Waar is ze?'

'Ik zie die meid niet, m'neer Marshall,' zei Lucy. 'Die Belle doe nooit haar werk! Ze loop altijd en overal weg! Die m'neer Will, die krijg nooit werk uit haar. Ze voor niks goe–'

Marshall liet een gemeen lachje horen. 'Maak je geen zorgen. Ik hou mijn ogen open, en als ik haar vind, ik zweer het je, dan zal ze hem niet langer tot last zijn.' Hij stond op het punt om weg te rijden, maar keerde toen om. 'Lucy,' zei hij, alsof hem nog iets te binnen schoot, 'zeg tegen Ben dat zijn hele familie zal hangen, als ik erachter kom dat hij ook maar één wegloper heeft geholpen.'

'Niks geen sprake van, m'neer Marshall, Ben doe dat nooit,' zei Lucy.

Hij was allang weg, maar Lucy deed het luik niet open om ons lucht te geven. Ik klopte pas op de planken toen ik bang was dat we zouden stikken. Toen Lucy het luik opende, zag ze nog steeds lijkbleek van angst.

'Waar is Ben?' vroeg ik.

Ze haalde haar schouders op.

'En Belle?'

Ze schudde haar hoofd.

Gedurende de volgende lange nacht opende Lucy het luik twee keer. Elly sliep rusteloos, en ik sliep helemaal niet. Steeds weer stelde ik me voor hoe deze nachtmerrie zou kunnen aflopen. Ieder einde dat ik kon bedenken was naar, en tegen de ochtend was ik ervan overtuigd dat ik me beter kon overgeven; ik moest iets doen en was tot alles in staat. Maar ik wist dat ik niets kon beginnen zonder aanwijzingen van Ben.

Het wachten leek een eeuwigheid te duren.

54

Belle

BEN NEEMT LAVINIA EN ELLY MEE NAAR ZIJN HUIS, EN DAARNA blijf ik de hele nacht wakker voor het geval Jamie komt. Ik denk aan Beattie, die op de ochtend wacht en wel heel bang moet zijn. Ik denk aan oom Jacob, die als enige in het grote huis over is met mevrouw Martha, en hoe hij in zijn eentje door moet. Ik vraag me af hoe ver ze zijn, of Mama het volhoudt. En waar is mijn Jamie?

Op de ochtend van die eerste dag dat Lavinia onder het dak verstopt zit, zegt Ben dat hij op het veld moet gaan werken. Hij weet dat Marshall waarschijnlijk hierheen komt, en hij zegt dat we moeten doen alsof dit een dag als alle andere is. Hij zegt tegen Lucy en mij dat we moeten blijven werken en als Marshall komt, moeten we 'Ja m'neer' zeggen. Meer niet, alleen 'Ja m'neer'.

Laat op de middag komt Marshall inderdaad aanrijden. Ik breng net melk naar het koelhuis, maar ik hoor dat hij eraan komt en verstop me.

Ik wacht de hele dag, maar als het weer donker wordt, zeg ik tegen Ben dat ik het niet meer volhou. Ik moet Jamie vinden. Misschien ligt hij ergens en heeft hij mijn hulp nodig, of misschien zit hij gewoon verstopt in het bos. Nog erger, misschien gaat hij terug naar mevrouw Martha. Ik weet dat Marshall en Rankin ver weg zijn, op zoek naar iedereen, dus blijven ze zeker de hele nacht weg.

Eerst zegt Ben nee, we moeten hier blijven, we moeten op Will Stephens wachten. Ik zeg ik ga toch. Ben wil niet dat ik alleen ga, dus zegt hij dat hij met me meekomt.

Er schijnt een halve maan als we op weg gaan, we nemen het pad achter de begraafplaats langs, en dan de kelder van het grote huis in. We lopen heel stil, zoals toen we klein waren en speelden dat we geen geluid mochten maken. Hiel, teen, hiel, teen. Ik luister goed voor ik de deur opendoe, de deur die naar de hal leidt. Alles is donker, er is niemand, dus gaan we snel naar boven en meteen naar de kamer van mevrouw Martha, waar Oom volgens mij moet zijn. Er brandt een lamp, en ja hoor, daar zit Oom naast het bed van mevrouw Martha, die diep in slaap is. Ben blijft bij de deur staan. Ik weet niet of hij ooit boven in de kamer van mevrouw Martha is geweest.

'Oom,' fluister ik heel zachtjes. Hij hoort me niet, dus zeg ik het nog eens. Deze keer kijkt hij me aan, maar hij zit daar maar, dus ga ik naar hem toe. Dan blijf ik staan. Er is iets mis. Ik sta daar rond te kijken, tot ik zie dat mevrouw Martha er niet goed uitziet. Ze is te stil, en als ik dichterbij kom, zie ik haar ogen open, haar mond open, maar ze ademt niet meer.

'Ze ga vreselijk tekeer,' zegt Oom, 'ik geef haar druppels, maar ze blijf om haar Jamie krijs, dus geef ik haar meer. Ik heb haar nooit geen medicijn geef, dus blijf ik druppels in dat water doen en geef dit aan haar tot ze stil is.'

'Ze is dood,' zeg ik.

Oom Jacob blijft alleen maar naar haar kijken alsof zijn ogen haar wakker kunnen maken.

'Oom!' Ik schud aan zijn arm. Als hij me aankijkt, zeg ik: 'Ga Beattie halen. Ze moet naar boven komen.' Oom Jacob knikt, maar hij beweegt niet. 'Oom, je moet snel gaan.' Ik kus hem boven op zijn oude, witte hoofd, dan trek ik hem overeind en stuur hem de deur uit. Hij loopt langs Ben alsof hij hem niet ziet. 'Ga dan,' zeg ik, 'ga Beattie halen. Stuur haar naar boven.' Hij zegt niks nie, maar hij loopt de trap af. Ik ga terug en kijk goed naar mevrouw Martha.

'Ze is zeker te weten dood,' zeg ik tegen Ben. Ik kijk even uit het raam en zie dat oom Jacob bijna bij het keukenhuis is.

'Kom, Belle! We moet weg hier,' zegt Ben.

'Wacht,' zeg ik. Want daar zie ik Beattie al uit het keukenhuis aan komen rennen, op weg naar het grote huis. 'Beattie komt eraan,' zeg ik tegen Ben. We gaan de trap af en wachten op Beattie bij de achterdeur. Ze komt huilend binnen, zo blij is ze ons te zien.

'Heb je Jamie gezien?' vraag ik.

Ze knikte. 'Ik denk ik zie hem misschien een keer,' zegt ze, 'achter die stal. Dan iedereen weg en ik ga naar buiten op zoek naar hem, maar ik zie hem niet meer.'

'Als je hem vindt, zeg hem dat hij naar mij moet komen,' zeg ik.

'Belle! We moet nu weg!' zegt Ben.

Beattie kijk naar boven, naar de trap. 'Ik ga naar boven, mevrouw Martha zien.'

'Ze is dood,' zeg ik.

'Dit zeg Oom al. Ik wil dit zelf zien,' zegt Beattie.

Ben en ik gaan naar buiten, via dezelfde route als heen. We lopen naar boven om de begraafplaats van het grote huis heen, dan naar beneden langs de appel- en perzikbomen, tot we langs de hutten komen. Het is aardedonker, maar we kennen de grond allebei zo goed, we weten precies waar we naartoe moeten. Ben hoort de paarden als eerste, en dan horen we allebei gepraat. We gaan op de grond liggen.

'O nee!' zegt Ben.

'Sst,' fluister ik, maar ik kom overeind voor te zien wat hij ziet.

Daar heb je ze, allemaal aan elkaar vastgebonden, Rankin en twee mannen zitten op paarden, die iedereen vooruit duwen. Iedereen. Mama, Papa... dan zie ik Jamie! Hij is ook vastgebonden. Ze drijven ze allemaal naar de hutten.

'Zie je Marshall?' vraag ik Ben.

'Nee. Die zoek denk ik nog naar Abinia.'

'Wat moeten we doen?'

'We moet terug naar dat grote huis, Beattie halen,' zegt Ben.

'Wat moet ze doen?' vraag ik.

'Geen idee, maar we moet wat verzinnen,' zegt Ben, en hij grijpt mijn arm.

Tegen de tijd dat we het huis binnengaan, komt Beattie met de lamp uit mevrouw Martha's kamer de trap af. Ze laat hem bijna vallen als ze ons ziet. 'Wat doen jullie hier, jullie schrik me rot,' zegt ze.

'Sst,' zegt Ben, 'doe die lamp uit. Rankin terug, en ze hebben iedereen.'

'Papa, Mama–' zeg ik.

'Nee!' zegt Beattie. Dan gaat ze daar op de trap zitten en begint te huilen. 'Marshall zeg, als hij ze pak, hij verkoop ze allemaal, ook Papa.'

Ben zegt: 'Beattie, geen tijd nu voor gehuil.'

'Maar ze verkoop ze allemaal!' Ze huilt hard. 'Mama, Papa–'

'Hou op met dat gehuil en doe dat licht uit!' zegt Ben. 'We moet wat verzinnen voor te doen.'

Beattie probeert de lamp uit te doen, maar ze trilt zo erg dat Ben hem van haar afpakt. Samen laten ze de lamp vallen. Het tafelkleed vat vlam, en we moeten er allemaal op stampen voor het uit te krijgen. Dan krijgt Ben een idee.

'Beattie,' zegt hij, 'vanavond ga je hierboven een brand maak.' Beattie en ik kijken Ben aan alsof hij niet goed snik is. Maar hij praat door. 'Als iedereen hierboven voor dat vuur uit te maak, dan laat ik iedereen vrij. Deze keer steek iedereen die rivier over bij dat rookhuis en klim daar naar boven. Dit moeilijk, maar dit geef ze een betere kans, want Papa weet die weg.'

'Hoe krijg ik dat vuur aan?' vraagt Beattie.

'Dat ga makkelijk branden,' zegt Ben. 'Belle en ik maak dat voor je klaar. Dan gaan we aan die andere kant bij de hutten naar beneden en kijk toe uit dat bos. Jij moet alleen maar wachten tot alles klaar, en als iemand in de buurt, dan zeg je dat je bij mevrouw Martha moet kijk, kom hier naar boven en maak dat vuur aan. Maak het goed aan en ga naar buiten. Als ze dat vuur zien, kom Rankin en de mannen hier naar boven voor dat uitmaak. Als ze dat aan het doen ben, laat we iedereen vrij. Jij haal jouw jongens en vlucht met iedereen.'

'O, Ben! Weet jij dit zeker?' zegt Beattie.

'Wat moet we anders?' zegt Ben.

'Belle?' vraagt Beattie.

'We moeten iets doen,' zeg ik.

Het lijkt of Ben en ik de hele nacht in het bos wachten en toekijken. Ben gaat moeizaam ademen als we het vuur in het grote huis zien branden. Beattie maakt het goed aan het branden, maar het probleem is, Marshall is nog steeds Lavinia aan het zoeken en Rankin ziet niks, want hij is ergens dronken aan het worden. Het vuur komt al uit de ramen tegen de tijd dat Rankin eraan komt. En hij is zo dronken dat hij niet goed meer kan nadenken. Eerst rent hij er zelf heen voor te kijken, dan roept hij naar zijn mannen dat ze water moeten brengen. Ben en ik, we wachten niet meer. Ben gaat naar de hutten om de touwen door te snijden en ik ga Beattie met haar jongens helpen. Maar Beattie staat voor de deur van haar keuken te huilen. Ze zegt ze weet niet waar Oom heen was. Het vuur sist en brult, en ik grijp Beattie, zeg tegen haar haal je jongens, en kom op, er is geen tijd, iedereen wacht op je. Maar ze blijft daar staan huilen, bang dat Oom in het grote huis is. Alles wordt fel verlicht door het vuur, en het enige wat ik denk is, we moeten hier weg, dus geef ik Beattie een klap en zeg haar dat ze nu haar jongens moet halen.

Als we beneden bij de hutten komen, heeft Ben iedereen los, en ze zijn klaar om te gaan, maar Mama protesteert. Ze zegt dat ze niet meegaat. Ze zegt iedereen is de eerste keer gepakt omdat ze niet goed kan rennen, dus ze blijft en daarmee uit. Dan zegt Papa als Mama blijft, dan blijft hij ook, maar Mama wordt boos en zegt dat hij moet gaan.

Ben zegt: 'Papa, je moet voorop gaan, aan iedereen die weg toon. Daar hebben ze je voor nodig.'

Dus Papa zegt hij zal ze op die weg zetten, en dan komt hij terug voor Mama.

Mama zegt: 'George. Ga mee, blijf bij Beattie en haar jongens. Ik red me hier wel.' Maar we weten allemaal dat Papa toch terug gaat komen.

De brand in het grote huis is wild en het lijkt of mijn Jamie naar boven wil. Ik ga snel naar hem toe. 'Jamie. Mevrouw Martha, ze is dood,' zeg ik.

'Hoe bedoel je ze is dood? Hoe weet je dat?'

'Ik zag haar. Ze is dood,' zeg ik. 'Ze neemt te veel druppels. Ze is al dood voor het vuur gaat branden. Ze is dood, Jamie.'

'Dit heeft Marshall gedaan! Hij heeft haar vermoord. Het is allemaal zijn schuld!'

'Kom,' zeg ik, en ik duw hem vooruit. 'Ga met de anderen mee. Als je wegkomt, schrijf je me. Ik stuur je geld; je krijgt je vrijbrief.'

'Kom op!' zegt Ben. 'We moet weg!'

Fanny huilt, Beattie huilt, Papa huilt.

Ben zegt: 'Jullie daar! Stop met dat gehuil! Til die kleintjes op en loop!'

Fanny tilt een van Beatties jongens op, Eddy de andere. Jamie kijkt me aan alsof hij me vraagt wat hij moet doen. Hij is net zo groot als ik, maar zoals hij me nu aankijkt, is het nog steeds mijn kleine jongen. 'Ga mee,' zeg ik. 'Snel, ga met de anderen mee. Schrijf me, dan stuur ik je geld.'

Ben zegt: 'Kom op!' Hij trekt Papa mee, en zodra hij Papa aan het lopen heeft, rent iedereen achter hem aan.

Als ze weg zijn, gaat Mama gewoon zitten. De lucht is rood en het gebrul van het grote huis klinkt als een storm. Ik zeg tegen Mama dat ze met mij mee terug moet komen naar Will Stephens' huis, maar ze zegt ze gaat naar haar eigen hut en daar op Marshall wachten. Ze ziet er te ziek uit voor er zelf te komen, dus neem ik haar mee, maar ze redt het niet eens tot het keukenhuis en moet alweer zitten. Ze zegt dat ze druk op haar borst voelt, en ik merk dat haar ademhaling niet goed is. Ze zegt steeds dat ik hier weg moet, dat alles goed komt met haar.

'We blijven hier gewoon zitten, Mama, hier in het gras, tot je je beter voelt.' We gaan zitten en ze zegt niets. Ik sla mijn armen om haar heen en hou haar overeind terwijl ze haar ogen sluit. Als ik haar weer aan het lopen krijg, komt ze niet verder dan het keukenhuis. Tegen die tijd schiet de brand van het grote huis overal omhoog, en stort het dak in.

'Denk je dat het hierbeneden komt en dit keukenhuis gaat branden?' vraag ik.

'Nee,' zegt ze, 'dit huis ver weg genoeg gebouwd, dus begin er hierbeneden een brand, die kan niet overslaan op dat grote huis.'

Ik laat Mama zitten, en ze zegt me weer dat ik weg moet gaan. Ik weet dat ze gelijk heeft. Ik omhels haar, zeg haar dat ze moet volhouden tot ik haar met Will Stephens kom halen. Ik loop de deur uit als Mama me terugroept. Ze doet haar hoofddoek af en trekt parels uit haar haar. Ik weet dat ze uit het grote huis komen. Ze zijn van mevrouw Martha! Mama wikkelt ze strak in haar hoofddoek en stopt hem in mijn zak. 'Breng dit naar die anderen,' zegt ze.

Ik moet weg, maar ik hoor Mama in zichzelf praten. 'Mijn hoofd voel koud,' zegt ze, ze wrijft over haar oren en ziet er zo hulpeloos uit als een klein meisje.

Ik doe mijn eigen vieze, groene hoofddoek af en wikkel hem om haar hoofd, dan kus ik haar en zeg: 'Blijf hier, Mama. Ik kom terug.'

Ik weet dat ik weg moet. In mijn nek voel ik dat er iets vreselijks gaat gebeuren. Ik draai me om naar de openstaande keukendeur en daar zie ik hem. Zijn gezicht is zo zwart van het vuur, dat ik hem amper herken, maar als hij mijn naam zegt, word ik helemaal slap en kan ik niet meer denken. Voordat ik het weet, trekt Rankin me de heuvel op, waar Marshall staat te wachten met een touw in de hand en zegt dat ik ga hangen omdat ik dit huis in brand heb gestoken.

Ze willen net mijn handen vastbinden als Mama de heuvel op komt. Ze schreeuwt tegen Marshall dat hij moet ophouden, en snel ook! Ze praat tegen Marshall alsof hij een kind is, en hij houdt inderdaad op en luistert naar wat Mama zegt. Ze loopt vreselijk te hijgen tegen de tijd dat ze bij ons is, maar ze weet wat Marshall van plan is, en ze loopt recht op hem af voor me weg te trekken.

'Marshall! Wat doe je?' zegt Mama. 'Denk je niet je doe al genoeg?'

Marshall probeert me te grijpen. Ik spring achter Mama. Hij heeft het touw in zijn handen, maar Mama blijft staan en kijkt hem in de ogen.

'M'neer Marshall,' zegt ze, 'ga je de mama pijn doen die voor jou zorg als kleine jongen?'

Marshall probeert me weer te grijpen, maar Mama gaat in de weg staan.

'Marshall,' zegt ze, 'hou nu op! Wat doe je! Ben je van de dufel? Sinds die dag kleine Sally ga dood, zie ik hoe je met die drift van jou mensen pijn doe. Stop daarmee! Al die tijd gebruik je mijn meiden als een paar beesten beneden bij die stal. Je maak al die baby's, wit, zwart, maar dit maak jou niks uit. Jouw Elly, zij als een zus voor Jamie, voor Moses, voor Beatties jongens – die allemaal haar broers! Ja, zo is dat! Maar die nu allemaal weg. Die allemaal voor jou vlucht. Abinia weg, kleine Elly weg, zelfs mijn Beattie weg met haar baby's, voor jou vlucht. Wat ga je nu doen?'

Marshall grijpt nog een laatste keer naar me, en weer gaat Mama in de weg staan.

'Marshall!' zegt Mama. 'Ik zeg genoeg zo! Nu wil je Belle dood? Zij jouw zus! Laat haar met rust! Nu moet je maar eens weet wie jouw zus. Eerst krijg je dat kind met haar, nu maak je haar af! Je ben die dufel zelf, je maak je eigen zus dood!'

Marshall zegt niks. Hij kijkt me vreemd aan. Ik merk dat hij voor het eerst hoort dat ik zijn zus ben.

Maar Mama houdt niet op. 'Zo is dat, Marshall!' zegt ze. 'Belle jouw zus! Jouw papa hou van deze meid, maar niet zoals jij en mevrouw Martha denk. Ik bij haar geboorte, en ik weet Belle jouw papa's kind.'

Nu kijkt Marshall alleen nog naar Mama. Ze blijft praten.

'Zo is dat, Marshall! Pak mij! Ik dit huis in brand steek. Ik Abinia verstopt. Ik zeg Beattie ze moet vlucht, ik weet zelfs waar die naartoe vlucht, maar ik zeg jou niks.'

Marshall schreeuwt als hij Mama grijpt. Ik probeer haar los te trekken als hij het touw om haar heen gooit, maar Rankin slaat me van achteren en ik ga neer.

55

Lavinia

WIJ IN LUCY'S HUT WISTEN NIET WAT ER DIE LANGE NACHT AL-
lemaal gebeurd was. Tegen zonsopgang kwam Ben naar binnen
gerend. De angst in zijn stem sijpelde door het plafond. Hij ging
naar Will Stephens toe, zei hij. Lucy smeekte hem te blijven, bang
omdat hij het landgoed zonder reispas zou verlaten. Hij moest
gaan, wierp hij tegen. Marshall en Rankin hadden Belle. Ze waren
er zeker van dat ze wist waar ik was, en ze zouden haar ophangen
als ze niet meewerkte.

Toen ik dat hoorde, kon ik me niet langer beheersen. Ik wist dat
Belle nog eerder zou sterven dan dat ze ons allemaal in gevaar zou
brengen, en ik wist dat Marshall haar zonder pardon zou afmaken.
Wild stampte ik op het luik totdat Ben het opendeed. Hij probeerde me te kalmeren, maar er was geen land meer met me te bezeilen.

'Help me eruit!' Ik hield vol. 'Help me eruit!' Als Ben me er niet
uit had getild, was ik op de grond gesprongen, en eenmaal beneden zette ik het op een rennen.

Maar Elly wilde niet alleen achterblijven. Ook zij sprong in Bens
armen en ze ging me achterna. Ik riep dat ze terug moest gaan, dat
ze bij Ben moest blijven, maar ze weigerde. Ik wist niet wat ik
moest doen, dus greep ik haar hand en rende verder over het pad
dat langs de brede kreek liep. Het leek of we al een eeuwigheid aan
het rennen waren toen ik verderop paarden hoorde hinniken. Ik
greep Elly en trok haar mee de bosjes in, waar ik gebaarde dat ze stil
moest zijn. Ik hoorde de paarden dichterbij komen en daarna een
mannenstem.

'Rankin,' zei ik hijgend en ik duwde ons allebei tegen de grond. We bleven zo liggen terwijl ze op enige afstand voorbijkwamen, maar ik kon ze zien en begreep uit hun gesprek dat ze weer op zoek waren naar weglopers.

Waar is Marshall? vroeg ik me af. Waar is Belle? We renden verder zodra ik dacht dat het veilig was. Geërgerd door haar trage tempo sleurde ik Elly achter me aan. Uiteindelijk kon ze niet meer verder en stribbelde tegen. Ze bleef staan en haar hand gleed uit de mijne. Ik had kunnen stoppen om op haar in te praten, maar naarmate we dichter bij ons huis kwamen, werd de geur van rook steeds sterker, en ik werd voortgedreven door een nieuwe golf van angst. Ik sprintte vooruit, zonder te letten op mijn kind. Mijn benen, die deze snelheid niet gewend waren, voelde ik niet meer, en mijn longen dreigden ermee op te houden. Ik verdrong de gedachte dat ik te laat was en concentreerde me uit alle macht op de weg naar huis. Toen maakte ik een inschattingsfout. Ik wilde een kortere weg over de beek nemen, dus verliet ik het pad en stortte me tussen de bomen, maar daar bleef ik tot mijn schrik vastzitten. Ik rukte en trok aan mijn lange rok om me uit de klauwen van de bramenstruik te bevrijden. Terwijl ik me losscheurde, haalde Elly me weer in. Snikkend klampte ze zich vast aan mijn arm en probeerde me tegen te houden. Maar een zevenjarige is geen partij voor een volwassen vrouw en buiten zinnen duwde ik haar op de grond. Ze keek me aan met een blik vol ongeloof.

'Blijf hier,' smeekte ik. Ik keerde om en rende weer over het pad tot ik bij de beek kwam. Ik wilde oversteken door op de stenen in het ondiepe water te stappen, maar ik vergat mijn schoenen uit te doen. Halverwege gleed ik uit over de gladde stenen en viel met een plons in het water. Het water was ijskoud, en heel even zat ik daar als verlamd naar het kolkende water te staren, tot ik opkeek en ons koelhuis aan de andere kant van de beek herkende. Het grijze gebouw herinnerde me eraan hoe dicht ik bij huis was. Ik kwam overeind, mijn rok was doornat en zwaar, en ik ploegde naar de overkant door me vast te klampen aan de stenen die uit het water staken.

Onder aan onze heuvel boog ik buiten adem voorover om lucht

te krijgen. Op een of andere manier had Elly me weer weten in te halen en ditmaal hing ze als een jong katje aan mijn natte rok. Ik was als de dood dat ze verderop iets vreselijks zou zien, maar het was nu te laat, dus greep ik haar hand, en samen bedwongen we de top van de heuvel. Ik bleef stokstijf staan. Jammerend liet Elly mijn hand vallen en zakte door haar knieën. Heel langzaam, als in een droom, liep ik verder.

Onze enorme eik stond vlak bij de top van de heuvel, en zijn weelderige, groene bladeren wierpen een schaduw over de dikke tak die het gewicht droeg van een bungelend lichaam. Mijn ogen weigerden op te kijken, maar ik had de handgemaakte schoenen met de punten naar beneden al herkend. Mijn borst deed pijn. Kwijlend en kokhalzend boog ik voorover. Ik moet naar het huis, dacht ik, en strompelde verder. Ik haal een mes, dacht ik, en snij haar los. Dan ademt ze weer; dan is ze weer de oude.

Maar er was geen huis meer dat ik binnen kon gaan. Verbijsterd bleef ik staan kijken. Ons huis was in rook opgegaan; waar het gestaan had, was nu alleen nog maar puin en rook. Ik probeerde het te bevatten.

Ik hoorde iemand schreeuwen. De woorden sisten door de zinderende augustuslucht. Het was de stem van Jamie. 'Je hebt haar vermoord! Je hebt haar vermoord!'

Ik durfde weer naar de boom te kijken. Marshall stond ernaast. Jamie liep naar hem toe met de lange, zelfverzekerde passen van een volwassen man. Hij had een geweer in zijn handen. Er zoemden vliegen en er was een hond die jankte.

Marshall keek mijn kant op. 'Lavinia.' Hij zwaaide en riep mijn naam alsof hij blij was me te zien.

Jamie richtte het geweer op Marshall. 'Vader!' Hij spuwde het woord uit. 'Vader!'

Marshall draaide zich naar hem om. Het geweer knalde en Marshall werd naar achteren geblazen, waarbij er stukjes van zijn lichaam door de lucht vlogen als de zaadjes van een paardenbloem. Krijsend rende ik naar Jamie toe. Ik trok het geweer uit zijn handen. 'Weg hier,' schreeuwde ik, 'snel.'

Ik wachtte en keek naar de boom, maar ik kon er niet naartoe. Ik hoorde het angstige gejammer van anderen die de heuvel op kwamen. Ik draaide me naar ze om en smeekte ze om de wagen te halen, om Mama los te maken. Daarop zakte ik op het hete, droge gras in elkaar.

De wagen kwam ratelend over de rotsen. Lodo, onze muilezel, balkte toen hij de geur van de dood opsnoof, maar de harde klap van Eddy's zweep dreef hem voort. Eindelijk kwam de muilezel onder de eik tot stilstand, trillend en glimmend van de hitte, met de kar achter zich.

'Voorzichtig,' smeekte ik, en ik durfde niet te kijken, maar nog voordat ik de doffe klap hoorde, keek ik op en zag ik Belles felgroene hoofddoek in de wagen vallen. Terwijl Lodo de afdaling inzette, sneden Papa's kreten van smart diep in de ziel van onze heuvel.

Ik ging de gevangenis in toen ik vol bleef houden dat ik Marshall doodgeschoten had. De eerste dag was ik doodsbang en kon ik alleen maar ijsberen. Ik kon het verschrikkelijke beeld van Mama's lichaam niet uit mijn hoofd zetten. Ik wilde niemand zien, tot ik op de tweede dag te horen kreeg dat Will Stephens er was om over mijn dochter te praten.

Het was jaren geleden sinds ik Will voor het laatst had gezien. In tegenstelling tot zijn kalme uitstraling, had hij een bezorgde blik in zijn ogen. Hij ging tegenover me zitten.

'Ik dacht dat je misschien wel wilde weten dat Elly in goede handen is,' zei hij. 'Ze is met Fanny in Belles huis. Ik had haar meegenomen naar mijn huis, maar ze ging zo tekeer dat ik haar naar Belle heb gebracht, in de hoop dat zij haar wat troost kan bieden. Maar Belle is niet zichzelf, en Ben stelde voor dat we Fanny hierheen haalden. Dat heeft geholpen. Elly is tot rust gekomen.'

Ik knikte.

'Lavinia,' zei hij met een lage stem, 'je moet voor jezelf opkomen. We weten allebei wat er echt gebeurd is.'

'Het was allemaal mijn schuld! Alles is mijn schuld!' zei ik. Will probeerde me tot inkeer te brengen, maar ik begon te raaskallen. Zelfs ik begreep amper nog wat ik zei.

'Ik heb meneer Madden gevraagd om te komen,' zei Will voordat hij wegging.

De volgende dag kwam Will terug met Belle en toen we elkaar in de armen vielen, ging hij weg. Belle was ten einde raad en wilde met me praten. Ze vertelde hortend en stotend haar verhaal.

Rankin had Belle vastgehouden en liet haar toekijken hoe mama Mae vermoord werd. Toen hij Belle losliet, was ze naar het keukenhuis gestrompeld. Misschien was zelfs Marshall verzadigd van haar wanhoop, want hij ging haar niet achterna. Niemand weet waarom Marshall op de heuvel achterbleef, terwijl Rankin achter papa George en de anderen aan ging.

Toen ze enkele uren onderweg waren, begonnen de vluchtelingen te twijfelen. Papa wilde niet verder zonder Mama, en niemand wilde verder zonder Papa. Jamie was de eerste die terugging. Eerder die week had hij, zonder het aan iemand te vertellen, een geweer uit het huis gehaald en het onder het rookhuis verborgen. Nu ging hij het halen. De anderen waren bijna thuis toen ze het geweer hoorden afgaan.

'En Jamie? Waar is hij nu?' vroeg ik.

Ze verzekerde me dat hij op weg was naar een veilige plek.

De volgende vraag wilde ik eigenlijk liever niet stellen. 'Mevrouw Martha? Oom Jacob?'

Ik haalde opgelucht adem toen ze me vertelde dat mevrouw Martha al voor de brand was gestorven. Oom Jacobs lichaam was niet gevonden, maar naar het schijnt was hij terug het huis in gegaan en daar omgekomen.

'Wat is er met Rankin gebeurd?' vroeg ik.

Niemand wist het, maar Will had Ben en Papa een wapen gegeven; zij waren verantwoordelijk voor wat er van Tall Oaks over was.

Toen Belle alles verteld had, hield ik haar een hele poos dicht tegen me aan. Voordat ze wegging, vroeg ik haar om tegen iedereen te zeggen dat ze weg moesten blijven. Ik was bang dat ze zich binnen gehoorafstand van de verkeerde mensen zouden verspreken.

Toen ik voorgeleid werd, bekende ik schuld. De rechtbank was van mening dat ik vervolgd moest worden, dus bleef ik tot september in de gevangenis om het proces af te wachten. Ik vond het niet erg om in de kleine cel te zitten, om de schamele porties te eten of op een vochtige strozak te slapen. Op deze manier strafte ik mezelf, niet alleen voor de dood van Mama, maar ook voor het verlies van mevrouw Martha en oom Jacob. Ik had toch zeker iets kunnen doen om hun leven te redden. Ik dacht weinig aan Marshalls lot; eerlijk gezegd was ik blij dat ik van hem af was.

Zoals Will had aangekondigd, schoot meneer Madden me te hulp. Onmiddellijk drong hij er als mijn advocaat op aan dat ik onschuldig zou pleiten. Onder vier ogen drukte hij me op het hart dat hij wist dat ik Marshall niet vermoord had. Ik wilde niet aan meneer Madden toegeven wat er echt gebeurd was, in de wetenschap dat Jamie zeker de doodstraf zou krijgen als hij als neger berecht zou worden voor de moord op een blanke. In plaats daarvan voerde ik aan dat ik de schuldige was, en in een poging hem daarvan te overtuigen, sprak ik openlijk over mijn gedrag, over de jaren van zelfvernietiging en egocentrisme.

Hij keek me over zijn bril aan terwijl hij aandachtig naar me luisterde. Het bleef lang stil voordat hij reageerde. 'Lieverd,' zei hij liefdevol, 'ik geloof wel dat je je schuldig hebt gemaakt aan egoïsme, want is wat je nu doet eigenlijk ook niet egoïstisch?'

'Hoe bedoelt u?'

'Je zegt dat je tijdens al die jaren van je laudanumgebruik een slechte moeder was, nietwaar?'

'Ja, ik zat in een roes. Ik liet de zorg voor Elly over aan Fanny.'

'En nu wil je je dochter weer een moeder ontnemen?' vroeg hij.

'Maar ze heeft Fanny...' begon ik, maar ik maakte mijn zin niet af, want ik wist dat hij gelijk had. Hij had me overgehaald om me door hem op de in zijn ogen beste manier te laten verdedigen.

Op de eerste dag van het proces voerde meneer Madden samen met een andere advocaat aan dat ik Marshall niet had doodgeschoten, maar dat ik tijdens mijn bekentenis in shock was geweest. De volgende dag voerden ze aan dat oom Jacob niet alleen het huis in brand had gestoken, maar Marshall ook had opgewacht. Hij was de enige die toegang had tot een geweer, dat volgens mijn advocaten alleen uit het grote huis afkomstig kon zijn. Ze suggereerden dat hij ontsnapt was, en ze beweerden zelfs dat hij op weg naar het noorden gezien was. Ik weet niet zeker of de jury volledig overtuigd was van meneer Maddens pleidooi, maar ik vermoed dat

Marshalls reputatie wel van invloed was op hun bereidheid om me vrij te spreken.

Op de middag van mijn vrijlating werd ik door een rijtuig naar Wills huis gebracht. Ik stapte uit bij het keukenhuis van Belle, waar een emotionele hereniging plaatsvond met Elly, Belle en Fanny. Het duurde niet lang voor ze me in een tobbe met water hadden gezet. Ik werd er niet verlegen van toen ze alle drie per se wilden helpen om het vuil van de afgelopen maand van me af te schrobben, en ik had daar wel eeuwig kunnen zitten weken, als ik niet bij Will thuis verwacht werd voor een feestelijk diner. Terwijl ik in de tobbe zat, waste Belle mijn haar en nadat ze het droog geborsteld had, stak ze het hoog op. Ik trok Belles kleren aan, die me verrassend goed pasten, kuste iedereen en ging op pad.

Will had een groot huis, en toen ik binnenkwam, voelde het vertrouwd aan. Het was een huis met overnaadse planken en de indeling leek op die van Tall Oaks. Het was niet zo ruim en er stonden geen verfijnde meubels en kostbare voorwerpen, maar het uitstekende houtwerk en de schouwen getuigden van kwaliteit en vakmanschap. De muren waren gekalkt en de grenen vloeren glommen, maar er lagen geen luxe tapijten.

Lucy deed de deur open en ik omhelsde haar. 'Ik zal nooit vergeten wat je voor me hebt gedaan,' zei ik, en toen ik haar losliet, glimlachte ze.

Will verscheen in de deuropening van de salon. 'Ik dacht al dat ik je stem hoorde,' zei hij, en hij leidde me de kamer binnen. Hij bracht me naar zijn vrouw, die op een blauwgroen gestoffeerde stoel naast het vuur zat. Toen ik binnenkwam, stond meneer Madden op van de stoel tegenover haar, maar ik gebaarde dat hij weer moest gaan zitten.

Wills vrouw zag er gewoontjes uit, maar ik voelde meteen aan dat ze een lieve vrouw was. Ik wist niet wat ze over me gehoord had, maar in haar begroeting lag geen oordeel. Ze zag bleek en was zwanger, en uit haar vertrokken gezicht maakte ik op dat ze zich niet goed voelde. Haar jurk viel me niet op, want mijn aandacht werd afgeleid door de extra grote sandalen die ze nodig had voor haar gezwollen voeten. Al vrij snel na onze kennismaking verontschuldigde Martha zich. Ze legde uit dat haar dokter haar had geadviseerd om zoveel mogelijk tijd in bed door te brengen tot ze 'gezegend werd', zoals ze het zelf noemde. Lucy hielp haar de kamer uit, en hun silhouet raakte me diep want het deed me denken aan mevrouw Martha en mama Mae. Ik werd gelukkig afgeleid door Will die voorstelde om aan tafel te gaan.

Lucy was alweer terug om ons te bedienen, en hoewel ik weinig trek had, was het heerlijk om weer van Belles eten te proeven. Toen Will wilde proosten, koos ik de beker water in plaats van het glas rode wijn. De vloeistof die mijn leven zo negatief had beïnvloed smaakte me niet meer.

Na het dessert ging het gesprek over mijn toekomst. Will stond op en bood aan me alleen te laten met meneer Madden. Ik vroeg of hij wilde blijven en zei dat ik zijn mening op prijs stelde. Ik gaf toe dat ik liever niet wilde horen wat er voor me in het verschiet lag.

Wat wilde ik doen? vroeg meneer Madden. Wat zou ik ervan vinden om met hem naar Williamsburg terug te keren, uiteraard samen met Elly? Hij verzekerde me dat zijn familie ons beiden met open armen zou ontvangen. Sterker nog, zei hij lachend, Meg, die nog steeds niet getrouwd was, had hem laten beloven dat hij niet zonder mij zou terugkeren.

Ik bedankte hem oprecht voor alles wat hij voor me had gedaan en zei dat hij niet weg mocht zonder een brief van mijn hand. Ik wilde Meg en tante Sarah bedanken voor hun lieve aanbod. 'Maar ik wil hier blijven,' zei ik. 'Ik heb er alles voor over om dat mogelijk te maken.'

Meneer Madden was niet verbaasd dat ik wilde blijven. Toen hij aankwam, had ik hem verzocht om mijn situatie te analyseren en mij te vertegenwoordigen. Nu stelde hij me op de hoogte van de resultaten. Hij had veertig hectare kunnen redden, inclusief wat er van Tall Oaks en de bijgebouwen over was. Will Stephens had toegezegd dat hij de paar overgebleven negers van de hutten zou kopen. Op mijn verzoek waren de vrijbrieven voor Papa, Eddy en Fanny, en voor Beattie en haar drie zoons opgetekend; ik wilde ze vragen te blijven in ruil voor eten en onderdak. In de toekomst zou ik ze loon kunnen betalen. Meneer Madden gaf aan dat we met enige inventiviteit en hard werken een succes konden maken van de kleine plantage. Toen deed hij een aanbod dat me overdonderde. Hij zou me een lening verstrekken, zei hij, voor de bouw van een nieuw huis. Ik moest het bedrag terugbetalen in de vorm van een brief die ik maandelijks naar hem en zijn gezin stuurde, waarin ik verslag deed van de ontwikkelingen, en waarmee ik ze deelgenoot maakte van de resultaten. Mijn tranen van opluchting en dankbaarheid brachten meneer Madden in verlegenheid, terwijl Will zich verontschuldigde omdat hij bij zijn vrouw wilde gaan kijken.

Toen Will terugkwam, herhaalde hij nog eens het aanbod van zijn vrouw om gebruik te maken van de logeerkamer. Ik bedankte mijn gastheer en zei dat ik graag in Belles huis zou slapen, wat ik verder niet hoefde uit te leggen.

Even later, toen Will met me naar de hut wandelde, was ik zo opgelucht dat ik me amper kon beheersen. Aangesterkt door het elixer van de hoop ademde ik diep de verfrissende lucht van de vrijheid in. Elly en ik konden met onze familie op Tall Oaks blijven, en we hadden de middelen om opnieuw te beginnen.

Het was oktober. De oranje maan was zo groot dat Will en ik allebei opmerkten hoe mooi hij was. Toen we bij de hut aankwamen, nam hij mijn onbedekte hand in de zijne. Er ging een schok van verlangen door me heen, die me deed beseffen hoezeer ik nog van deze man hield. Voordat ik mezelf in zijn armen kon werpen, trok ik snel mijn hand terug, en zei dat ik zijn vrouw graag wilde helpen, als dat nodig mocht zijn. Ik durfde niet te treuzelen en wenste hem haastig een goede nacht.

Terug in Belles hut vertelde ik het nieuws en deelden we onze blijdschap. Toen Elly sliep, vroeg ik Belle naar Jamie. Hij was veilig in Philadelphia, zei ze. Bij mijn weten was Marshalls oudste zoon wettelijk mijn eigendom, en nu roerde ik de kwestie aan. Ik zei Belle dat ik Jamies vrijbrief zou laten opstellen en naar hem opsturen. Belle bedankte me, en vertelde me vervolgens over de dag waarop Jamie haar eigen vrijbrief was komen brengen.

'Wil je naar Jamie toe in Philadelphia?' vroeg ik. 'Dat kan ik regelen.'

Belle wees mijn aanbod af. Will had het haar al aangeboden en haar toestemming gegeven om te vertrekken wanneer ze wilde, zei ze. Belle zei niets en bestudeerde haar handen. Toen ze weer opkeek, waren haar ogen vochtig. Mocht ze me nog iets vragen?

'Natuurlijk,' zei ik.

Mocht ze met mij mee terug naar Tall Oaks?

Ik knielde en nam haar handen in de mijne. 'Natuurlijk mag je mee naar huis,' zei ik.

De volgende ochtend vroeg kwam Ben aangereden met een extra paard voor mij. Ik had hem niet gezien sinds ik gevangen werd genomen. Nu gingen hij en ik samen op weg naar wat er van Tall Oaks over was. Terwijl mijn paard het pad volgde dat Elly en ik zo kort geleden nog genomen hadden, zocht ik naar woorden. Uiteindelijk viel ik maar met de deur in huis. 'Ben, hoe kan ik je ooit bedanken voor je hulp?'

'Jij mijn familie, Abinia,' antwoordde hij.

Mijn keel zat zo dichtgeschroefd dat ik amper iets kon uitbrengen. 'En jij de mijne,' zei ik.

Papa George stond bij de stal te wachten. Zijn haar, dat eens grijs was geweest, was nu wit. Ik aarzelde tot ik hem zag glimlachen. Ik sprong van mijn paard en rende naar hem toe; na al die jaren kon ik hem vrij omhelzen.

Toen ik Papa zijn vrijbrief gaf, pakte hij hem aan en wendde zich af. 'Papa.' Ik raakte zijn schouder aan. 'Je bent vrij om te gaan, maar ik wil niets liever dan dat je blijft. Alleen als jij er bent, is dit mijn thuis. Ik kan je nog niet betalen, maar...'

Papa draaide zich weer naar me om. 'Waar moet ik heen, Abinia? Dit hier mijn thuis. Ik hoor nergens niet thuis, alleen hier.'

Ik was zo opgelucht dat ik alleen maar wilde huilen, maar ik mocht me niet langer laten gaan. In plaats daarvan begon ik over onze toekomst. Ik vertelde Papa dat meneer Madden had aangeboden om een nieuw huis te financieren. We bekeken het landgoed samen, en toen Papa voorstelde om naar de plek van het oude huis te lopen, wist ik hoezeer het idee hem tegenstond.

'Nee, Papa,' zei ik, 'daar gaan we niet bouwen. Die heuvel is heilig. We moeten een andere plek vinden.'

We keken samen zwijgend naar de heuvel en de eik die er nog steeds stond, maar we werden gelukkig afgeleid toen Moses, Beatties oudste zoon, naar ons toe kwam. Achter hem kwamen Beattie en haar twee andere zonen aangesneld om me te begroeten. We omhelsden elkaar net zo oprecht als onze vriendschap vroeger was geweest.

Samen bespraken we de mogelijke plekken voor het nieuwe huis. Papa bracht ons via de boomgaard naar een plek aan de overzijde van het pad langs het keukenhuis. We vonden dit allemaal verreweg de beste optie. Meneer Madden en Will kwamen later die middag langs en keurden de locatie goed. Binnen een week werd er met de bouw begonnen.

De stallen waren in goede conditie en gelukkig waren er nog een paar goede paarden over. We besloten met ze te gaan fokken, en een paar jaar later, toen we eenmaal onze naam gevestigd hadden als leverancier van betrouwbare paarden, ging het ons voor de wind.

Belle kwam inderdaad op Tall Oaks wonen en samen gingen we de toekomst tegemoet. Toen ze jaren later overleed, werd ze naast haar vader op het kerkhof van het grote huis begraven. Haar grafschrift luidde:

BELLE PYKE

DOCHTER VAN JAMES PYKE

NAWOORD

Enkele jaren geleden hebben mijn man en ik de voormalige herberg van een plantage in Virginia gerestaureerd. Toen ik de geschiedenis ervan probeerde te achterhalen, vond ik een oude plattegrond, waarop vlak bij de plek van ons huis de woorden 'Negro Hill' geschreven stonden. Lokale geschiedkundigen konden niet vaststellen waar de naam vandaan kwam, en namen aan dat er naar alle waarschijnlijkheid een tragedie aan ten grondslag lag.

Het hield me maandenlang bezig. Elke ochtend liep ik over ons stuk land naar de beek waar ik dan mediteerde. Op de terugweg zag ik Negro Hill liggen en vroeg me dan hardop af wat daar gebeurd kon zijn.

Uiteindelijk ging ik er op een ochtend na die wandeling voor zitten om mijn dagelijkse verslag te schrijven. Wat er vervolgens gebeurde was verbijsterend. In mijn gedachten speelde zich een scène af, zo levendig als een film. Ik begon te schrijven en de woorden vloeiden uit mijn pen. Ik volgde de voetsporen van een doodsbang blank meisje, dat achter haar uitzinnige moeder aan de heuvel op rende. Toen ze de top bereikten, zag ik door hun ogen een zwarte vrouw aan een dikke tak van een enorme eikenboom hangen. Ik legde mijn pen neer, zo ontzet was ik door de verhaallijn. Ik had de proloog van Het keukenhuis geschreven. Hoewel ik altijd gefascineerd ben geweest door de geschiedenis van voor de Amerikaanse burgeroorlog, verafschuwde ik het idee van slavernij en had ik het onderwerp altijd vermeden. Vlug liet ik de tekst in mijn bureaula glijden en besloot er niet meer aan te denken.

Een paar weken later hoorde ik van mijn vader dat een kennis van hem had ontdekt dat zijn voorouders uit Ierland afkomstig waren. Zijn Ierse voorouders waren rond het begin van de negentiende eeuw met een schip overgekomen en op die reis waren beide ouders gestorven. Twee broers hadden het overleefd, samen met hun zusje. De familie kon achterhalen wat er met de jongens was gebeurd, maar van het meisje was geen spoor te bekennen. Toen mijn vader dit verhaal vertelde, liep er een rilling langs mijn rug. Diep vanbinnen wist ik meteen wat er met haar gebeurd was. Ze was als contractarbeider meegenomen naar de plantage van de kapitein in Southside en bij de slaven in het keukenhuis te werk gesteld. Ze lag in mijn bureaula op me te wachten.

Ik begon met mijn research. Ik bezocht de vele plantages in deze regio, met name Prestwould. Ik bestudeerde verhalen van slaven uit die tijd en interviewde Afro-Amerikanen wier voorouders slaaf waren geweest. Ik heb veel tijd doorgebracht in lokale bibliotheken, het Black History Museum, de Virginia Historical Society en Poplar Forest. Elke dag kwam er een stukje van het verhaal bij, en als ik dan klaar was, vaak uitgeput van emotie, vroeg ik me af wat de volgende dag in petto zou hebben. De enige momenten waarop het werk stil kwam te liggen was wanneer de personages me bij een gebeurtenis of plek brachten waar ik nog geen onderzoek naar had gedaan.

Ik heb meer dan eens geprobeerd om bepaalde gebeurtenissen te veranderen (de gebeurtenissen die ik erg schokkend vond), maar het verhaal hield op als ik dat deed, dus zette ik door en schreef ik op wat zich aan mij openbaarde.

Mijn eeuwige dankbaarheid gaat uit naar de zielen die me hun verhaal hebben geschonken. Ik kan alleen maar hopen dat ik ze recht heb gedaan.

DANKWOORD

Ik ben dank verschuldigd aan velen, maar vooral aan mevrouw Bessie Lowe, die haar familiegeschiedenis zo openhartig met me heeft willen delen, en aan Quincy Billingsley, die me met veel geduld heeft geleerd om zowel met bruine als blauwe ogen naar de wereld te kijken.

De volgende bronnen zijn tijdens het schrijven van dit boek van onschatbare waarde gebleken: de Prestwould Plantation, het Black History Museum in Richmond, het Legacy Museum in Lynchburg, de Virginia Historical Society, Poplar Forest, Colonial Williamsburg, de openbare bibliotheken van Appomattox, Charlotte Court House, Farmville, en de bibliotheken van Longwood University en University of Virginia.

Ik ben de Farmville Writers' Group dankbaar: Reggie, Melvin en Linda, die me op weg hielpen, en de Piedmont Literary Society, die me verder hebben begeleid.

Hoe kan ik mijn dierbare vrienden bedanken? Diane Eckert heeft van begin af aan geloofd in mijn schrijverschap. Carlene Baime pepte me op als ik de moed verloor. Ik had dit boek niet kunnen schrijven zonder de leiding en ondersteuning van Eleanor Dolan, noch had ik het kunnen afronden zonder het inzicht en de hulp van de onvermoeibare Suzanne Guglielmi.

Ik dank mijn literair agent en heldin, Rebecca Gradinger, en Trish Todd, mijn welwillende uitgever. Ook dank ik mijn dappere redactrice, Beth Thomas.

Ik ben mijn dochters, Erin Plewes en Hilary Cummings, eeuwig dankbaar voor hun steun, en mijn schoonzoon, Kyle Cummings, voor de muziek die hij voor mijn boektrailer heeft gemaakt.

Mijn man hanteerde de camera, maakte aantekeningen in de bibliotheek, en ging ontelbaar veel weekends met me mee naar plantages, musea, en meer historische plekken dan ik hier kan opnoemen. Dank je, Charles, voor je onwrikbare geloof in mij en in dit werk.